에스원 보안 · 경영 시리즈 **02**

시큐리티 마스터 플랜

저자 | TIMOTHY D. GILES
역자 | 에스원

보안 마스터 플랜을 개발하고 구현하는 방법

How to Develop and Implement a Security Master Plan

과제를 수행 할 수 있도록 지원해준 아내 *Linda*와
격려해 주었던 나의 아이들 *Amy*와 *Kelly*에게 이 책을 바친다.
또한 나에게 지식과 기술을 사심 없이 공유해 준
많은 보안 전문가들에게 이 책을 바친다.
내가 공유하는 이 정보가 미약하나마 그들에게
보답이 되기를 바란다.

HOW TO DEVELOP AND IMPLEMENT A SECURITY MASTER PLAN, First Edition by
Timothy D. Giles
Copyright © 2009 by Taylor & Francis Group LLC. All rights reserved.
Authorised translation from the English language edition published by CRC Press, a
member of the Taylor & Francis Group LLC.

This Korean edition was published by Kyung Mun Sa Publishing Co. Ltd. in 2019 by
arrangement with CRC Press, a member of the Taylor & Francis Group, LLC. through
KCC(Korea Copyright Center Inc.), Seoul.

이 책은 (주)한국저작권센터(KCC)를 통한 저작권자와의 독점계약으로 경문사에서
2018년에 출간되었습니다. 저작권법에 의해 한국 내에서 보호를 받는 저작물이므로
무단전재와 복제를 금합니다.

저자 소개

Tim Giles는 리스크/보안 관리 및 컨설팅 회사의 사장이다. 그는 이 회사 설립 이전에 애틀랜타에 있는 Kroll Associates의 보안서비스 전무이사로 2년 6개월 근무 했었다. 그 이전에는 IBM 북미 보안담당 임원으로 은퇴하기 전 까지 31년 동안 미국과 캐나다 전역에서 보안업무를 담당했었다. 또한 IBM 중남미 지역에서 2년 동안 보안책임자로 일했으며, 지역 보안관리자로서 IBM 아시아 태평양 지역에서 3년간 거주하며 근무했다. 1988년 서울올림픽 기간 동안 아시아에서 IBM 보안계획을 담당했고, 이전에는 IBM 반도체 사업부에서 제조 및 엔지니어링 직책을 맡았었다. 그는 1997년 ASIS International 인증을 받은 보안전문가로, 2007년에는 물리적 보안전문가로 인증을 받았다. 그는 보안 분야 대부분의 주요 프로젝트 관리뿐만 아니라 물리적 보안, 정보보호, 연구, 위기관리, 비상계획 및 대응, 재산대비 계획 수립 등 모든 부분에서 25년 이상 종사해 왔다. 또한 보안기술의 모든 측면을 활용하면서 역량을 향상시켰다. 18년 동안 그는 기업 보안 분야의 컨설턴트로 일했으며, 사설 연구원(private investigator) 자격도 보유하고 있다. 또한 다음 분야에서 세션을 진행했던 훌륭한 강사이기도 하다.

- 직장폭력 예방프로그램
- 비상계획 및 대응
- 위기관리
- 시큐리티 마스터 플랜
- 오늘날의 기업인들을 위한 보호 가이드라인
- 개인 및 여행 안전
- 글로벌 보안프로그램 수립

Mr. Giles은 ASIS International의 적극적인 회원으로서, 애틀랜타에서 개최된 2008 세미나 및 전시회의 호스트 위원장이며, Greater Atlanta Chapter의 전 회장이다.

저자의 말

수년 동안 나는 ASIS 국제 세미나 및 전시회에서 '시큐리티 마스터 플랜 개발'
이라는 주제의 교육을 진행했다. 교육이 호평을 받았음에도 불구하고, 시큐리티
마스터 플랜을 구현하는 프로세스의 더 깊은 이해를 위한 문의가 많이 있었다.
이런 문의에 대한 응답으로 나는 이 책에 전체 프로세스를 설명하기로 결심했다.

이 책을 통해 내가 정기적으로 기본 주제에서 벗어나 다른 분야의 개인적인
신념이나 철학을 확장하려고 모험했다는 것을 발견할 수 있을 것이다. 이 모험을
너무 자주하려 하지는 않았지만, 내가 특정 무대(certain arena)의 어디에서 왔는
지 알려주는 것이 중요하다고 생각한다. 모든 독자가 나의 이야기에 대해 동의하
지는 않을 것이다. 하지만 그 점이 보안 산업을 매우 흥미롭게 만든다. "나는 이
책이 흥미롭고 유익하다는 것을 알기 바라며, 독자가 추구하는 노력들이 성공하
길 기원한다."

이 프로세스는 비즈니스 또는 기관의 규모에 따라 달라진다. 다국적 기업이나
다방면의 비즈니스(예 : 제조, 연구, 사무실 단지, 창고) 또는 국제적 비즈니스의 경우
는 단일지역 비즈니스 또는 병원과 같은 기관보다 많은 작업이 필요할 것이다.
그러나 단일지역 비즈니스 또는 기관이라 할지라도 해결해야 할 다양한 환경(예
: 응급실, 유아관리, 심리센터)이 있다. 보안은 각각의 특정 환경에 적절히 구현되고
있는지 확인하는 것이 매우 중요하다. 또한 보안조직의 구조와 직원 배치 방식에
따라 달라질 것이다. 예를 들어, 계약직 경비원으로만 구성된 보안부서를 가지고
있다면, 조사, 교육, 인식 및 임원진 보호 같은데 필요한 기술들이 계약에 모두
포함되어 있는지 확인할 필요가 있다. 이런 기술들이 계약의 일부가 아닌 경우,
해당기술이 권장사항의 일부로 적합한지에 대해 판단해야 한다.

비즈니스에서 현재의 보안 상태를 적절하게 정의하고 개선을 위한 권고사항
을 개발하기 위해 검토해야 할 현장의 수와 위치를 결정할 필요가 있다. 그렇다고
여러 곳에 존재하는 기업의 모든 지점을 검토하라는 말은 아니지만 비즈니스의

모든 다양성을 검토해야 할 것이다. 비즈니스 자체적으로 다양한 지역에 연구, 개발, 제조, 소매, 영업소 그리고 창고를 보유하고 있는 경우, 관리팀과 함께 검토해야 할 지역들을 결정해야 한다. 각 유형별로 최소 두 곳의 지점을 조사해야 하며, 보안 유형에 뚜렷한 차이가 있다면 클라이언트와 추가 지점에 대한 검토를 협의해야 한다. 만약 다국적 기업과 거래하는 경우, 각 국가에 대한 리스크를 평가하는 것이 중요하다. 미국에 존재하는 리스크는 다른 여러 국가들의 리스크와 같지 않기 때문에 보안 요구사항도 다를 것이다. 예를 들어, 나의 개인적인 생각에 직장폭력은 미국 내 일반적인 현상이지만, 그 때문에 이 문제와 관계없는 다른 국가에서도 직장폭력 예방프로그램을 시행하는 것은 적절치 않다는 것이다.

Timothy D. Giles

시큐리티 마스터 플랜 프로세스란?

정의

시큐리티 마스터 플랜은 조직의 보안철학, 전략, 목표, 프로그램 그리고 프로세스를 설명한 문서이다. 이는 기업의 전반적인 비즈니스 계획과 일치시키는 방향으로 조직의 발전과 방향을 가이드 하는데 사용된다. 또한 5개년 비즈니스 계획을 수립하는 방법으로 리스크 및 완화 계획에 대한 상세한 개요(outline)를 제공한다.

마스터 플랜의 목적

이 문서는 어떻게 시큐리티 마스터 플랜을 어떻게 수립하는지를 보여줄 것이고, 이를 통해 프로그램의 방향과 이를 지지하는데 필요한 예산을 경영진으로부터 '지원(buy in)'받는 데에 도움을 줄 것이다. 실제로 클라이언트가 다음 회계연도의 승인된 예산을 갖고 있음에도 불구하고, 그것이 승인되어 사용할 때가 되면 정말로 모든 예산을 얻을 수 있는 것은 아니다. 그러나 경영진이 합의한 5년치 계획이 수립되면 그들이 원했던 해에 모든 것을 얻지 못할지라도, 완전히 없어진 것이 아니라 다음해로 미뤄진다는 것을 의미한다.

프로세스 시작하기

저자는 보안컨설턴트가 수행하는 업무를 고려하여 이 책을 썼다. 그러나 '사내' 최고보안책임자(CSO) 또는 보안책임자에게 해당 항목들을 전달할 때가 있을 것이다. 물론 이 작업을 보안컨설턴트 대신 내부 보안전문가가 수행할 수도 있지만, 이는 대부분의 분야에서 비효율적으로 운영되는 경우가 많았기 때문에 누가 이 업무를 수행할지 분명히 정해야 할 것이다. 이점이 정해지면 그 문제를 어떻게 보완할 것인가에 대한 아이디어를 내부직원에게 제공할 것이고, 결과적으로 그들은 이 연구로부터 상당한 성과를 얻을 수 있다고 생각할 것이다. 시큐리티 마스터 플랜 개발의 프로세스를 시작할 때, 첫 번째 단계는 클라이언트로부터 정보를 요청하는 것이다. 이 작업을 내부 특정인이 수행할 경우, 이 정보를 편집해야 필요가 있다. 이 정보는 현장을 방문 전에 미리 준비할 수 있는 기회와 검토할 작업에 대한 통찰력을 제공할 것이다. 또한 정보를 받으면 자세히 분석해야 한다. 예를 들어, 그들이 2년 동안의 내부사건 데이터를 보내고 동향분석을 보내지 않으면, 사건 데이터가 알려주는 것들의 동향을 직접 분석해서 알아내야 한다. 또한 품질 및 일관성에 대한 보고서를 검토해야 한다. 일반적으로 요청하는 정보는 다음과 같다.

- 회사의 일반적인 배경 정보
- 시설 관리를 위한 조직도
- 실무체계(post order) 사본
- 현장 보안 설명서 사본
- 검토할 시설의 청사진(blueprint)
- 정보보호를 포함한 모든 보안관련 절차 또는 관행에 대한 사본
- 지난 2년간의 사건 보고서 사본
- 사건 요약 또는 분석 데이터 사본
- 손에 있는 범죄 통계 데이터 사본
- 해당되는 경우, 계약직 경비의 계약서 사본
- 기밀파기와 같은 기타 보안관련 계약서 사본
- 순위별 보안 조직의 현재 직원 배치
- 얼마나 많은 현금을 보유하고 있는지를 포함한 현장의 현금 운용 리스트
- 현장에 저장된 귀금속 및 그 가치에 대한 리스트
- 주의해야 할 고유한 보안관련 문제
- 현장 내 높은 수준의 보안영역(high-security areas)과 보안 고려 대상의 이유
- 보안시스템 정보, 브랜드 이름 및 모델 또는 등급
- 시설에서 사용 중인 잠금장치 및 키 시스템 유형

이 프로세스는 여러 측면에서 기업의 최고경영진들 중 일부와의 인터뷰를 요

구할 것이다. 이와 관련된 질문 영역은 각 해당 섹션에서 정의되겠지만, 질문 분야를 결합하고 임원 인터뷰 횟수를 제한하는 것이 중요하다. 또한 임원들에게 그들의 시간을 낭비한다는 인상을 주지 않기 위해 가급적이면 하나의 인터뷰에 모든 질문을 포함하는 것이 좋다.

추천사 1

보다 안전한 환경에서 생활하고자 하는 것은 인간의 기본적인 욕망이라 할 것입니다. 역사적으로도 인류는 안전한 환경을 조성하고 노력하였습니다. 이런 노력의 산물 중 하나가 범죄예방환경설계(CPTED : Crime Prevention Through Environmental Design)입니다. 범죄가 일어나기 힘든 환경을 조성하여 안전을 도모하는 기법입니다. 하지만 범죄예방설계(CPTED) 하나만으로 안전한 환경 조성이라는 단일한 목표를 달성하기 힘듭니다. 다른 요소들과 종합적으로 어울릴 때에야 온연히 구현할 수 있을 것입니다.

국내 최고의 보안기업인 에스원에서 국내에 최초로 소개한 『시큐리티 마스터 플랜』은 보안 여러 요소들을 조율하여 단일한 계획으로 완성하는 일련의 프로세스와 그 과정에서 고려해야 할 여러 사항들이 일목요연하게 정리된 책입니다. 그리고 저자의 풍부한 현장경험과 지식이 뒷받침이 되는 보안의 원칙과 원리는 국가와 문화에 구애받지 않고 보편적으로 적용할 수 있는 것입니다.

한 단계 높은 수준의 보안 계획을 수립하여 안전한 환경을 조성하는데 관심이 있는 이에게 이 책을 추천합니다.

2018. 1. 20
이경훈(고려대학교 건축학과 교수)

추천사 2

　『시큐리티 마스터 플랜』은 31년간 보안 분야에 종사한 저자의 지식과 현장 경험이 잘 정리된 책으로 훌륭한 개론서라고 할 수 있을 것 같습니다. 보안부문의 마스터 플랜을 세우는 과정을 일련의 프로세스에 따라 서술되어 있으며 중간 중간 저자의 현장경험에서 우러나오는 현실적인 조언을 접할 수 있습니다. 특히나 현재의 수준을 평가하고 보완하기 위해 가져야 할 보안전문가의 자세와 접근방법론은 다른 문헌에서는 배우기 힘든 내용이라고 할 수 있을 것입니다.

　비록 첫 출판이 오래 전에 이루어진 책이나 환경분석, 재난관리, 유관기관과의 업무협조 등 보안이라는 그 자체에만 집중하여 간과할 수 있는 부문들도 포괄적으로 다루고 있으며, 보안 분야의 마스터 플랜을 수립의 원칙이 집대성된 세계적으로 몇 안되는 책입니다. 이 책에서 안내하는 보안의 원칙과 방법론은 소규모 시설에서부터 다양한 보안 및 재난·재해 요소를 고려해야 하는 초고층빌딩과 복합단지, 국가시설 등에 적용하여도 손색이 없다고 할 수 있겠습니다.

　창립 40주년을 맞이한 안심솔루션 기업 에스원에서 그들의 노하우를 바탕으로 번역에 임하여 국내에 소개한 책인 만큼 보안실무를 담당하거나 보안컨설팅에 대해 체계적인 공부를 원하는 분들께 적극 추천해드립니다.

2018. 1. 20

여욱현 ((주)유엔이 이사, 오사카대 도시공학 박사)

차 례

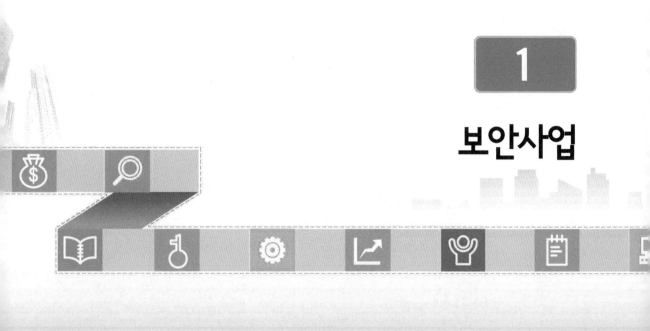

보안사업

왜 시큐리티 마스터 플랜을 발전시켜야 하는가?

보안컨설턴트로서 독자는 이 책의 정보를 활용하여 최고보안책임자(CSO) 또는 보안책임자가 경영진의 지원을 받고, 프로그램에 대한 예산확보 가능성을 높이는데 도움을 주어야 한다. 본서는 시큐리티 마스터 플랜과 그 구성요인을 구축하기 위한 적절한 프로세스를 보안컨설턴트와 경영진에게 제시할 것이다. 또한 현재 뿐만 아니라 미래의 주요 비즈니스 또는 본인이 속한 기관의 보안전략을 문서화 하는데 도움을 줄 것이다. 문서화된 최종 산출물들은 경영진으로부터 지원을 받을 수 있게 할 것이며, 효과적으로 활용하면 보안프로그램 구현에 필요한 예산확보에 도움이 될 것이다. 사내 보안전문가가 없는 경우에도 이러한 목표를 달성하게 하는 것이 컨설턴트로서의 책임이다.

이 개발 프로세스의 중요한 부분은 보안전략이 비즈니스전략과 연결되어 있는지를 확인하여 비즈니스와 조화롭게 프로그램이 진행되고 있는지를 점검하는 것이다. 그렇게 된다면 보안프로그램 운영이 더 이상 단순한 사업비용이 아니라

그림 1.1 경영진들은 흔히 다른 일상적인 이슈에 대하여 숫자와 최종 결과에만 중점을 둔다. 따라서 보안부서가 전반적인 비즈니스에 어떠한 가치를 부여할 수 있는지 인식하지 못하는 경우가 종종 있다.

비즈니스의 필수적인 부분이며, 비즈니스 성공에 기여한다는 사실을 경영진에게 입증하게 된다.

보안전문가들은 비즈니스와 사람에게 직면하는 다양한 리스크에 초점을 맞추지만 비즈니스를 관리하는 경영진들은 그렇지 않다는 것을 이해하는 것이 중요하다(그림 1.1 참조). 그들은 일상적으로 시간과 생각을 투자해야 하는 여러 가지 이슈들에 관심을 가지고 있다. 그렇다고 경영진들이 보안 이슈들에 대해 관심이 없다는 것은 아니다. 비즈니스에 영향을 줄 수 있는 이슈에 대해 관심이 없는 임직원이나 경영진은 없을 것이다. 단지 경영진이 그러한 이슈에 대해 보안전문가만큼 관심을 갖고 있지 않다는 것이다. 이 개발 프로세스는 비즈니스 프로세스를 통해 관리부서에 이러한 문제 제기를 할 기회를 제공하고, 보안기능이 비즈니스 또는 제도와 직면하는 리스크를 효과적으로 관리하는데 필요한 지원을 받을 수 있는 플랫폼을 제공한다.

시큐리티 마스터 플랜을 수립하는 것은 현재 프로그램의 좋고 나쁨을 파악할 필요가 있을 뿐만 아니라 시정조치 및 장기 전략개발에 필요가 있으므로 단순히 현장에 대한 보안평가를 수행하는 것과는 많이 다르다. 일반적으로 마스터 플랜 프로세스를 위해 일하는 사람들은 보안프로그램 및 기술 전반의 광범위한 지식과 경험을 보유해야 한다. 따라서 본서는 부족한 경험이나 지식을 보완하고 계획을 수립하는데 도움이 되는 필요지침과 정보를 제공한다. 본서의 프로세스는 현재 보안조직 내에서 일하는 사람들이 수행하는 것과는 다르게 보안 컨설턴트인 외부 전문가가 활용하도록 설계되었다. 물론 내부의 보안전문가가 프로젝트를 수행할 수도 있다. 하지만 그들은 프로세스의 일부 영역에서 완벽하게 객관적인 입장을 취하기는 어렵다. 특히 보안조직의 현재 기술역량 등을 객관적으로 정의하는 영역은 내부인력이 진행하기에는 어려울 것이다. 또한 이 프로세스를 자체적으로 실행하기도 하지만, 외부의 전문적인 기술을 가진 사람을 통해 보완할 수 있는 기회를 가질 수도 있다. 이런 기회를 갖는 팀 접근법이 최종적으로 결과를 얻어내는 데에 효과적인 방법이다.

이해 관계자 참여

비즈니스 전반에 걸쳐 기능별 대표자 부서를 구성하여, 현재 변경 및 개선이 필요한 부문은 무엇이고, 일상적인 업무에 영향을 미치게 되는 사항에 대해서 어떻게 인식해야 할지를 조언하는 것이 중요하다. 일반적으로 이러한 대표자들은 시설관리, 엔지니어링, 인사, 정보기술, 제조, 연구개발 및 관리와 같은 부서에서 나오는 것이 특정 클라이언트에게는 적절할 것이다. 기업에 노조가 있는 경우, 이러한 부서에 노조 대표가 있을 수 있다. 그룹의 정확한 구성은 평가 대상 비즈니스나 조직에 따라 다른데 "이해 관계자"라고 언급되는 이러한 부서는 보안기술, 정책 및 관행의 변경으로 영향을 받는 내부와 일부 외부 조직을 대표한다.

처음부터 이 부서를 프로세스에 참여시킴으로써 프로세스에서 발생하는 필요한 변화를 수행하기 위한 교차검증 지원을 받을 수 있다. 물론 변화를 요하는 권고사항에 대하여 약간의 저항이 있을 수도 있다. 하지만 최고보안책임자(CSO), 보안책임자 또는 컨설턴트에게는 이러한 이슈를 조기에 해결할 수 있는 기회가 주어질 것이며, 심지어 완전히 해결되지는 않았지만 적어도 임원들과 만나게 될 때 어떤 이슈를 제기할 필요가 있는지에 대한 지식을 얻게 될 것이다.

덧붙여 말하면 오늘날 기업은 업무수행에 대한 평가를 시행하고, 폐기 또는 개선해야 할 사항에 대해 편견 없는 견해를 제공받기 위해서 많은 외부 컨설턴트를 고용하는 것이 일상적인 일이 되고 있다. 이것은 재무 및 정보기술(IT) 같은 조직에서는 거의 표준화되어 있다. 최근 몇 년 동안 약간의 변화가 있었지만 일반적으로 보안 분야는 이러한 종류의 객관적인 검토를 다른 부문만큼 활용하지 않고 있다. 지금이 보안컨설턴트 전문가들의 기술과 지식을 그 어느 때보다 효과적이고 지속적으로 이끌어 낼 필요가 있는 변화의 시작점이라고 생각한다. 보안책임자였던 저자는 일상적인 비즈니스 운영을 관리하는 것이 얼마나 어려운지, 그리고 업계를 에워싼 빠른 변화에 발맞추어 나가기 위한 시간이 얼마나 부족한지 잘 알고 있다. 경영진은 컨설턴트의 새로운 시각으로 운영을 해보게 함으로써 어떤 변화에 집중해야 하는지에 대한 헤아릴 수 없는 통찰력을 얻을 수 있다.

오늘날의 최고보안책임자(CSO) 또는 보안책임자들은 보안업계에 영향을 주는 기술적 변화에 대한 좋은 통찰력을 가지고 있다. 자신들의 비즈니스가 이러한 기술과 관련하여 어떠한 방향으로 나아갈 것인지에 대한 아이디어를 가지고 있지만, 그 중 일부만이 정상적인 비즈니스 계획에서 이 방향을 문서화하고 경영진과 공유한다. 예를 들어, 수년간 마그네틱 스트라이프 출입증(magnetic stripe badges)을 사용했던 최고보안책임자(CSO) 또는 보안책임자 중 많은 사람들이 관리부서에게 근접식 카드 출입증(proximity badges)으로 전환하는 것에 대한 예산을 요청할 때까지 이런 변화에 대해 말하지 않았다. 오늘날 보안업계에서는 근접식 카드 출입증(proximity badges)에서 스마트 카드나 생체인식(또는 둘 다) 기술을 이용한 신분증을 사용하는 것에 대해 문서화된 전환 계획이 있는 조직을 많이 찾지 못할 것이라고 생각한다. 카메라 시스템에 지능형 CCTV(폐쇄회로 텔레비전) 소프트웨어를 구현하는 문서화된 계획이 있는 업체도 많지 않다. 그러나 최고보안책임자(CSO) 또는 보안책임자에게 확인해 본다면 앞으로 수년 내에 이 방향으로 나아갈 것을 알게 될 것이다. 시큐리티 마스터 플랜 프로세스는 이러한 상황을 바로 잡을 수 있는 적절한 수단을 제공한다.

당신의 보안철학은 무엇인가?

이 영역은 보안컨설턴트에 의해 검토되어야 하지만 보안철학의 개발은 사내 보안조직에 의해 이루어져야 한다. 사내 보안조직이 없는 경우에 컨설턴트는 보안을 담당하는 부서의 직원과 협력하여 적절한 철학을 개발하고 철저히 준수하도록 해야 한다. 첫째, 보안조직의 철학은 비즈니스 전반의 문화를 반영해야 한다. 다음으로 보안철학은 보안조직 리더의 비즈니스 신념에 어느 정도의 개인적인 신념과 성격을 반영해야 한다. 이러한 철학은 보안프로그램 구축을 위한 기초이다. 몇 가지 신념의 예를 들면 다음과 같다.

- 개인을 존중하자.
  여기에서 존중은 당신의 보안정책과 절차를 위반하는 것으로 여겨지는 사람들을 포함한 모든 개인들을 위한 것이어야 한다.

- 고객에게 최상의 서비스를 제공하자.
  이는 내부 및 외부 고객 모두와 보안조직의 모든 관점에 적용된다.

- 삶에 최선을 다하자.
  모든 행동은 항상 최선의 노력을 다해야 한다.

- 관리자와 감독자는 솔선수범해야 한다.
  이는 모든 임직원의 행동 방식을 예측하는 중요한 요인이다. "내가 하는 것처럼 하지 말라"는 결코 먹히지 않을 것이다.

- 우리는 항상 훌륭한 기업인이어야 한다.
  보안조직은 법률 집행, 소방서, 구조대 등과 같은 많은 공공기관을 지원하는 방식에 반영된다.

물론 이것들은 철학의 예에 불과하다. 이는 사실상 보안조직을 담당하는 사람의 개인적인 선택사항이다. 실제로 만나게 될 많은 최고보안책임자(CSO) 또는 보안책임자들이 보안철학을 작성해서 그들의 직원들과 공유할지는 의심스럽다. 이것은 비즈니스의 가치를 높이는 것이며, 전체 보안조직을 위한 지침이 될 수 있다. 대부분의 기업은 모든 임직원을 위해 경영철학이나 경영원칙을 작성하여 게시한다. 그렇다면 최고보안책임자(CSO) 또는 보안책임자에게 어떻게 보안담당자가 일상 업무에 철학을 반영할 것인지, 또한 자신들의 철학의 일부를 추가하여 직원들을 돕기 위해서 어떻게 해야 하는지를 이해하도록 회사가 경영철학을 상세화 할 것을 권고해야 한다. 특히 계약직 보안책임자를 활용하는 경우에는 조직의 철학을 알리는 것이 매우 중요하다. 보안책임자 또는 계약관리자는 이러한 철학을 일상적인 업무에 어떻게 실질적으로 영향을 미치도록 할 것인지를 반영하는 문구로 전환해야 할 수도 있다. 이것은 일반적으로 추가 지시를 통해 이루어진다. 그러나 원하는 결과를 얻으려면 더 정교해야 할 것이다.

계약직 보안요원 관계

조직이 계약직 보안요원과 "전략적 파트너" 관계를 유지하는 것은 매우 중요하다. 이것은 그들이 클라이언트에게 조직의 "정규 임직원"이라고 믿겨지기를 원할 뿐만 아니라 팀의 필수적인 부분으로 보여지길 원하기 때문에 세심한 주의가 필요하다. 이는 일반적으로 계약직 보안요원을 다룰 때, 명령 체계가 항상 유지되도록 하는 방법으로 수행된다. 또한 직장 내외에서 경영진과 종종 "클라이언트와 올바른 관계를 유지"하는 것에 대해 토론하는 것이 중요하다. 컨설턴트에게 있어 이 관계가 건전하고 적절한지 판단하는 것은 매우 중요하다. 이런 환경에서의 공통적인 변화는 계약직 사람들 중 선임 한 명이 사내 보안조직 또는 다른 직원의 선임과 개인적인 친분 관계를 맺기 시작한다는 것이다. 시간이 지남에 따라 계약직이 아닌 조직의 정규 임직원처럼 행동하기 시작하면 문제가 될 수 있다. 마찬가지로 조직은 계약직원을 정규 임직원처럼 취급하기 시작하고, 그들이 갖추어야 하는 것 보다 더 많은 권한을 부여 받기도 한다. 이러한 상황이 전개될 때의 유일한 효과적인 방법은 그 사람을 해고시키는 것이다.

당신의 보안전략은 무엇인가?

보안전략을 정의 및 재정의하는 프로세스를 시작하기 전에 먼저 자신의 비즈니스 전략을 이해해야 한다. 최고재무책임자(CFO), 최고업무집행책임자(COO) 등 기업의 해당 임원을 인터뷰하여 이를 수행한다. 기업의 향후 5년을 위해 알아야 할 것들은 다음과 같다.

- ‣ 당신(임원)은 어느 정도의 성장을 기대하는가?
- ‣ 제품 또는 서비스 변경을 기대하는가?
- ‣ 확장 또는 축소 측면에서 기존 시설로 제한되었거나 새로운 시설이 추가되는가?
- ‣ 당신(임원)은 해외 확장 또는 합병을 기대하는가?

• 대규모 감원이나 아웃소싱(outsourcing) 활동이 계획되어 있는가?

특히 이 정보 중 합병 또는 해고 등에 관련된 활동은 기밀로 간주되며 보안관점에서 어떻게 처리할 것인지 계획을 세우려면 이러한 방향의 움직임을 면밀하게 파악해야 한다. 그러나 모든 세부사항을 알 필요는 없다. 예를 들어, 합병이나 아웃소싱하려는 대상이 어디인지 구체적으로 알 필요는 없다. 그러나 클라이언트가 합병이나 아웃소싱하려는 대상과 어떤 이해관계나 소유권을 가지고 있다면 어떤 국가가 관련되어 있는지는 알아야 한다. 이 마스터 플랜 활동을 수행하는 사람이 외부 컨설턴트인 경우, 경영진은 사내 보안책임자 또는 최고보안책임자와만 이 정보를 공유하는 것을 선호할 수 있다. 사내 인력이 없는 경우에 컨설턴트는 최대한 많은 정보를 찾아야 하며, 비밀유지계약서(CDA)에 서명해야 할 수도 있다.(CDA는 컨설턴트와 계약 시 필수 항목이어야 한다고 생각한다)

보안조직의 전략은 정책, 절차에서부터 기술 및 인력배치까지 프로그램의 모든 측면을 다룬다. 이 전략은 그들이 현재 어떤 상황이고 어디로 나아가야 하는지를 반영하도록 문서화되어야 한다. "어디로 가고 있는지 알지 못한다면, 도착했을 때 그곳에 만족하지 않을 것이다!"

새로운 보안전략을 구현하려면 최고보안책임자(CSO) 또는 보안책임자가 먼저 솔선수범하여 추진해 나가야 한다. 컨설턴트가 충고와 조언을 제공할 수는 있지만 구체적인 실천은 사내 직원부터 진행해 나가야 한다. 대부분의 사람들은 변화를 두려워한다. 그들은 모든 것이 그대로 있는 것을 더 좋아한다. 그러므로 최고보안책임자(CSO)가 스스로에게 물어야 할 질문은 "변화가 친구인가 적인가?"이다. 이 질문에 대한 대답은 정말 간단하다. "그것은 그들에게 달렸다!" 변화란 비즈니스 세계에서 지속적으로 협의되는 주제임에도 불구하고 "말이야 쉽지!"라는 말처럼 실천하기는 쉽지 않다. 변화를 구현하는 사례로서 저자의 수행 경력 중 가장 극적인 프로젝트를 인용하고자 한다. 개인적으로 변화하려는 노력을 기울이지 않았다면, 이러한 저자의 경험이 노력의 복잡성을 이해하는데 도움이 될 것이다.

IBM은 리엔지니어링 일환으로 1994년 9월에 내부 보안업무를 전면 재구성 하였다. 비보안 요원이 현장별로 관리하던 조직을 단일 구조로 통합하고, 보안전문가로 하여금 관리하는 체계로 변경했다. 그러나 이것은 그 자체로 큰 변화를 일으키지는 않았지만, 건설적이고 일관되게 변화할 수 있는 기회를 제공하였다.

그 후 2년 동안 비용을 약 30% 줄이고, 고객 만족도를 94%까지 높이며, 보안 임직원의 사기를 크게 증가시켰다. 그 결과 1997년 9월 'Access Control & System Integration' 잡지에서 올해의 보안책임자로 선정되었다. 사람들이 축하의 인사와 함께 어떻게 이룰 수 있는지에 대한 질문에 저자는 주로 한 가지 이유를 설명해 주었다. 그것은 "변화는 친근하다"라는 환경을 조성하는 것이라고 답했다. 즉, 조직의 개개인이 변화의 개념을 받아들이고, 그것이 이루어지도록 노력해 왔기에 가능한 것이었다. 그리고 이러한 환경을 만들기 위해 기본적으로 세 가지를 추진했다.

- ▸ 첫째, 우리가 생각할 수 있는 보안비즈니스의 여러 측면을 고려하여 프로젝트 팀을 만들었다. 이 팀은 달성해야 할 두 가지 목표를 가지고 있었다. 특정 분야에 대한 최고의 내부 또는 외부 사례를 찾아야 하며, 더욱 중요한 것은 조직간에 열린 커뮤니케이션을 확대시키는 것이다.
- ▸ 둘째, 프로세스에서 결함을 찾기 위한 측정 프로그램을 구현했다. 이 작업을 성공적으로 수행하기 위해 저자는 이것을 "무오류" 측정 프로그램으로 선언했다. 이 프로그램의 1차 실패는 문제를 찾지 못했을 때, 2차 실패는 우리가 문제를 해결하지 못했을 때이다.
- ▸ 셋째, 가능한 중복되거나 비효율적인 요인의 제거를 위해 국가 계약 및 중앙 집중 시스템을 수행하기 위한 대규모 캠페인을 시작했다.

이 모든 것이 결합되어 우리만의 방식으로 직원과 전략에 막대한 변화를 가져왔다. 우리가 성공할 수 있었던 유일한 방법은 변화가 자신과 그들 모두에게 이익이 될 것이라고 생각하게 하는 것이었다. 이를 위해 우리는 먼저 IBM의 생존에 변화가 절대적으로 필요하다는 것을 그들에게 확신시켜야 했다. 1990년대 초반 우리 기업의 경영성과를 고려하면 이것이 우리 모두에게 분명하다고 생각할 수도 있지만, 일부 사람들은 변화가 문제의 일부가 아니라고 확신하고 있었다.

그러므로 우리가 해야 할 일은 그들에게 변화가 일어나야 한다는 것을 납득시키는 것이었고, 우리에게는 두 가지 선택이 있었다.

‣ 필요성을 거부하고 변화에 저항하며 실패하거나

‣ 변화해야 할 필요를 포용하고 변화를 주도하자!

보안전문가가 진정으로 이것을 받아들인다면 미래를 좌지우지할 수 있는 힘을 갖게 될 것이다. 보안전문가가 조직에서 변화를 주도하지 않는다면, 다른 누군가가 주도할 것이고 결과에 대한 우리의 통제력은 약화될 것이다.

우리가 분석을 수행하기 위해 프로젝트 팀에 제공한 주요 방법 중 하나는 세부 리소스 및 작업 분석 프로그램(그림 1.2 참조)을 포함하는 내부 벤치마킹 프로그램을 구현한 것이다. 많은 변경사항을 구현하고 변경사항의 이점을 실현한 후 외부 벤치마킹을 시작했다. 이 데이터는 다른 어떤 회사의 데이터보다 비용경쟁력에서 훨씬 뛰어나다는 것을 보여주었다.

훌륭한 비즈니스 관리자라면 누구나 모든 기업의 최고의 자원은 임직원들이라고 말할 것이다. 개인적으로 보안전문가 부서가 최고중의 최고라고 믿지만, 이 점에 대해 약간 편향될 수도 있음을 인정한다. 그러나 결과가 이를 증명해 왔다! 변화는 당신이 해야 할 일이 아니라 이미 이룬 것이라는 것을 기억하는게 중요하다. 변화는 조직을 총괄하는 고위 경영진뿐만 아니라 기업 내 말단 직원에 이르기까지 지속적으로 추진해야 할 프로세스다. 변화를 위해서는 올바른 환경을 구축해야 한다. 그 환경에서 중요한 부분은 컨설턴트의 태도다! 임직원들은 컨설턴트가 이러한 프로세스에 "립 서비스(lip service)"를 제공하고 있는 것인지, 심도 있

그림 1.2 대규모 조직에서 노동력을 구분하여 중요한 내부 이슈를 해결할 프로젝트 팀을 구성하는 것은 임직원 참여를 유도하게 하고, 실용적이며 창의적인 솔루션을 제시하게 하는 좋은 방법이다.

게 생각한 것인지를 매우 빠르게 알 수 있다. 도로를 따라가다 보면 풍경이 바뀌는 것처럼 비즈니스와 컨설턴트 그리고 임직원들까지도 변화의 연속체가 되어야 한다. 만약 현재의 세대에 성공하지 못 할 수도 있지만, 지속적으로 성공할 수 있도록 시도를 해야 한다. 환경은 문서화되고, 장기적인 전략과 정기적 기반에서 재평가하는 것은 매우 중요하다. 결국 그것이 여행을 위해 사용할 수 있는 지도가 될 것이다.

그러면 클라이언트의 전략은 무엇인가? 앞서 말했듯이, 그 전략은 프로그램의 모든 측면을 다루어야 한다. 클라이언트가 속한 비즈니스에 따라 다양한 변형이 있을 수 있기 때문에 일반적으로 전략을 제안하는 것은 매우 어렵다. 전략을 개발할 때에는 앞에서 언급 했던 기술적인 팀인 "이해 관계자"를 활용하여 도움을 받아야 한다.

여기에 해결되어야 할 영역들의 몇 가지 예가 있다.

- ‣ 정책
  - 교육 및 인식 프로그램
  - 출입증 착용
  - 하드카피 정보보호(clean desk)
  - 방문자 및 계약업체 통제
  - 임직원 개입과 책임
  - 무장 경찰을 현장에 배치 할 시기 및 방법

- ‣ 조사
  - 숨겨진 카메라 사용에 관한 의사결정권자 선정 문제
  - 심문을 위한 거짓말 탐지기 사용
  - 범죄 발생 시 임직원이나 다른 사람들을 기소할지의 여부(사소한 범죄 포함)

- ‣ 기술
  - 어떤 기술이 미래에 활용 될 수 있는가, 그리고, 시기, 장소, 이유는?
  - 새로운 기술로 전환하기 위한 마이그레이션 계획은 무엇인가?
  - 현재 사용 중인 기술의 예상 수명은 언제인가?
  - 기존 장비의 교체 일정 수립

- 인력 배치
  - 무장경비원이나 비무장경비원의 활용을 결정하기 위한 합리적인 문서화된 추론
  - 현재계약 여부와 관계없이 계약되어지거나 해지하는 업무
  - 어떤 스타일의 근무복을 착용해야 하며 그 이유는 무엇인가?

전략을 문서화하는 프로세스를 거치면서 이미 몇 가지 전략적 노선을 따르고 있음을 알게 될 것이다. 과거에는 모든 것을 문서화하지 않았을 수도 있다. 이것에 대한 좋은 예는 비무장경비원의 사용이다. 개인적으로 원자력 발전소 또는 일급비밀 시설 등의 드문 경우를 제외하고는 무장경비원들을 현장에 두는 것을 좋아하지 않는다. 분명 미국의 대다수 기업은 비무장경비원을 사용하기 때문에 많은 최고보안책임자(CSO) 또는 보안책임자가 같은 방식으로 생각한다. 그러나,

- 보안관리자 또는 기업이 이러한 결정이 전략적 의사결정이라는 것을 입증하기 위해 얼마나 많은 문서를 작성했는가?
- 경영진이 이러한 결정에 관여하거나 적어도 기밀사항을 보고한 적이 있는가?
- 작업 현장에서 총기사용 등 폭력 사태가 발생하면 법원에서 비무장경비원의 현장배치 결정을 방어할 준비가 되어 있는가?

이러한 전략을 체계적으로 문서화하면 소송 상황이나 비일반적인 상황에서의 시기적절한 결정을 할 때 매우 유용하다. 그들의 문서화된 전략은 항상 그들의 지침이 된다.

마이그레이션 전략

기술변화에 의한 "마이그레이션 전략" 이슈에 대해서도 협의하고자 한다. 만일 컨설틴트나 클라이언트가 출입통제를 위한 다른 기술로 전환할 수 있다고 가정할 때, 현재의 기술에서 새로운 것으로 변경하는 것과 관련된 이슈를 조사하는 것은 매우 중요하다. 만일 클라이언트가 단일 현장 또는 두세 개의 현장을 가지고 있는 경우에는 마이그레이션을 비교적 쉽게 수행할 수 있다. 그 밖에도, 사용자를

위한 테스트 계획과 교육계획이 필요하다. 사용자가 신기술 사용에 대한 적절한 교육을 받지 못했을 때에는 신기술을 완전히 적용하기까지 몇 개월 지연될 수 있기 때문이다. 보안팀은 새로운 기술이 비즈니스에 적합한 솔루션이라는 것을 사용자에게 납득시키기 위해 많은 시간을 투자한다.

그러나 클라이언트가 많은 수의 현장을 가지고 있는 경우, 새로운 기술로 마이그레이션하는 과정에서 어떻게 운영할지 상세하게 계획할 필요가 있다. 예를 들어, IBM의 출입카드를 마그네틱 스트라이프 출입 통제 카드에서 근접식 카드로 마이그레이션할 때, 기존의 두 가지 유형의 카드 판독기를 나란히 장착하지 않고 임직원이 가지고 다니는 카드방식과 상관없이 동시에 사용할 수 있는 통합된 솔루션이 없었다. 공급업체가 제공한 솔루션은 이전 시스템을 철거하고 새로운 것을 설치하는 것이었다. 이는 단지 소규모 사업장을 위해 적용 가능한 솔루션일지는 모르지만 수백 개의 사업장과 임직원이 많은 대규모 기업의 경우에는 적용할 수 없는 방식이다.

이 문제를 해결하기 위해 저자는 독자적인 방식을 개발했었다. 여러 공급업체를 방문하여 두 가지 방식을 통합한 카드 및 카드리더기를 개발하도록 요청했다. 물론 업체들은 신제품 개발을 위한 자금 지원을 원했지만 이 기술이 새로운 근접식 카드 기술로의 마이그레이션이 필요한 대기업을 지원하는데 꼭 필요한 투자라고 설득했다. 결국 그들은 동의했고 신제품은 시장에서 히트를 쳤다.

비록 우리의 딜레마로 인해 새로운 하드웨어 솔루션을 제공했지만, 이는 최종 솔루션의 일부분일 뿐이다. 마이그레이션을 하기 전에 데이터베이스의 데이터 입출력과 변환, 사용자 교육, 두 가지 방식을 통합한 카드가 필요한 사람과 그렇지 않은 사람의 구분 및 운영 등, 다른 많은 사소한 이슈를 망라한 모든 이슈에 대해 조사하고 해결해야 했다. 수십만 명의 사용자와 수백 곳의 위치에 대한 기술을 변경하는 경우, 세부적인 시간 계획이 필요하다. 단지 몇 주 만에 그런 식의 변화를 만들 수는 없다.

컨설턴트와 클라이언트에게 보내는 메시지는 다음과 같다.

▸ 공급업체가 적절한 이전 계획을 가지고 있다고 가정하지 마라.

▸ 현재 존재하는 것에 국한하지 마라. 특히 문제를 해결하지 못하는 경우에는 더욱 그렇다.

- 당신이 생각하고 있는 변화와 그들의 다양한 경험을 배우는 데에 시간을 쓰도록 하라.

- 사용자에게 신기술 사용방법을 교육하는 데에 도움이 되는 추가 예산을 확보하라.

- 현재 공급업체가 그들이 고려중인 기술을 적용했던 경험이 없다면 다른 공급업체를 조사하여 가능한 업체를 찾아야 한다.

고려해야 할 다른 방법 중 하나는 새로운 기술을 천천히 비즈니스에 도입하는 것이다. 그들이 현재 근접 방식 출입 통제를 운영 중이고, 생체인식 출입 통제로 옮기고 싶어 한다면, 우선 가장 높은 보안을 요구하는 구역에 생체인식 기술을 도입하는 것이 좋다. 그들은 서로 다른 생체인식 방식을 직접 사용해보기를 원한다면 손바닥 인식, 지문, 홍채인식 리더기를 각각 다른 장소에 설치하여 시범운영을 할 수도 있다. 이를 통해 새로운 기술에 대한 경험을 쌓고 사용자와 관리자의 피드백을 얻을 수 있다. 사용자들이 그 중에 한 가지를 전 사업장에 확산하기로 결정한다면, 사용자에게도 전혀 새로운 것이 아니고 대다수의 사용자가 이용하는 데 친숙하기 때문에 수월하게 마이그레이션 작업을 진행할 수 있다. 또한 사용자 스스로 의사결정에 의견을 제공할 수 있다면 신기술 적용에 대해 더욱 긍정적인 생각이 들게 될 것이다.

장비 교체 일정

보유한 장비의 교체일정 관리방안을 검토해야 한다. 가장 좋은 방법은 보안부서가 소유하고 있는 모든 장비 목록을 데이터로 구축하는 것이다. 이 목록에는 다음의 정보가 포함되어야 한다.

- 이름
- 모델 번호
- 일련 번호
- 구입 일자
- 공급 업체
- 구매 가격

- 설치된 위치
- 부가 정보(예를 들어, 카메라인 경우 렌즈 사양을, 라디오인 경우 몇 개의 채널이 있는지 등을 포함시켜야 한다.)
- 제조업체의 권장 수명주기
- 예상 교체 일자

이러한 정보를 활용하면 설비 엔지니어링 부서가 시설을 지원하는 장비에 대해 수행하는 것과 유사한 장비교체 계획을 수립할 수 있다. 이 문서가 있으면 예산 내에 장비 및 시스템을 최적의 작동상태로 유지하기 위한 향후 지출 계획에도 활용할 수 있다. 이 데이터의 또 다른 용도는 시스템을 유지·보수하는 계약업체에 있다. 장비를 교체하기 위한 클라이언트의 예산 대신에 공급업체가 교체일정에 맞추어 시스템 유지·보수 계약에 반영할 수 있다. 일부 비즈니스들은 이 방법이 해당 이슈에 대해 보다 더 수용 가능한 접근법이라고 생각한다.

설치된 장비에 대한 또 다른 고려사항은 설치위치 및 배선사양에 대한 문서이다. 배선사양에는 통신케이블과 전원시스템이 모두 포함되어야 한다. 요즘 대부분의 설비는 CAD/CAM으로 표현된 도면과 기타 컴퓨터 소프트웨어 파일을 가지고 있다. 이 파일은 컴퓨터를 활용하여 시설에 관한 모든 측면을 보여준다. 그러나 종종 보안시스템이 이 도면에 포함되지 않았음을 발견한다. 일반적으로 시설관리 조직에서 사용하는 기본 건물 정보만 포함되어 있다. 그에 따라 이러한 시스템을 업그레이드하거나 교체해야 할 필요가 있을 때마다 많은 문제가 발생한다. 또한 수리를 수행하는 계약업자가 보안시스템에 대한 지식이 없기 때문에 시설을 업그레이드하거나 유지·보수 하는 중에 시스템 장애가 발생할 수 있다. 클라이언트를 위한 컨설턴트로서 도면 샘플을 검토하고 문서화가 완료되었는지를 면밀하게 검토해야 한다. 그렇지 않은 경우에는 권장사항의 일부에 포함되어야 하며, 시큐리티 마스터 플랜 작업의 필수항목으로 도출되어야 한다.

비즈니스 리스크 평가

비즈니스에 대한 잠재적 리스크

아래 목록은 완전하지 않으며 가이드로만 작성되었다. 이러한 리스크 요인이 모든 비즈니스에 적용되는 것은 아니며, 일부 비즈니스에서는 여기에 나열되지 않은 다른 리스크가 있을 수도 있다. 검토 중인 비즈니스가 국제 비즈니스인 경우는 국내 비즈니스에서는 고려되지 않는 많은 리스크가 있을 것이다. 비즈니스 리스크가 종종 보안운영에 영향을 미칠 수 있기 때문에 보안 리스크 파악뿐만 아니라 모든 리스크를 인지하고 있는지 확인해야 한다. 다음은 주어진 비즈니스가 잠재적으로 직면할 수 있는 리스크 목록이다.

- 사기
- 정확하고 시기적절한 정보의 부족
- 부패
- 경제 스파이

정보와 분석

‣ 절도

‣ 특허 및 상표권 침해

‣ 외국 여행

‣ 암시장 및 모조품

‣ 조직범죄

‣ 정치적 불안정

‣ 비즈니스 분쟁 및 소송

‣ 입법 요건

‣ 테러와 고의적인 파괴

‣ 납치

‣ 갈취

‣ 보안이 보장되지 않은 데이터 및 통신

‣ 직장 폭력

‣ 인사 사고

‣ 성희롱 및 차별 주장

‣ 자연 현상

당신의 위험은 무엇인가?

리스크 정의의 목적은 "리스크 관리"를 위한 적절한 조치를 결정할 수 있도록 하는 것이다. 확인된 개별 리스크에 대해 클라이언트가 다음 중 한 가지 일을 결정하도록 도움을 주어야 할 것이다.

‣리스크 추정

잠재적 리스크를 감수하고 지속적으로 운영한다. 항상 "회사의 리스크를 감당할 권한이 있는 사람은 누구인가?"라는 질문을 해야 한다.

‣리스크 회피

원인을 제거하여 리스크를 회피한다.

‣리스크 제한

리스크를 줄이거나 제한하기 위한 통제를 강화한다.

‣리스크 전가

추가 보험 및 기타 수단을 통해 리스크를 전가한다.

적절한 리스크 관리 대안에 도달하기 위해서는 많은 요인들을 고려해야 한다. 영향 비용(impact cost)은 항상 주요한 관심사이지만, 직원 및 기타 현장의 안전과 같은 요인(회사의 평판, 배송일정, 생산요구, 고객충성도 문제, 환경영향, 직원 사기 등)을 고려해야 한다. 각 리스크에 적합하고 적절한 방법을 선택하려면 고객의 보안 및 경영관리팀과 협력하여 각 대안을 검토하고, 가장 적절하다고 느끼는 선택에 도달할 수 있도록 해야 한다.

정보 수집

리스크 정의의 핵심은 정보 수집에 사용되는 프로세스이다. 이를 효율적으로 수행하려면 많은 경영관리팀과의 인터뷰를 통해 고객의 의견과 통찰력을 얻어야 한다. 인터뷰를 실시하는 것이 심문하는 것과 마찬가지로 중요한 기술임을 이해해야 한다. 하지만 심문과 달리 인터뷰를 하는 동안 상대를 위협해서도, 동시에 위협받지도 않는 것이 중요하다. 이 과정을 통해 검토가 필요한 다양한 영역에 대해 설명할 수 있지만, 묻고자 하는 모든 질문을 제기할 수는 없다. 저자는 인터뷰의 주요 구성요인 중 하나는 듣는 능력이라고 강조한다. 수년 전에 저자는 다음과 같은 말을 들었다. "신은 이런 이유로 두 귀와 하나의 입을 주셨다." 당신이 말하는 것 이상으로 두 배나 더 많이 들어야 한다. IBM 마케팅 스쿨에 있는 동안 이것을 배웠고 여기에도 적용된다.

많은 판매 또는 마케팅 담당자는 프레젠테이션을 하는데 집중하는 경향이 있는데, 프레젠테이션을 준비하는데 많은 시간을 할애하여 때로는 고객에게 "난 마음을 굳혔다"라는 말을 듣지 못하는 경우가 있다. 거래를 중단하거나 종결하는 대신, 그들은 계속해서 자신의 말만 떠벌린다. 다양한 인터뷰를 진행할 때 컨설턴트는 응답(또는 답변 없음)을 듣고, 다음질문을 공식화해야 한다. 또한 "반응하지 않음"의 효과적인 심문 기술 중 하나를 사용하는 것도 유용 할 수 있다. 질문에 대한 답변이 해답이 아니거나 정확한 답이 아닐 때, 마치 그 사람이 끝내기를 기다리는 것처럼 지켜보게 된다. 대부분의 사람들은 이에 불편함을 느끼고, 더 많은 정보를 요청한다.

최고경영자(CEO), 최고재무책임자(CFO), 인사담당 임원들은 컨설턴트에게 합리적인 전체 리스크 목록을 제공할 수 있을 것이다. 그러나 이러한 리스크 중 일부는 이전에 발생되지 않다는 것을 모를 수도 있다. 예를 들면 다음과 같다.

- 인사부서 책임자와 인터뷰 할 때, 직장폭력사건 발생이 아주 적거나 전혀 발생하지 않는다고 말하면 직장 폭력 예방 프로그램에 관해 질문해야 한다.
- 누군가 위협을 할 때 또는 동료가 "배우자 또는 애인"이 자신과 헤어지고, 자신에게 무슨 행동을 할지 적정할 때 인사 및 보안부서에 알리도록 직원과 관리자를 교육하는 프로그램이 있는가? 폭력 성향이 있는지를 결정하고, 해고 절차를 시작하기 전에 직원을 평가할 수 있는 프로그램이 있으며, 이 평가와 관련된 보안부서가 있는가?
- 직원이 스토킹, 괴롭힘 또는 따돌리기 등을 인사 및 보안부서에 보고하는가?
- 인사 및 보안부서는 발생하는 사건을 처리할 계획이 있는가?

직장의 폭력 리스크와 그 이상의 것

직장폭력은 미국 내 기업 및 기관에서 전반적으로 잠재된 위험 중 하나라고 생각하기 때문에 이 문제를 확장하는 것은 중요하다. 이 책에서 좋은 직장 예방프로그램이 무엇인지 완전히 정의하려고 시도하지는 않을 것이다. 그러나 부록 A, "직장 폭력 지침"에 이 프로그램이 어떤 것인지에 대한 추가적인 정보를 포함시켰다. 저자는 직장폭력 예방프로그램의 일환으로 이 문제를 확대하고자 한다.

그림 2.1 직장 폭력 사건은 직장에서의 문제로 인해 발생할 수 있지만, 마찬가지로 가정에서 기인하여 직장에서 나타날 수 있다.

점점 더 많은 전문가들이 직장폭력은 가정에서 일어나는 폭력의 중요한 부분임을 인식하고 있다고 믿지만, 많은 사람들이 예방프로그램에서 이 문제를 적절하게 해결했다고 확신하지는 않는다. 부록 A에 과거의 행동, 약물 및 알코올 남용, 무기에 대한 접근, 분노 또는 분개, 과거의 사건(폭력), 성과 저하, 자살 경향, 스트레스 또는 우울 및 정신적 저하를 포함하는 "위험 지표"(그림 2.1 참조)가 나와 있다. 이것들은 모두 직장 내에서 인식할 수 있는 지표들이며, 가정폭력 사건과 연관될 수 있다.

그러나 이 부록에서는 직장에서의 가정폭력 문제에 대한 언급은 많이 볼 수 없으며, 이러한 문제가 있음을 인식할 수 있는 방법도 없다. 저자는 1990년대까지 이 문제를 연구했으며, 괴롭힘, 스토킹, 위협 및 폭력의 경우 약 50%가 기업 소유지에서 발생된 가정 문제였음을 발견했다. 이 중 일부는 동료 간의 관계 얽힘의 결과였지만, 대부분은 단순히 별거중인 배우자 또는 애인이 직장에 왔다는 사실 때문이었다. 왜냐하면 직장이 상대방을 찾을 수 있는 유일한 장소였기 때문이었다.

안타깝게도 이러한 사례 중 많은 부분이 부록 A의 표준 직장폭력 예방프로그램에 의해 방지될 수는 없다. 기업 공간에서 가정폭력 문제를 해결하는 것은 직원의 사생활을 침해하는 것이기 때문에 더욱 복잡한 영역이지만 이 문제는 다루어져야 한다. 개인적으로 과거에 피해자를 대신하여 기업의 보안부서가 중재하지 않은 폭력 수준이 가장 높았던 상황에 관여한 적이 있었다. 그 일을 예로 들면, 한 직원이 매니저에게 와서 남편이 가정 문제 때문에 떠났다고 이야기 했었다. 매니저는 어두운 곳에서 그녀가 혼자 차를 향해 걸어가는 것을 염려했고, 그녀의 차까지 보안부서의 경호를 받을 수 있는지 알고 싶어 했다. 매니저는 경호를 위해 보안부서에 연락했고, 다행히 보안관리자는 그녀와 만나 별거중인 남편에 대해 더 많은 정보를 얻기 위한 질문을 시작했다. 그 질문에는 다음의 내용이 포함되었다.

- 남편이 당신이 일하는 장소에 대한 위치를 정확히 알고 있는가?
- 남편이 당신을 위협을 하고 있는가?
- 남편이 당신이나 다른 사람들에 대한 폭행 기록이 있는가?
- 남편이 전과기록이 있는가?
- 남편이 무기를 소지할 수 있는가?
- 남편이 직업이 있는가? 그렇다면 어디인가?
- 당신은 어디 살고 있는가? 남편은 그 위치를 알고 있는가?

이런 저런 질문에 대한 결과로 보안관리자는 남편이 그녀를 위협하고 있고, 그녀는 그녀의 여동생과 함께 살고 있으며, 그녀는 남편이 어디에 있는지 모르지만 남편은 그녀가 어디에 있는지 알고 있다는 것을 알 수 있었다. 남편은 폭력에 대한 전과기록을 가지고 있었고, 그의 형은 총을 가지고 있었는데 확실한 것은 그가 접근할 수 있다는 것이었다. 남편은 그녀의 근무지에 온 적이 있었으며 여러 차례 그녀를 직장에서 데려갔다. 남편은 약 3개월 전에 실직했고 술을 많이 마시는 편이었다. 그래서 보안관리자는 남편의 차뿐만 아니라 그녀의 차에 대해 설명을 듣고, 그녀의 차가 주차된 지역의 의심스러운 사람들을 찾기 위해 보안 순찰을 보냈다. 거기에는 남편이 차를 주차하고, 그녀가 나오기를 기다리고 있었다. 보안요원은 그에게 그곳에서 떠날 것을 요구했다. 하지만 그는 아내와 할 이야기가 있다면서 거절했다. 보안요원은 그에게 떠나야 한다고 충고했고, 경찰을 부를 것이라 했다. 그 시점에 그는 현장을 떠났다. 보안요원이 그녀에게 남편이 찾을 수 있는 숙소에서 지내는 것은 좋지 않다고 말했고, 폭력 피해 여성을 위한 핫라인을 피난처에 배치 할 수 있다고 제안했으며, 또한 핫라인을 통해 다른 조언과 도움을 얻을 수도 있다고 알려주었다. 그녀는 밤에 피난처인 호텔로 가라는 권고대로 행동했고, 그녀가 안전하게 이동할 수 있도록 준비했다. 보안관리자는 그녀가 사용하는 호텔 방 비용은 지불해 놓을 것이라 말했고, 안전한 숙소 및 모든 것이 해결될 때까지 며칠 쉬는게 좋겠다고 말했다. 그녀는 복귀전에 그녀의 매니저에게 연락을 취하도록 권고 받았으며, 우리는 모든 것이 해결될 때까지 그녀를 다른 업무지로 옮길 것을 알렸다.

그날 밤 남편이 총을 가지고 있었는지는 모르지만 다음날 술에 취한 채로 총을 들고 그녀의 여동생 집에 나타났었다는 사실을 알았다. 다행히 그녀는 거기에 없었고 아무도 다치지는 않았지만, 경찰에 신고했고 그는 며칠 동안 감옥 생활을 하였다. 보안관리자는 경찰에게 그의 형이 더 이상 총을 동생인 남편에게 빌려주지 못하도록 부탁했다. 또한 회사 및 근처에 접근을 막을 수 있는 무단침입 명령서와 그녀를 남편으로부터 보호할 수 있는 보호 명령서를 받았다. 남편과의 이 모든 대립은 남편이 그 지역을 떠날 때 마침내 해결 되었고 마지막으로는 그녀가 잘 지낸다고 들었다.

이 사건의 흥미로운 점 중 하나는 여성 직원이 야간에 차까지 경호를 요구하는 것이 드문 일이 아니라는 것이다. 여기에서 주목해야 할 점은 보안관리자가 매니저에게 전화를 받고 경호를 승낙한 다음 직원에게 경호에 대한 특별한 이유가 있는지 질문을 한 것이다. 그 질문을 통해 남편의 학대와 위협이 밝혀졌기 때문이다. 보안관리자가 그 첫 질문을 한 이유는 모든 보안요원과 함께 가정폭력 사건의 가능성에 주의를 기울이는 교육을 실시했기 때문이다. 또한 각 지역 보안관리자에게 필요할 때마다 핫라인 및 기타 지원 부서에 대한 정보를 수집하여 활용할 수 있도록 지시했다. 이것은 관리자에게 그 문제에 대해 충분히 반응토록 하여, 그 첫 번째 질문을 생각해 보도록 유도한 것이다.

직장에서의 가정폭력

직장폭력 예방프로그램이 합리적으로 효과를 내기 위해서는 이러한 프로그램에서 직장 내 가정폭력 문제를 다루어야 한다. 보안팀을 선정하고 교육하는 것이 좋은 출발이지만 직원과 관리자 또한 적절한 교육을 받아야 한다. 그들은 동료가 가정에서의 문제를 제기하였을 때, 경영진, 인사 담당자 및 보안 담당자에게 전달되어야 직원이 올바른 도움을 받을 수 있고, 직장을 안전하게 유지할 수 있다는 것을 알아야 한다. 미국 사회에서 이것은 쉬운 이야기가 아니다. 그들은 친구가 "단지 우리끼리만"의 비밀을 지켜달라고 요청할 때, 이러한 신뢰를 깨고 싶어 하지 않는다. 그것은 비록 일반적인 상황에서 칭찬할 만한 행동이다. 하지만 상기의 예처럼 그러한 신뢰를 깨는 도움을 필요로 하고 원하기 때문에 사람들이 보안 담당자에게 말할 때가 있다는 것을 이해해야 한다. 훌륭한 교육 프로그램은 사람들이 올바른 사람들과 정보 공유하는 것을 꺼려하지 않고 극복할 수 있도록 도움이 되어야 한다. 이러한 교육 프로그램은 인사기능의 권한 하에 시행되어야 효과적이다. 보안부서가 이 교육을 하려고 할 때 일부 사람들은 단지 구실을 찾고 있는 것처럼 볼 수도 있기 때문에 역효과를 낼 수 있다. 직장 내 가정 폭력에 대응하기 위해서는 최소한 다음과 같은 관리를 시행해야 한다.

- 직원 지원 프로그램을 제공하고 홍보하라
- 필요한 경우 피해자를 새로운 작업장으로 이동시켜라
- 가해자를 작업장에서 멀리하기 위한 안전 및 보안 조치를 수립하라
- 가정폭력 피해자를 위한 추가 유급 휴가를 제공하라
- 가정폭력을 효과적이고 도움이 되며, 합법적인 방식으로 인식하고 다룰 수 있는 관리자를 교육하라
- 직원들에게 가정 폭력의 징조를 인식하도록 교육시키고 관리자나 인사 또는 보안 담당자와 상의할 필요가 있다고 가르쳐라
- 관리자 및 보안전문가에게 직원들이 가정폭력에 대처하도록 부서에 알리는 정보를 제공하라

시설 및 보안 프로그램에 대한 검토를 실시할 때, 직장폭력 예방프로그램을 구체적으로 검토하지 않더라도 프로그램에 관한 질문을 하거나 직장 내 가정폭력에 집중했는지 여부를 항상 확인해야 한다. 또한 프로그램과 교육이 얼마나 자주 업데이트 되는지에 대해서도 알아봐야 한다.

원래의 요점으로 돌아가면, 경영관리팀은 직장폭력 문제가 없다고 생각할 수도 있지만 이는 문제가 있음을 알리는 적절한 프로그램이 구현되지 않았기 때문일 수도 있다. 그러면 이러한 문제를 미리 통제할 수 없게 된다. 이러한 상황은 기업 및 기관이 직면한 대부분의 위험 전반에 존재한다. 위험에 관한 정보를 얻을 수

있는 좋은 프로그램이 없다면, 경영관리팀은 문제의 존재를 전혀 모르고 있을 수 있다.

기타 리스크 요인

이 장의 시작 부분에서 설명한 공통적인 여러 리스크 요인들 일부에 들어가기는 하지만 모든 것을 다루지는 않을 것이다. 경제 스파이, 특허 및 상표권 침해, 암시장, 모조품과 같은 일부는 매우 복잡한 문제일 수 있다. 비즈니스에 이러한 리스크가 발생할 경우 해당 분야의 전문지식을 갖춘 보안전문가로부터 의견을 얻는 것이 좋다. 제6장에서는 방금 설명한 리스크 요인 중 고객을 보호하는데 도움이 되는 기본 정보자산 보안프로그램에 대해 설명한다.

부가적으로, 경영관리팀이 인식하지 못할 수도 있는 많은 보안관련 위험 문제가 있다. 지역 내 길거리 범죄에서 테러에 이르는 위험은 최고보안책임자(CSO) 또는 보안책임자에게는 해당되지만 임원에게는 해당되지 않을 수도 있다. 특히 보안팀이 예방조치를 취하는 경우는 드문 일이 아니다. 보안팀에 대한 인터뷰와 다양한 출처에서 수집된 데이터 검토를 수행한다면 이 사실이 명백해질 것이다. 또한 현장에 대한 설문조사를 실시하고, 이전에 어느 누구도 식별하지 못했을 수도 있는 위험영역을 발견하기 위해 주의를 기울여야 한다.

예를 들어, 저자는 한때 현장에서 철도선로가 있는 캠퍼스 스타일의 현장을 검토한 적이 있는데, 이는 기차가 정기적으로 현장을 통과하고 있음을 의미한다. 그 비즈니스는 현장에서 트랙을 가로지르는 도로 교차로에 조명과 게이트를 설치하는 예방조치를 취했다. 그러나 아무도 트랙의 상태를 보거나 현장에서 열차가 탈선한다면 어떤 일이 벌어질지 평가하지는 못했다. 그래서 저자는 트랙을 독립적인 검사관에 맡겨서 검사한 결과 제대로 유지되지 않고 있음을 발견했다. 트랙은 현장을 가로 지르는 커브 위에 있었고, 이는 탈선의 잠재 위험을 더했다. 또한 어떤 화물이 어떤 궤도를 통과했는지 조사한 결과, 염소로 가득 찬 탱크차가 정기적으로 그 지점을 통과한다는 것을 발견했다. 만약 그 탱크 중 하나가 파열되면 치명적인 염소가스가 방출될 것이다. 이러한 발견 전의 현장 경영관리팀은 철도 화물의 안전을 위해 해야 할 일을 했다고 생각했을 것이다. 그러나 철도 관리와 함께 보고서를 검토한 후 경영관리팀은 해당 지역의 검사 및 유지·보수를 늘리는

데 동의했으며, 현장 관리자는 모든 것이 양호한 상태인지 확인하기 위한 정기적인 독립 검사를 실시했다.

유감스럽게도 대부분의 사람들은 그들의 비즈니스와 연관된 표준을 무시하거나 그들을 둘러싼 다른 요인을 무시하는 것을 쉽게 생각한다. 컨설턴트로서 고객이 이러한 매개 변수를 벗어나 생각하고 모든 상대적인 요인을 탐구하여 완벽한 위험관리 포트폴리오를 갖출 수 있도록 하는 것이 중요하다.

위법행위와 부패의 리스크

이러한 리스크는 대부분의 비즈니스에서 발생할 수 있다. 일반적으로 계약관리 또는 구매활동 영역에서 가장 많이 발생하지만, 업무의 유형에 따라 위법행위 또는 부패의 기회가 많이 있을 수 있다. 컨설턴트로서 비즈니스의 이러한 분야에서 알려진 문제점이 있는지 판별하기 위해 질문을 해야 한다. 먼저 구매총괄조직이 있는지 여부를 판단해야 한다. 많은 중소기업들은 이러한 제어수준을 갖고 있지 않다. 할인 판매를 위한 제품을 제공하기 위해서는 특정 공급업체와 계약을 체결할 수는 있지만, 실제 구매활동은 개별부서에 맡겨진다. 종종 부서별로 관리되는 공급업체 또는 계약 서비스 회사에는 수많은 계약이 존재한다. 대게 팀을 신뢰하기 때문에 거래할 때 모든 것이 적절하게 처리되고 있는지 확인할 시간이 거의 없는 상위 관리자에게 두 번째 서명을 받는 중복 확인 체계가 없다.

비즈니스의 영역에서 부정행위가 있는지 여부를 조사하는 가장 좋은 방법은 입찰에서 떨어진 사람들에게 프로세스에 대해 무엇을 개선해야 하는지를 물어 보는 것이다. 몇 번이나 부정행위를 하는 환경에서 그들은 경쟁자가 계약을 "돈으로 매수"했다고 말할 것이고, 종종 흥미로운 세부사항을 알 수 있을 것이다. 따라서 이러한 유형의 조사를 수행하는 사람이 있는지 여부를 문의해야 한다.

이러한 상황에서는 일반적으로 경쟁 입찰 프로세스를 위한 표준을 수립하고 주기적으로 기존 계약을 감사하여 모든 사항이 적절하게 처리되었는지 확인하는 내부 감사를 권장한다. 비즈니스의 모든 계약 활동을 관리하는 구매부서를 보유하고 있는 경우, 이 영역에서 부패나 위법행위가 없다고는 믿을 수 없다. 이 부서에서도 이런 일이 일어나는 사례가 많이 있다. 그러나 구매 담당자들이 전문 구매

관리자에 의해 관리되는 경우 이러한 일이 일어날 수 있는 가능성은 훨씬 적어진다.

절도 리스크

직원 절도는 대부분의 비즈니스에서 중요한 문제이다. 이것은 단순히 집으로 가져가는 사무용품 등을 의미하지 않는다. 하지만 절도는 직원들에 의해 매일 저질러지고 있다. 이러한 논의를 위해, 계약자 및 기타 비정규직 직원을 하나로 생각해야 한다. 직장에서 잃어버린 물건이 많다는 것은 흥미로운 일이며, 모두가 탓하는 첫 번째 사람들은 청소원 또는 보안요원인데 왜냐하면 그들은 주변에 아무도 없을 때 정기적으로 접근할 수 있기 때문이다. 그러나 내 경험상 정규직원이 훨씬 더 자주 절도를 저질렀다.

이러한 직원 절도 상황은 특히 소매업에서 많이 일어났지만, 그들에게만 국한되지는 않는다. 이 문제를 해결하기 위한 주된 방법은 고용주들이 종업원을 위해 개방적이고 친근한 작업환경을 유지하는 것이다. 이러한 유형의 환경은 생산적인 윤리의식과 직원들과의 높은 사기를 조장한다. 만일 불신의 환경과 일거수일투족을 감시하는 "빅 브라더(Big Brother)"가 있다면, 사람들은 그러한 환경에 있기를 원치 않을 것이며, 회사는 높은 이직률을 겪을 것이다. 또한 "그들의 업무에 지나치게 유혹이 많지 않다."는 단서에서 대부분의 사람들은 기본적으로 정직하다고 믿는다. 저자의 개인적 신념인 "90-10" 규칙이 여기에 적용되는데, 90%의 절도는 10%의 직원에 의해 저질러진다는 것이다. 직원이 어떤 종류의 자산을 절도하는지는 가능한 대상과 절도가 얼마나 쉬운지에 달려있다. 저자는 그들이 위험을 감수하면서까지 사기를 저지르는지는 않는다는 관행을 확신한다. 이 분야를 조사할 때, 보안팀이 손실된 자산 조사 업무를 합리적으로 수행하고 있는지, 언제, 어디서 등 도난당한 것에 대한 추세분석을 하고 있는지 확인해야 한다. 회사는 절도나 부정행위로 의심되는 항목을 신고하기 위해 직원이 익명으로 전화할 수 있는 수신자 부담 부정 신고 회선을 가지고 있는가? 대게 사람들이 반출하는 상자 또는 다른 아이템을 출구에서 주기적으로 점검하는 방법을 추가로 권장한다. 이러한 유형의 프로그램을 구현하려면 화물 통과 관리 프로세스가 요구되는데, 관리자는 직원의 반출 제품을 식별하는 양식에 서명하고, 그것이 출구에 도달할 때,

경비원은 제품의 반출여부를 알 수 있다. 이와 같은 프로그램을 가짐으로써 누락된 것으로 확인된 귀중한 자산을 보다 쉽게 지킬 수 있다.

- 모든 XYZ 직원, 스탭, 계약자 및 방문객들은 XYZ 시설을 나갈 때마다, 화물, 서류가방, 책가방을 무작위 검색하고 있다. 이것은 정상적인 1교대 시간 후에 나갈 때 특히 더 그렇다. 건물 밖으로 물건을 가져가려는 경우 문서화된 자산 통행증이 있어야 하며, 부서관리자는 자산 통과 양식을 승인할 것이다. (많은 주에서는 건물외부에 알림판을 게시하여 들어오는 사람들도 검색 대상이 될 수 있음을 알려야 한다. 개인적으로 법률에 의해 요구되건 아니건 간에 그것을 따르는 것은 좋은 습관이다.)
- 직원, 스탭, 계약자 및 방문자는 혼란, 불편함 및 자산의 절도를 피하기 위해 이 정책을 준수해야 한다.
- 검사 및 검색 절차 : 보안이나 관리자에 의해 당신의 화물, 짐, 서류 케이스 또는 가방 내부에 무엇이 있는지 보여 달라고 할 때, 일부 항목을 제외하거나 이동하여 검사관이 내부를 모두 분명하게 확인할 수 있도록 요구할 것이다. 그들은 가방 등에 손을 넣지 않도록 교육을 받았으므로 내부를 모두 볼 수 있도록 협조해야 한다. (항상 이 검색 절차를 추천하는데, 검사관에게 피해를 입히지 않고 검사하는 물건에 대한 도난 등을 방지할 수 있기 때문이다.)

물론, 직원 절도 이외에도 "사무실 절도범(office creepers)", 소매 절도 및 도난 등과 같은 다양한 비즈니스에 발생하는 외부 절도의 다양한 변형이 있다. 최근에 알려진 절도사건 중 하나는 설비시설에서 구리선과 파이프를 제거해 간 것이었다. 또 다른 경우는 변전소에서 고압 전선을 훔치려는 시도도 있었다. 대다수의 기업에서 이러한 절도 상황들은 내부 절도보다 훨씬 위험하게 작용한다고 생각된다. 보안부서의 손실 보고서를 평가함으로써 이를 판단해야 할 필요가 있을 것이다.

해외 관련 리스크

미국 기업의 경우 다른 나라에서 비즈니스를 수행시, 이와 관련된 여러 가지 리스크가 있다. 그러나 미국에서 비즈니스를 하는 것보다 해외에서 비즈니스를 하는 것이 항상 더 위험하다는 잘못된 인상을 주지 않기를 바란다. 왜냐하면 리스크가 해외 모든 국가에 해당하는 경우가 아니기 때문이다. 대부분의 국가에는 외국인 여행객들이 이해하지 못할 수 있는 독특한 리스크가 있다. 외국여행, 조직범죄, 정치적 불안정, 테러리즘과 파괴행위, 유괴, 강탈과 직장 내 자살 등의 리스크는 미국에서 보았던 것과는 다른 몇몇 해외국가에서 마주치게 될 리스크이다. 일반적으로 특정 국가에 대한 정보는 미국 국무부 웹 사이트(www.state.gov)에서 시작하는 것을 추천한다. 기타 특정 국가의 요구 사항 외에도 여행과 건강 문제에 대한 정보는 매우 유용할 수 있다. 좀 더 구체적인 정보를 얻기 위해서는 "국가담당부서(Country Desk Contact)"에 연락하여 알 수 있다. 다른 국가로 여행하는 경우 최초의 주요 도착지에 있는 주재 미국 대사관에 가서 지역 보안담당자를 만나 그 지역에 존재하는 현안에 대해 브리핑을 받는 것이 좋다. 당신이 미국인이 아니라면, 대부분의 외국에서 자국 대사관과 동일하게 할 수 있을 것이나, 그들 직위에 대해서는 다른 명칭이 있을 수는 있다.

고객이 비즈니스를 수행하는 국가의 위험 또는 범죄의 고유영역을 이해하는 것은 중요하다. 예를 들어, 미국에서는 직장 폭력에 대한 심각한 문제가 있다. 그러나 아시아에서는 직장 자살, 그리고 멕시코와 몇몇 남아메리카 국가에서는 납치 문제들이 있다. 일부 국가의 정부 관리들은 비교적 일반적인 관행으로 뇌물 제공을 기대하고 있다. 물론 당신의 고객이 공개적으로 거래하는 회사라면 미국법에 위배된다. 따라서 컨설턴트에게 권하고자 하는 바는, 비즈니스를 하고 있는 나라의 위험 평가를 돕기 위해 해외 전문가의 도움을 받는 것이 좋다는 것이다.

자연 현상

이 위험 영역은 상당히 직관적으로 보인다는 것을 안다. 하지만 때때로 영향을 끼칠 수 있는 잠재적인 자연재해 모두를 확인했는지 확실히 할 필요가 있다. 미국에는 많은 지역에 단층선이 있지만, 그 지역의 많은 사람들과 기업들은 단순히 과거에 재해에 대한 기록이 없기 때문에 지진의 위험에 처해 있다고 생각하지 않는다. 버몬트 주에 살았을 때 허리케인으로 인한 위험에 처해 있다고 생각하지 않았지만, 1980년대에 실제로 허리케인의 타격을 받았던 적이 있다. 따라서 관련된 리스크관리 프로세스에 대해 자문을 제공할 수 있는 시설과 인력을 보유하도록 하고, 그 지역의 모든 잠재적인 자연 재해를 충분히 조사하는 것이 매우 중요하다고 클라이언트에게 권고해야 한다.

정보 출처

특정 산업에 적용할 수 있는 관련 정보를 얻기 위해 접근할 수 있는 많은 정보 출처가 있다. 분석가로서 이 모든 자료를 찾아내고 정보를 모으기 위해 철저히 조사해야 한다. 저자는 비즈니스의 모든 내부 기능들이 보안기능과 잘 소통하고 있지 못하는 것을 여러 번 목격하였다. 예를 들면 대부분의 대기업들은 내부감사 부서와 비즈니스 정보부서을 보유하고 있다. 내부감사부서는 "기밀"이기 때문에, 비즈니스 정보부서와 관련성을 알 수 없는 보안 정보, 감사 정보에 대해 공유하기를 원하지 않는다. 유사하게 보안부서도 기밀성 때문에 다양한 조사에서 얻은 지식을 공유하지 않는다. 그러나 이러한 부서와 정보(보안사항을 주고 받는)를 공유하면 모든 공통된 관심 영역에 대해 더 나은 통찰력을 얻을 수 있으며, 때로는 모든 정보가 분류될 때 중요한 것으로 보이지 않았던 몇 가지 주요 쟁점들을 발견할 수 있다. 물론 이러한 정보의 대부분이 기밀로 유지되므로 자세히 공유할 필요는 없으나, 정보에 이름과 직업 관련 내용을 제거하여 정제되는 경우, 비즈니스가 어떤 위험에 처해 있는지 알아낼 수 있다. 이러한 공유는 각 부서의 고위 관리자 수준에서만 수행되는 것이 가장 효과적이다.

다음은 정보의 추가적인 출처이다.

- 유료로 제공되는 Cap Index Crimecast Report를 통한 지역범죄통계
- 미국 법무부로부터의 그 관할권에 있는 통일 범죄 보고서
- 내부 사건 보고서
- 지방, 주 및 연방법 시행에 대한 정보
- 산업 분석 부서

날씨 관련 정보의 출처는 다음과 같다.

- 연방 비상 관리국
- 국립 기상 서비스
- 미국 지질 조사국

상기의 내용들은 친숙하고 잘 알고 있는 미국의 출처이지만, 다른 나라들도 비슷한 국가 및 지역 출처를 가지고 있다. 또한 과거의 미결소송 및 기타 법률 정보에 관해 정보를 제공하는 온라인 자료도 있다. 이러한 출처의 대부분은 Lexis Nexis(세계최대 법률정보 제공 서비스 기관)과 마찬가지로 정보료를 요구하지만, 중요한 리소스이므로 놓치지 말아야 한다. 또한 해당 지역의 경제 상태뿐만 아니라 술집이나 나이트클럽과 같은 범죄 문제를 일으킬 수 있는 지역의 존재 여부도 평가해야 한다. 지역경찰과 대화를 나눌 때는 문제가 되는 사업과 분야를 판단할 수 있다.

내부 사고 보고서를 검토할 때, 경영이나 회사전반에 대한 위협에 대해 문의하는 것은 중요하다. 이러한 유형의 정보는 종종 일상적인 사건 정보와 같은 장소에 보관되지 않으며, 제공되지 않을 수 있는데, 이는 위험 데이터의 중요한 부분이기 때문이다. 특히 계약된 조직일 경우, 보안부서는 이러한 리스크를 인식하지 못 할 수도 있다.

인적 자원 및 보안 계획

조사해야 할 또 다른 출처는 인사부서이다. 직원들의 불만사항을 검토하면 도움이 될만한 여러 가지 정보를 얻을 수 있으나, 인사부서가 보안부서와 데이터를 공유하지 않는 많은 상황들이 있을 수 있다. 다시 말해 내부 보안 전문가가 없고, 계약관리 및 계약직 담당자로 구성된 보안부서의 경우 특히 그러하다. 왜냐하면 인사부서 사람들은 보안관리자가 다른 회사 사람이기 때문에 정보를 공유하는 것은 너무 민감한 사항이라고 판단할 수 있다. 또한 인사부서 사람들은 평가를 수행하는 사람으로서 컨설턴트에게 정보를 공유하지 않기로 결정할 수도 있다. 그런 경우에는 다음과 같은 유형의 요약 정보를 문의해야 한다.

| 그림 2.2 | 정보는 적절한 시기마다 내부적으로 공유되어야 하고, 기업 자산을 보다 잘 보호 할 수 있어야 한다. |

- 위협이 있다면 어떤 유형이고 얼마나 자주 있는가? (그림 2.2 참조)
- 전문가가 심각성을 판단하기 위해 위협 요인을 분석한 적이 있는지의 여부 (그들은 이런 종류의 자원이 존재한다는 것조차 모른다.)
- 스토킹, 직장 괴롭힘 또는 성희롱을 포함한 괴롭힘이 있었는가?
- 그들이 차별 대우를 많이 했는가?
- 직원이 가정 폭력이나 다른 문제로 인한 개인적인 상황에서 도움을 요청했는가?

상기 문의사항에 대해 알지 못했다면 회사의 관련 임원과 상의해야 한다. 권고사항을 제출할 때, 정보 공유 부족의 문제를 이러한 방식으로 해결해야 한다. 이것은 계약 보안관리자나 계약회사의 높은 지위에 있는 사람이 서명한 특별한 비밀유지 계약을 이행함으로써 해결할 수 있다. 다른 해결 방법은 고객이 자체 보안 전문가를 고용하거나, 그들의 컨설턴트로서 필요한 경우나 다른 해결책을 제시하도록 권고하는 것이다. 무엇이든지 결정되면, 정보를 평가하고 적절한 조치를 취하기 위해 지식과 기술을 갖춘 보안전문가에게 정보를 제공해야 한다.

정의된 위험에 대한 대응

일부 보안관리자들이 몇몇 위험한 상황에 대하여 과잉반응을 해 온 상황이 있었고, 회사에 인지된 리스크를 보상하고 완화하기 위해 많은 자원들의 소비를 야기시켜 왔다. 많은 임원들이 이 이슈에 주의를 기울이고 있다고 믿는데, 이는 때때로 그들에게 리스크에 대한 적당하고 적절한 관심을 갖도록 하는 것을 더욱 어렵게 하기도 한다. 확인한 리스크가 무엇이든 간에 경영관리팀에게 제안하고, 그들에게는 해결할 수 있는 적절한 추론을 가지고 있다는 것에 대해 확신해야 한다. 또한 리스크가 현실화되어 손해보는 자산보다 리스크 완화에 더 많은 자산을 소비하고 있을 수 있다는 것에 대한 이해가 필요하다.

그러므로 가능할 때마다 리스크의 잠재적인 비용 영향을 정량화해야하지만 쉬운 것은 아니다. "기업 평판에 대한 영향"과 같은 상황처럼 돈으로 따질 수 없는 리스크의 경우에 적어도 다른 기업 임원들 중 누군가에게 알려야 한다. 또한 다양한 인터뷰를 수행하면서 경영관리팀이 그 리스크에 대한 비용 산정을 할 수 있는지 확인해야 한다. 이것이 기부금 또는 출자금 중 일부에 의존하고 있는 기업 또는 기관이라면, 향후 몇 년 동안 그들 기부금의 50% 정도까지는 평판에 중요한 영향을 미칠 수 있다는 것을 시사한다. 물론, 실제로 어떤 리스크가 실현되었는지에 따라 더 적거나 많을 수도 있다.

리스크 평가 및 완화 프로그램들과 관련하여 고려해야 하는 다른 부분은 언론과 미디어 등에서 다루는 경영진이 주목하는 최근의 문제들 또는 기업 내부에서 일어나고 있는 상황에 과도한 반응을 하는 시기가 있다는 사실이다. 예를 들어, 저자가 IBM에 있는 동안인 1980년대에 두 건의 직장 폭력 사건이 몇몇의 사망자를 초래했다. 일부 임원들은 개인적으로 그들의 장례식에 참석했고, 그런 사건이 다시는 발생하지 않도록 하는 것이 그들 개인의 사명으로 받아들여졌었다. IBM은 스스로를 "United Freedom Front"라고 부르는 테러리스트 집단의 표적이 되어 있었음을 알아냈고, 은신처들 중 하나가 습격당했을 때, 최적의 테러 대상을 결정하기 위해 테러조직이 IBM의 수많은 시설물을 감시해 왔다는 것을 발견하였다. 이러한 발견 후 저자는 기업 보안부서에 개선된 보안조치를 취합하고 인사부서와 직장폭력 방지프로그램을 만들어 함께 진행하였다. (여기서 흥미로운 점은 그 당시에는 직장 폭력에 대해 아무도 언급하지 않았다는 것이다.) 가장 먼저 주목한 항목 중 하나는 모든 현장 정문에 보안관리실을 설치하는 것이었다. 물론 효과적인 보안관리실이 되기 위해서는 방탄 수준을 갖추어야 했고, 결과적으로 부스 안의 보안요원은 직장폭력 총격의 희생자가 되지 않아야 했다. 이 항목은 임원진의 아이디어 중 하나였는데, 다른 기업 현장에서 위의 경우처럼 적용한 것을 보았고, 기업 보안을 위한 프로그램에 포함시킬 좋은 부록이다 생각했다. 비록 틀린 것은 아니지만, 모든 현장에서 이렇게 실행하는 것은 다소 과하다는 반응이었다. 그러나 임원진들이 원하는 것이라면 바로 해야 하는 것이다. 평가를 수행한 후, 프로그램 중 일부가 리스크에 대한 경감이 필요하다고 결정하기 전에, 그 프로그램이 과도한 수준으로 구현 결정된 원인이 무엇이었는지 조사하여야 한다. 만약 그것이 최고경영진의 아이디어 중 하나였다면, 컨설턴트는 미팅을 통해 본인의 권고가 반영되기를 원할 것이다.

리스크 영향에 대한 가치

식별된 리스크 또는 리스크 요인에 대한 가치를 설정하는 데에는 정량적 또는 정성적 접근방법이 있다. 정량적 방법을 사용하려면 고품질의 수치 데이터가 필요하다. 이 방법이 바람직하기는 하지만, 많은 리스크들을 수치화할 수 없기 때문에 일반적인 방법은 아니다. 그러나 정성적인 방법을 사용하면 영향 또는 잠재적 손실에 대한 추정치를 산정할 수 있다. 이것은 대부분의 보안전문가가 가장 자주 사용하는 방법이다. 양질의 견적을 작성하는 효과적인 업무 수행을 위해서는 우선 클라이언트의 운영에 대한 지식이 필요하므로 리스크 영향의 모든 측면을 고려해야 한다.

이 프로세스의 다음 단계는 리스크에 처할 수 있는 사람과 자산을 식별하고 비즈니스에 대한 가치를 창출하는 것이다. 자산은 제조 프로세스의 일부인 제품 또는 원자재와 같은 유형자산과 연구 및 개발 아이디어와 같은 정보자산, 고객의 비즈니스 또는 기관의 평판과 같은 무형자산에 이르기까지 다양하다. 다양한 자산 관리팀과 인터뷰를 할 때 자산에 관해 질문하는 것도 중요하다. 정보자산의 영역은 미국의 많은 기업들에게 다른 영역보다 더 많이 부각된 영역 중에 하나이다. 저자의 평가에 따르면 보안전문가 중 5%만이 이러한 보호프로그램에 대한 심층적인 지식을 보유하고 있다. Fortune지 선정 500대 기업의 대부분은 우수한 정보자산 보호프로그램을 보유하고 있다. 그러나 일단 소규모 회사로 옮기게 되면 일반적으로 이러한 종류의 프로그램에 투자하지 않았거나, 대부분의 경우 전문적인 보안요원을 배치하는데 투자하지 않은 것으로 나타난다. 저자는 이 책에서 프로그램이 다룰 영역을 설명하는데 더 많은 시간을 할애하겠지만, 지금은 클라이언트가 정보자산들을 보유하고 있는지, 특히 그것들이 무엇인지, 만약 분실되었거나 타협이 비즈니스에 어떤 영향을 미치는지 파악하는 것이 중요하다. 물론 클라이언트의 직원들은 그들이 보유한 가장 중요한 자산 중 하나이며, 컨설턴트가 이 프로세스를 개발할 때 반드시 고려해야 하는 사항이다.

자산이 식별될 때마다 리스크에 "손실" 가치를 두어야 한다. 이 가치는 손실의 모든 측면을 고려해야만 한다. 예를 들어, 제품을 제조하는데 사용되는 원자재가 도난당한 경우, 재료의 가치를 잃을 뿐만 아니라 제조 시간 및 운송 일정 계획 등의 측면에서 회사에 영향을 미치거나, 회사의 평판에 영향을 미칠 수 있다. 따라서 인터뷰 대상에게 가치에 관한 질문을 할 때, 자산의 본질적인 가치를 생각하게 하려면 몇 가지 중요한 질문을 해야 할 수도 있다. 예를 들어, 현장에서의 직장 폭력 행위의 경우, 단지 하나의 사건이지만 아래와 같은 광범위한 파급효과를 가져올 수 있다는 점을 고려해야 한다.

> ‣ 생산성 손실
> 일반적으로 영향을 받는 분야의 직원 사이에서 사고 발생 후 첫 주 동안 80%의 감소 예상

> ‣ 업무 공간 붕괴
> 경찰, 보험 회사 및 주 연방 산업 안전 당국이 수행한 조사로 인해 비즈니스에 심각한 혼란 초래

> ‣ 직원 이직률
> 일반적으로 사건 이후에 사임과 사기 저하가 급격히 증가

> ‣ 소송 및 법적 비용
> 손실/손해로 인한 파산가능성 증가

> ‣ 기타 비용
> 장례식, 심리적 상담, 고객에 대한 영향 및 기타 불확실한 비용

리스크 평가 프로세스에 대한 자세한 정보가 필요하다고 생각되면, 온라인 웹 사이트 ASIS International의 일반 보안 리스크 평가 지침(www.asisonline.org) ASIS 을 참조하기 바란다.

직장폭력 예방프로그램과 함께 진행되는 또 다른 중요한 프로그램은 임원 보호프로그램이다. 이번에도 이 프로그램의 유형 정의는 이 책의 목적이 아니지만, 충분한 기본 임원 보호프로그램 개요를 부록 B, "임원 및 직원 보호"에 수록 하였다. 이 부록에서 찾을 수 있는 것은 경호원, 장갑 차량, 감시팀 또는 정기적으로 위협을 받는 사람에 관한 내용이다. 그러나 리스크가 만연한 국가로 여행 할 수 있는 사람에게 필요한 다른 위험의 세부사항은 들어가지 않는다.

3

현장 보안 평가 수행
PART 1

보안 관리 측면 평가

다음 목록은 보안 관리의 완전한 평가 수행을 위해 검토해야 할 여러 영역에 대한 지침으로 제공된다.

보안 관리

‣ 조직 및 정책

‣ 절차 및 직무 체계

‣ 인력 선정, 직원 배치 및 신원조회

‣ 교육 및 인식

‣ 계약 관리

이 평가의 각 부분은 클라이언트에게 사업 전체의 그림을 제공하는 것과 같이 중요하다. 평가 프로세스는 클라이언트를 위한 보안프로그램의 현재 상태를 문서화하기 위한 것임을 이해해야 한다. 즉, 기존 조건의 장단점을 기록해야 한다. 잘못된 것에만 집중하지 말라. 이 과정은 추후 시큐리티 마스터 플랜을 정의할 때 중요하다. 또한 평가가 사실만 수집하고 의견은 없는지 확인하는 것도 중요하다. 세부 정보수집과 관련된 작업을 완료한 후 권고안을 개발하기 시작하면 프로세스에 의견의 일부를 추가할 수 있다. 그러나 데이터를 수집 할 때 권고안 개발을 시작하면 프로세스를 끝내기가 어려우며, 보고서는 사견들로 채워질 것이다.

부록 C의 "보안 평가 또는 자체 평가 문서"는 정통한 보안전문가에 의해 사용될 지침서로 계획했다. 분명 그 안에 있는 것들이 모든 장소나 기업에 적용될 수는 없다. 또한 현장 및 사업을 조사할 때 필요한 모든 것을 다루지는 않는다. 문서 검토, 현장 관찰, 설문지, 현장 내/외부 인터뷰, 지식 테스트 및 성능 테스트와 같은 다양한 방법으로 데이터를 수집해야 한다. 앞에서 언급했듯이 특정 분야에 더 유능한 전문가들과 함께 당신의 기술을 보완할 수 있는 방법을 가지고 있다. 이런 팀 접근 방식은 최상의 결과를 달성할 수 있는 효과적인 방법이 될 수 있다. 보안관리에서 보안조직이 얼마나 잘 관리되고 있는지 평가해야 한다.

- 그들이 어떻게 구성되었는지 평가해야 한다.
- 정책과 절차의 문서화는 잘 이루어져 있는가?
- 정책과 절차는 최신의 상태로, 가급적이면 온라인으로 유지되고, 알 필요가 있는 모든 사람들에게 전달되는가?
- 직무체계의 경우 각 보안담당자가 직무체계에 대한 각 변경사항에 대해 서명하는 문서 파일이 있는가?
- 보안관리자는 새로운 정책들이나 변경된 정책들이 모든 관련 당사자에게 전달되는지 보여줄 수 있는가?

직무체계 및 절차의 문서화

검토과정에서 자주 제기되는 문제 중 한 가지는 "문서화된" 프로그램과 직무명령들이 현장에서 실제로 수행되는 것이 아니라는 사실이다. 이 경우 문서화된

명령들이 현장에서 실제로 수행되는 것이 아니라는 사실이다. 이 경우 문서화된 절차들이 잘못되었거나 실행이 잘못되었는지를 결정하는 것이 중요하므로 컨설턴트는 적절한 시정조치를 권고할 수 있다. 이러한 모든 관리영역은 보안조직과 프로그램의 전반적인 효율성에 기여하며 축소되어서는 안 된다. 프로그램 및 정책에 대한 적절한 문서가 없는 경우, 구현과 관련된 많은 문제를 발견하게 될 것이다. 임차인, 계약업자, 직원 또는 보안담당자에게 명확하게 문서화되어 전달되지 않은 프로그램 및 정책들은 구현을 기대할 수 없다. 이는 직무체계와 관련이 있기 때문이다. 다음은 모범 사례들로 간주되는 목록들이다.

직무체계 – 모범 사례

- 보안관리자는 포괄적인 직무체계를 개발해야 하며, 이는 현장보안설명서의 일부가 된다.
- 보안관리자는 포괄적인 행동규칙 및 표준운영절차 목록을 개발한다.
- 필요한 모든 문서는 실행에 앞서 승인을 위해 클라이언트 관리자에게 제출되어야 한다.
- 직무체계 및 행동규칙들은 정기적으로 업데이트되어 유지되며, 빈도는 서면 경과기록으로 기록된다. 이것은 1년 이내여야 한다.
- 직무명령 섹션은 번호가 매겨지고 읽기 쉽도록 "굵은 가운뎃점(bullet)" 형식으로 생성된다. 각 페이지는 날짜가 표시되어야 하고 문서에는 목차가 있어야 한다. 직무명령들에는 최소한 다음 내용이 포함되며 이에 국한되지 않는다.
    - 복장 규정
    - 보고 및 통신규약(사건보고서 작성절차 및 오보고 제거 포함)
    - 일반 및 비상 운영모드와 책무(예: 근무 교대 기록 절차)
    - 경보 및 비상전화시스템 검사를 포함한 건물시찰, 검사 및 감사수행을 위한 빈도, 주안점, 방법론 또는 임의성
    - 보안요원을 위한 교육 요구사항
    - 건물대피계획, 계획안 및 절차
    - 재난복구 및 위기관리계획과 규약

- 모든 당사자를 위한 응급대응 계획안 및 연락처정보
- 해당되는 경우 방어운전 또는 자전거순찰 기술과 같은 특수 요구사항
- 홍보 및 분쟁해결 일반지침 및 친목활동을 포함한 규약
- 기록 및 보고서를 유지·관리하는 방법, 기술, 규약, 보고 요구사항
- 기록 보관절차 및 요구사항
- 건물 보안시스템 모니터링 및 관리지침
- 건물 비상, 기계 시스템 모니터링 및 관리 방법
- 수화물 선착장 및 배송절차
- 해당되는 경우 주차 및 교통 관리 규약
- 방문객 관리 및 신원확인
- 계약업체 및 건설 규약
- 근무 중 수면
- 비밀, 민감하거나 기밀 정보의 처리
- 직무보고 후 지위를 유임하기 위한 요구사항
- 퇴근 후 소집하거나 철회하는 절차
- 알코올이나 약물 복용 후 출근하는 경우
- 관련된 목록의 게이트 잠금 및 잠금 해제
- 순찰지역
- 최소 인력 요구사항
- 폭탄 위협 처리
- 수상한 소포 취급
- 배송취급
- 승강기(엘리베이터) 문제, 특히 갇힌 승객
- 화재경보기 취급
- '물리력 사용'과 관련된 절차 및 정책 : 담당자들은 자기방어의 극단적인 경우를 제외하고는 단계적 축소를 위해 훈련을 실시하고, 물리력사용을 피하는 것이 바람직하다. 물리력사용이 필요할 때, 문제해결을 위해 지역경찰에 출동을 요청해야 한다.
- 실제 범죄행위와 의심되는 범죄행위의 처리 및 보고와 관련된 절차와 정책
- 자산반출 프로그램이나 출입증 또는 신분증 프로그램과 같은 고유한 프로

그램에는 담당자가 자신의 역할을 완전히 이해하고 프로그램을 다루기 위해 작성된 적절한 직무체계가 있어야 한다.

   ‣ 유지·보수 문제를 보고하는 절차(소등, 누수 등), 연락대상, 기록양식, 문제가 보고된 기록이 있어야 한다.

• 보안요원, 관리자 및 고객 관리자가 유지·관리해야 하는 두 가지 유형의 보고서가 있다.

   ‣ 일일업무 일지 : 각 근무 교대를 위한 모든 활동을 서면으로 기록한다.

   ‣ 사건 보고서 : 내용들은 일일작업 기록에 간략하게 나타나야 하며, 사건 보고서 안에서 철저히 설명되어야 한다.

• 보고서 작성은 보안담당자가 수행하는 가장 힘든 업무 중 하나지만, 클라이언트에게는 매우 중요하다. 보고서 작성을 위한 일반지침은 다음과 같다.

   ‣ 모든 보고서는 보고서 작성자와 보고서 검토 책임자가 서명한다.

   ‣ 보고서 검토 책임자는 사고 발생에 대한 교대가 끝날 때까지 보고서를 검토해야 한다.

   ‣ 양식의 모든 빈 줄 또는 영역에는 "N/A"로 기입한다.

   ‣ 보고서의 내용은 추론이나 의견이 아닌 사실관계로 제한한다.

   ‣ 문장은 정확, 간결, 명료하게 전문적으로 표현한다.

   ‣ "누가, 무엇을, 언제, 어디서, 어떻게"의 구조를 따른다.

   ‣ 사람들에 대한 통보는 사전에 결정된 규정에 따라 시행되어야 한다.

   ‣ 사건 보고서는 활동 패턴들을 결정하기 위해 주기적으로 추세화해야 한다.

• 모든 보안요원들은 보고서작성 모범사례에 대한 교육을 받아야 한다.

• 교대근무 기록부 및 사건 보고서의 사본을 받을 사람과 기록을 제출해야 하는 사람을 나열해야 한다.

• 지침서에는 순찰 감시시스템 사용을 위한 지침(해당되는 경우)과 사건 및 사고 보고서 양식들을 제대로 완결하기 위한 지침이 포함되어야 한다.

• 지침서를 기반으로 위에서 설명한 보안요원의 임무들에 관한 시청각(audio visual) 교육프로그램을 개발해야 한다. 교육프로그램은 담당자들이 그들의 임무를 이해하고 있음을 확인하는 서면 시험을 포함해야 한다. 이 교육과 테스트는 담당자들이 필요한 업무범위를 잊지 않았는지 확인하기 위해 6개월마다 실

시할 수 있다. 경영관리팀은 보안요원이 그들의 책임을 이해했는지 증명하기 위해 완료된 테스트를 파일로 보관할 수 있다.

보안요원 선발 및 배치 고려사항

보안요원이 정규직인지 계약직인지 또는 둘의 결합인지에 따라 인력선발 또는 배치와 관련하여 고려해야 할 여러 가지 이슈가 있다. 두 범주의 직원들 모두 다음에 해당된다.

- 사회보장번호(주민등록번호) 확인을 포함한 광범위한 신원 조사
- 주 및 연방 수준의 지문 확인을 통해 범죄기록을 확인하고 지원자의 진술 내용 검증
- 범죄기록은 그들이 거주하고 일한 모든 지역에서의 지난 7년간 기록 확인
- 광범위한 재정문제 확인을 위한 신용조사
- 소송에 연루되었는지 민사기록 확인
- 신용불량뿐만 아니라 고용 격차에 대한 상세한 점검을 포함한 신청서의 모든 측면 검증

보안 분야에서 우려하는 한 가지는 국가 지문 데이터베이스 사용이 부족하다는 것이다. 2004년 12월 8일, 미국 의회는 고용주가 개인 보안담당자로서 직위에 지원하거나 직위에 있는 사람들에 대한 FBI 범죄이력 조사를 요구할 수 있는 법안을 통과 시켰다. 이 법안은 2004 년 국가 정보 개혁법(National Intelligence Reform Act of 2004) 또는 "9/11 이행 법안(Implementation Bill)"의 일부였다.

새로운 법률에 따라 고용주들은 FBI 정보에 직접 액세스할 수는 없지만, FBI와 중재하고 고용주에게 보고하는 주정부 신원확인 기관들을 거친다. 고용주는 조사 진행을 위해 피고용인의 서면승인을 받아야만 하며, 받은 정보를 피고용인과 공유해야만 한다는 점에서 피고용인 권리가 보호된다. 정보오용에 대해서는 형사처벌이 적용된다.

이 데이터베이스의 사용은 2006년 1월까지 모든 50개 주의 고용주가 법무부의 최근 정규직 보안 구현(2004년 임원 고용 허가 법)으로 인해 개인 보안책임자로 지

위를 부여하거나 직위를 유지하는 사람들에 대한 FBI 범죄 이력 조사를 요청할 수 있는 능력을 부여 받았다.

법무부는 이 법안을 해석하고 FBI 경력 조사 시스템이 없는 주(States)의 고용주가 "대체 가능한(alternative)" 주(State)로부터 이러한 조사들을 입수할 수 있도록 법 시행령의 적용 범위를 확대했다.

각 주(State)의 FBI는 신청인이나 고용인이 주 정부 차원에서 범죄 기록을 보유하고 있는지 여부를 먼저 확인한다. 이 단계에서 기록이 발견되면 주(State)의 FBI는 신원확인 색인에 접속하여 나머지 기록들을 검색 할 수 있다. FBI는 또한 주(State) 차원에서 기록이 없는 개인들의 지문들을 받을 수 있으며, FBI 조사 결과는 공인된 주정부 기관에 반환된다. 이 국가적 자료의 이용을 통해 고용주들이 자신의 보안요원이 실제로 신원이 보장된 사람이고, 범죄 경력을 숨기지 않고 있음을 알 수 있다. 일부를 제외한 모든 보안 기업들이 이 프로세스를 시행하고 있지만, 정규직 보안조직에 의해 충분히 활용되지 못하고 있다고 생각한다. 불행히도 이 프로세스는 여전히 모든 주에서 접속할 수 없다. 이 분야의 결과를 얻기 전에 본인이 일하고 있는 주에서 위의 프로세스를 운영하는지 확인해야 하며, 그렇지 않은 경우 계약회사 또는 클라이언트(정규직 담당자의 경우)가 계속해서 주정부 기관이 프로세스를 운영할 동기부여를 위해 몇 달에 한 번씩 지문검사를 실시해야 한다. 이 기록들은 피고용인을 위한 인사부서 및 피고용인 계약회사에 보관된다. 게다가 두 범주 모두 마찬가지로 약물 검사를 해야 한다. 믿을만한 신원확인을 구현하는 데는 약간의 비용이 들지만, 원금회수가 비용보다 상회한다. 고용인이 직무를 위해 최선의 후보자를 고용하고 있는지 확인하는 것 외에도 이 과정은 또한 안전한 직장환경을 제공하는데 도움이 되고 그들의 법적책임을 줄여 줄 것이다. 이 프로세스의 또 다른 장점은 이직률 감소, 생산성 향상, 사기진작 및 불량고용관행과 관련된 법적위험을 간단하게 줄여준다.

정규직 인원을 고용하는 클라이언트는 자신의 비즈니스를 위해 일하기를 원하는 직원과 비즈니스로 성장시킬 수 있는 직원을 확보하는 데에 집중해야 한다. 물론, 학력은 항상 중요한 지표이지만, 그들이 올바른 인성과 태도를 가지고 있는지 확신을 가져야 한다.

이것은 일반적으로 2~3명의 숙련된 인력이 후보자를 면접하면서 식별할 수 있다. 그러나 시장에는 이 프로세스에 도움이 될 수 있는 매우 훌륭한 인성검사 프로그램이 있다. 고용과 이직은 고용주에게 비용이 많이 드는 일이기 때문에 오랜 기간 일할 수 있는 할 최고의 직원들을 고용하기 위한 모든 노력들은 고용과 이직의 대한 비용을 줄여 줄 것이다.

직원 선발 및 배치 고려 사항

아래 정보가 이 섹션의 일부는 아니지만, 간단히 논하려 한다.

보안담당자를 위해 개설했던 고용관행은 클라이언트의 비보안 분야의 직원에게도 적용 가능하다. 그들은 직원이 수행할 직무에 따라 약간의 차이를 만들고 싶어 할 수도 있다. 예를 들어, 말단직원의 경우는 지난 5년의 기록을 확인하고 신용조사를 하지 않을 수 있다. 반면 재무적 책임이 있는 고위 직원의 경우는 기록 확인을 10년으로 하고 신용조사를 반드시 포함해야 한다. 이러한 차이점들은 클라이언트, 환경 및 직원을 효과적으로 보호하기 위한 고용비용을 관리하려는 시도이다. 그러나 배경조사 정책에서의 차이점들은 인사 및 법무에 의해 그들이 아무도 차별받지 않았다는 것을 보장하기 위해 잘 문서화되고 검토되어야 한다.

더 극단적인 직장폭력 사건들의 일부 여파는 고용주가 가해자에 대한 경력조사를 철저히 했더라면 처음부터 고용하지 않았을지도 모른다는 것을 보여준다.

의심스러운 경력을 가진 잠재적인 직원은 경력조사를 완벽히 하지 않는 고용주를 선호한다. 이것은 특히 약물 검사의 경우 만연하다. 고용주가 약물 검사를 하지 않는다면, 결국 그 검사를 요구하는 타사보다 더 높은 비율로 약물 복용자를 고용할 것이다.

그들의 보안 컨설턴트로서 채용 관행이 있는지 없는지를 판단하고, 프로세스의 모든 단점을 보완하기 위해 그들에게 적절한 권고를 해야 한다.

신청서

이 과정에서 중요한 문서들 중 하나는 클라이언트의 신청서 양식이다. 신청서에 있는 많은 질문과 확신을 줄 많은 법률들은 고용인이 원하지 않는 직원을 해고할 수 있는 정보를 고용주에게 제공하기 위한 것이다. 일반적으로 이 프로세스의 한 부분으로 문서를 검토 하지는 않으며, 또한 컨설턴트에게 검토하라고 제안하는 것도 아니다. 그러나 이 문제에 대해 더 자세한 정보를 원한다면, ASIS International의 "고용 전 배경 심사 지침"을 참조하는데, 이는 www.asisonline.org 웹 사이트에서 찾을 수 있다.

보안 매뉴얼 문서

앞서 언급했듯이, 현장 보안매뉴얼은 매우 유용한 문서이며 시작 전에 검토해야 하는 첫 번째 정보 중 하나이다. 이것은 보안조직에 영향을 미치는 모든 관련된 문서의 모음집이 되어야 한다. 이 매뉴얼을 가지고 있는 이유는 보안팀에게 필요한 모든 정보에 대한 쉬운 접근을 제공하기 위해서다. 이를 위한 가장 효과적인 방법은 라벨 색인표로 섹션별 구분을 하여, 하드 카피에서 최대한 빨리 정보에 접근할 수 있도록 하고, 온라인에서도 접근할 수 있도록 하는 것이다. 이 매뉴얼은 항상 온라인과 하드카피본 둘 다 최신상태로 유지되어 상황에 관계없이 이용할 수 있어야 바람직한데, 이는 비상시에 매우 귀중한 자료이기 때문이다. 최소한 다음의 내용이 포함되어야 한다.

- 직무체계
- 보안절차
- 보안정책
- 위기관리계획
- 비상정책
- 안전절차 및 정책
- 긴급연락처 정보, 이름, 전화번호 및 기본연락처를 찾을 수 없는 경우의 백업 목록 (위기관리 계획에 아직 포함되어 있지 않은 경우)
- 긴급상황에서 필요할 수 있는 모든 계약회사 및 공급업체의 연락처와 이름이 포함된 전체 목록(대체연락처 정보 포함)

보안 교육 인식

보안운영의 매우 중요한 측면은 보안요원과 시설을 사용하는 인력 모두를 위한 교육 및 인식 프로그램이다.

이 대상자들은 직원, 임차인 및 계약자일 수 있으며, 이 범주에 포함된 각각의 보안 클라이언트를 위한 교육 및 인식프로그램이 있어야 한다. 또한 일반적으로 직원에게 제공되지 않은 정보를 제공해야하기 때문에 경영진에 배정되는 프로그램이 있어야 한다.

이 프로그램의 품질과 효과를 평가하여, 의도하는 목표를 달성하고 있는지 확인해야 한다. 예를 들어, 시설내의 모든 직원, 방문객 및 계약자가 항상 출입증을 패용해야 한다는 요구사항이 있는 경우, 실제로 그렇게 운영하고 있는가? 그렇지 않다면, 이것을 대체할 수 있는 교육프로그램이 있는가? 없을 경우, 만들어야 한다. 이 특정 프로그램의 또 다른 측면은 경영진에 의한 프로그램의 소유권이다.

출입증을 항상 패용하는 등의 규칙들이 있지만, 임원진 스스로가 규정을 준수하지 않는 것을 수 없이 많이 보아 왔다. 사람들은 정책보다는 지도자들의 행동을 따라 하는 경향이 있다. 만약 그렇다면 컨설턴트는 보통 이러한 정책을 따르도록 임원진을 납득시키려 노력할 것이다. 대부분의 임원진은 동의하지만 거부하는 임원진도 있을 수 있다. 정책을 거부하는 임원진에게는 그 정책을 버리라고 권고할 것이다. 임원진 스스로가 따르지 않는 정책을 수립하면 보안프로그램 전체가 무너진다.

교육 및 인식 프로그램이 중요한 이유는 보안이라는 것이 시설에서 일하는 모든 사람들이 가져야 할 필요성 때문이다. 이러한 교육 및 인식 프로그램은 시설에서 일하는 모든 이들이 보안담당자보다 자신의 작업환경에 대해 더 많이 알고 있다는 그 사실을 교육해야 한다. 예를 들어, 그들은 다른 사람들보다 훨씬 쉽게 "수상한 짐(suspicious package)"을 인식할 수 있는데, 평소에는 보지 못했기 때문이다. 비슷한 예로, 그들은 이전에 보지 못했던 '사무실 절도범(office creeper)'이 들어왔을 때 금방 알아차린다.

교육 및 인식 프로그램은 사람들에게 그들의 지역을 보호하는데 참여하도록 독려해야 한다. 프로그램은 사람들에게 상황이 올바르지 않을 때 도전을 하고 질문을 하도록 가르쳐야 한다. 직장폭력이 증가하는 오늘날의 환경에서 대부분의 직원은 직장 내 자신의 보안과 안전에 대해 더욱 염려한다. 교육 및 인식 프로그램은 특정시설에 존재하는 모든 관련된 이슈들과 문제점 해결에 참여하기 위해 해야 할 일들을 교육해야 한다. 프로그램은 사용할 최선의 방법이 무엇이고, 하지 말아야 할 것이 무엇인지 가르쳐야 한다. 효과를 보기 위해서는 이러한 프로그램을 지속적으로 활용하고 재강조하여 책임을 상기시켜야 한다.

기업이나 시설에 근무 중인 보안담당자의 수를 3배로 늘린다고 하더라도, 이미 존재하는 사람들의 참여를 유도하는 것만큼 효과적이지는 않을 것이다. 포스터나 표지판을 사용하는 것도 이 과정에서 매우 유용할 수 있다. 다른 프로그램을 통해 직원을 상기시키는 것 외에도, 사람들이 참여하는 것이 좋겠다고 느끼게 하는데 좋은 방법이 된다. 예를 들어, 대부분의 사람들은 낮은 보안수준에서 발생하는 대립을 좋아하지 않는다. 따라서 출입증이 없는 사람을 보더라도 문제 삼기를 꺼려한다. 출입증 패용을 표시해야 하는 포스터 또는 심지어 작은 간판이 근처에 있는 경우, 사람들은 출입증을 패용하지 않은 사람에게 이를 지적할 수 있으며, 개인적 감정이 아니라는 것을 느낄 수 있다.

저자는 프로그램을 관리하기 위해 적절한 기술과 교육경력을 가진 사람을 고용할 수 있는 수준으로 투자한 보안조직을 거의 찾지 못했다. 다행스럽게도 계약 기반으로 서비스를 제공할 수 있는 기업들이 있어 자원부족을 보완할 수 있다. 평가를 수행하는 사람은 이러한 프로그램이 잘 구현됐는지 뿐만 아니라 필요한 모든 주제를 다루고 있는지 그리고 그것이 전문적인 방식으로 수행되고 있는지 여부를 판단해야 한다. 시설에서 사용할 수 있고 사용해야 하는 수많은 프로그램이 있지만, 특정 시설에 적합한 프로그램은 해당 작업 환경에 따라 다르다.

다음은 다루어야 할 주제의 사례이다.

- 약물 및 알코올 정책
- 무기 정책
- 카메라 및 사진 정책

그림 3.1 캠페인을 통한 보안 인식 제고는 모든 직원을 교육하고 사람과 직장 환경 및 기업 자산을 보호하기 위한 현장의 "눈과 귀"에 대한 수를 크게 증가시킬 수 있다.

▸ 위협에 대한 정책 및 직장 폭력예방
▸ ID 신분증 패용 및 패용을 거부하는 사용자
▸ 사무실 절도범에 대한 인식
▸ 하드카피 정보보호(clean desk) 정책
▸ 기밀 정보 또는 민감 정보의 파괴
▸ 암호를 공유하지 않고, 책상에 앉아 있지 않을 때 시스템을 로그온 상태로 두지 않는 것과 같은 시스템 보안문제
▸ 건물 출입 절차(뒤따름 출입)
▸ 주차장 또는 차고 안전, 보안 경호 가능 여부
▸ 화재 안전 규칙
▸ 피난 계획, 층별 관리인(flow warden) 프로그램
▸ 수상한 짐(suspicious package)에 대한 인식

　　인식 및 교육 프로그램의 일부가 되어야 하는 또 하나의 프로그램은 보안조직의 인식 및 평판 영역이다(그림 3.1 참조). 사례를 통해 이 말의 뜻을 알아보자. 저자가 정규직 보안담당자의 일선 관리자였을 때, 직원 중 한 사람이 회사의 다른 직원으로부터 존중을 받지 못했다고 불평한 적이 있다. 그는 자신들이 갖추고 있

는 기술과 교육을 전혀 이해하지 못하는 다른 직원이 자신을 "야간경비원"으로 생각한다 말했다. 그는 수년간 많은 보안담당자를 괴롭힌 이 문제의 해결을 위해 어떻게 할 것인지를 물어봤다. 대답은 "당신은 그것에 대해 무엇을 할 준비가 되어 있는가?"였다. 그는 저자를 미친 사람인 것처럼 보았고 "내가 뭘 할 수 있느냐고요?"라고 물었으며, 그 대답이 바로 다른 직원들이 그가 기술이 없다고 생각한 이유라고 답했다. 그 대답인 즉, 그가 변화 할 생각이 없다고 하는 것이라 말했고 그런 생각을 가지고 있다면 다른 직원들이 앞으로도 그를 존중하지 않을 것이라고 말했다.

그에게는 보안요원 팀을 구성하고 보안팀의 직무와 기술을 다른 직원에게 교육할 수 있는 짧은 프레젠테이션을 개발하라고 제안했다. 일단 그들이 개발하였고 저자가 그것을 승인했다면, 나아가 제공하는 다른 인식 및 교육 프레젠테이션에 보안에 관한 주제를 대해 발표 할 때마다, 발생하는 다른 인식과 교육 프레젠테이션을 추가할 수 있었다. 담당자들이 얼마나 업무를 잘 수행해왔던 건지와 많은 다른 직원들이 이해하지 못하던 업무의 복잡성을 인정받기까지는 불과 몇 개월의 짧은 시간이 걸렸다. 담당자가 저자의 도움과 지원에 대해 감사하게 되자, 저자는 문제나 도전을 보았을 때마다 기꺼이 도와줄 수는 있지만, 항상 개인적으로 상황을 바로 잡을 수 있는지를 먼저 생각해 보라고 말해 주었다. 만약 그것을 해내지 못하더라도 결코 무력감을 느끼지는 않을 것이기 때문이다.

계약관리 및 감사

계약관리 영역은 보안 및 정보를 수집하고 검토해야하기 때문에 비즈니스 관리 측면에 매우 중요한 부분이다. 일반적인 실패요인은 기업 또는 기관의 보안 계약 관리자가 계약보안기업의 고용 및 교육 기록을 감사하여 계약요건들을 충족 여부를 확인하지 않는다는 것이다. 보안관리자의 과실이라고 주장하는 소송이 있는 상황에서 배경조사 또는 계약서 내 관련 요구사항을 충족시키는 것만으로는 충분하지 않다. 기업은 이러한 요구사항을 보장하는 적절한 업무 수행이 있음을 입증해야 한다. 계약기업이 이러한 요구사항을 충족시키고 있으며, 이러한 감사가 해당 이슈에 대한 해답이 될 것이다. 시설보안에 대한 매우 중요한 기타 계약이 있으며, 이 책의 뒷부분에서 이 계약의 세부사항을 살펴 볼 것이다.

이 섹션의 목적을 위해 계약을 관리하고 감사하는 책임이 있는 보안요원 또는 다른 부서의 직원이 업무수행을 효과적으로 하는지 판단해야 한다. 이를 확인하기 위해 수행한 감사결과를 살펴볼 필요가 있다. 감사한 내용이 만족스럽지 않은 경우에는 기록물에 대하여 추가적으로 감사를 수행해야 할 수도 있다. 이 평가에 포함해야 할 사항을 살펴보면 경쟁 입찰 프로세스를 사용하는지 또는 단독 수의 계약에 의존하는지를 검토하는 것 등이다. 때로는 계약 위임기업이 클라이언트와 좋은 관계를 쌓고 업무를 훌륭하게 수행했을 때 종종 클라이언트는 귀찮은 경쟁 입찰을 하지 않는다는 것을 알게 될 것이다. 매 3년마다 경쟁 입찰을 시행하는 것은 기존의 계약자를 긴장하도록 하고 그들이 제공하는 용역과 제품이 최고라는 느낌을 받을 수 있으므로 비즈니스 측면에서 훌륭한 관행이라고 생각한다.

이를 구현하는 가장 좋은 방법은 제안 요청서(RFP)을 보내는 것이다. 부록 D 에는 "리스크/보안 관리 및 컨설팅"이라는 회사의 샘플 RFP가 포함되어 있다. 좋은 RFP 패키지가 있는 경우 낙찰자를 선택하여 계약서 패키지 내 계약서의 일부로 간주되는 성명서가 첨부된 법적 계약서를 포함하면 된다. 그러면 전체 제출자료 패키지가 계약의 입찰 요구사항이 된다.

물론 단독 수의 계약이 적절한 경우가 있으며 사용 조건을 평가할 때까지는 해당 계약을 고려하지 않아야 한다. 예를 들어, 기존 계약을 어떤 방식으로든 수정하려고 할 수는 있지만 현재로서는 입찰을 할 준비가 되지 않았기 때문에 수의 계약을 정당화할 수 있다. 여기서 핵심은 특정 계약이 입찰에 참여한 지 얼마나 되었는가?이며, 5년이 넘으면 재입찰 과정을 통해야 할 것이다.

현장 보안 평가 수행

4
PART 2

물리적 보안측면 평가

물리적 보안 영역에서는 프로그램의 여러 측면을 자세히 검토해야 한다. 효과적인 물리적 보안프로그램은 인력, 기술 및 절차의 적절한 균형에 의존한다. 이러한 균형이 이루어지지 않으면 프로그램은 효과적이지 못할 뿐만 아니라 효율적이지 못할 것이다.

물리적 보안

‣ 차량 출입 통제 및 주차
‣ 표지판의 적절한 사용
‣ 보안 처리 작업(예 : 방문객 및 계약자 통제)
‣ 조명, 장벽, 문 및 건물 범위
‣ 기계식 잠금 시스템

- 보안 담당자 순찰
- 보안 담당자 검토
- 범죄예방환경설계(CPTED)

보안요원배치

- 물리적 보호 시스템 (PPS) 모니터링 및 관리
- 고정된 고시도의 경비초소
- 긴급상황 대처능력
- 교육

통합 보안 계획

※완벽한 프로그램을 갖기 위해 각 요인은 완전히 통합되어야 한다.

※모든 신축 공사는 반드시 보안 설계가 되어 있어야 한다.

그림 4.1 통합 보안 계획

보안 프로그램을 평가할 때 "보안 삼각 관계"(그림 4.2 참조)라고 하는 물리적 보안 프로그램의 세 가지 주요 목표는 다음과 같다.

- 탐지 : 조기 발견 및 위협 평가
- 지연 : 장벽 및 기타 수단을 사용하여 위협을 지연시킴
- 반응 : 잘 교육된 조직의 위협에 대한 신속한 대응

참 고

목표를 달성하는데 걸리는 시간보다 탐지, 지연 및 대응에 소요되는 총 시간은 짧아야한다. 이는 일반적으로 "심층적 보호" 또는 "동심원 보호" 개념을 구현하여 수행된다. 이러한 개념은 고가치 자산을 보호하기 위해 추가적인 경보시스템이나 탐지시스템의 기능을 강화하는 등 지연요인을 증가시켜 방호능력을 높이는 것이다.

그림 4.2 탐지, 지연 및 반응 삼각관계

여러 환경에 존재할 수 있는 보안 보호의 유형을 모두 설명하기는 어려울지 모르지만 부록 E에서는 "미국의 저위험 시설에 대한 기본적인 물리적 보안요구사항"을 수록하였다. 이 문서는 시설의 현재 보안프로그램을 검토할 때 도움을 줄 것이다. 또한 평가를 수행하는 사람은 검토 중인 시설이 올바르게 물리적 보안을 구현하였는지 여부를 적절히 판단할 수 있는 광범위한 지식과 경험을 가진 사람이어야 하며 보호하고자 하는 목적물에 대한 리스크를 최소화하기 위해 노력해야 한다.

전문지식이 부족한 경우는 전문가 또는 전문조직의 도움을 받아야 한다. 다시 말하면, 당신이 사내보안전문가이고 사내에 있는 다른 사람의 지원을 받을 계획이라면 최상의 보안운영평가를 할 수 없을 것이다. 평가의 부족한 부분을 지원하기 위해 외부전문가(컨설턴트)를 고용하는 것을 검토해야 한다. 만약 적은 예산으로 자체적으로 방법을 찾아야 한다면 방문 가능한 근처 다른 회사의 보안프로그램을 검토하는 것도 한 가지 방법이다. 이렇게 하면 비교할 정보를 얻고 자신의 프로그램에 대한 합리적인 판단을 내릴 수 있다. 이를 수행하는 가장 좋은 방법은 먼저 자신의 보안프로그램의 모든 측면에 대한 심층적인 검토를 하고 이를 완전히 문서화하는 것이다. 그러면 다른 회사를 방문할 때 이 문서를 활용할 수 있다. 비슷한 회사 또는 같은 업계의 사람들을 방문하는 것만으로 제한해서는 안 된다. 특정 산업에서 적용된 아이디어나 개념을 다른 산업에서 매우 효과적으로 활용될 수 있게 재구성할 수 있기 때문이다. 새로운 아이디어는 항상 좋은 것이다!

- 미가공 열쇠로 제어 가능한 특정 열쇠 또는 잠금 시스템을 사용하고 있는가?
- 서브 마스터 시스템을 적절하게 사용하고 있는가? 만약 계약직 열쇠관리자가 작업한다면 신원이 검증된 사람인가?
- 모든 미가공 열쇠가 잘 관리되고 있는지는 주기적으로 감사하는가?
- 해고된 직원의 열쇠를 복구할 수 있는 프로그램은 있는가?
- 그 프로세스를 실제로 운영하는가?

외곽 보안 평가 – 차량 접근 통제

물리적 보안프로그램의 평가를 시작하려면 시설의 외부 경계 또는 시설물에서 시작하여 내부로 검토한다. 이것은 시설의 제지 및 탐지 등의 방호력을 평가하는 것이다. 보다 귀중한 자산을 안전하게 보호하려면 방호와 침입을 탐지하는 기능이 더 효과적이어야 한다. 평가하는 시설의 유형과 적절한 보안수준에 따라 차량 출입 관리가 가능한지 먼저 심사숙고해야 한다. 일부 시설에서는 일상적 업무 시 보안수준이 필요하지 않을 수 있지만, 폭력 위협이나 테러 경보 상태가 증가하는 상황의 직장이라면 보안이 강화될 수도 있다. 따라서 컨설턴트로서 해당상황에 맞게 보안강화 조치를 쉽게 구현할 수 있도록 특정 변경사항을 권장해야한다. 자연적인 장벽이나 펜스 및 게이트를 추가하는 등의 변경사항은 위와 같은 우발적인 상황을 대비할 수 있다. 다시 말해서 보안수단의 강화를 권장하려면 리스크 평가결과가 뒷받침되어야 하지만, 보류 중인 문제에 대해서도 보안을 강화할 수 있도록 보안기능에 투자하는 것이 바람직하다.

그림 4.3 주차보안은 보안과 보안책임 문제를 함께 동반함

주차 공간 보안

주차장과 주차시설을 평가할 때 무슨 용도인지, 사용자가 누구인지 먼저 이해해야 한다. 직원 전용인 경우 더 높은 수준의 보안을 구현하는 것이 더욱 쉽다. 건물에 사용된 것과 동일한 출입증을 사용하여 직원 주차 영역에 대한 출입을 제어할 수 있다(그림 4.3 참조). 시설에 방문객, 클라이언트 또는 주차시설을 이용하는 고객이 많다면 대중의 접근이 용이하도록 보안 수준을 낮추어야 한다. 가능한 직원용 주차장을 고객용 주차장과 분리하는 것이 좋다. 높은 보안을 허용하는 것 외에도 서로 다른 용도에 따라 해결해야할 다른 리스크가 있다. 고객용 및 직원용 주차 영역에서는 차량 침입, 차량절도, 도난 및 차량사고와 같은 많은 범죄가 발생한다.

그러나 대부분의 직장폭력 사건은 직원 주차장에서 주로 발생한다. 스토킹, 추행, 소란행위, 폭행과 같은 범죄는 대부분 사이가 틀어진 사람이 회사직원과 만나고자하는 내부사정에 의해 발생된다. 주차장과 차고에는 최소한의 보안수준으로 다음 사항이 갖추어져야 한다.

‣ 적절한 조명
‣ CCTV 카메라의 적절한 감시 범위
‣ 일정한 간격으로 설치된 비상 통화 장치

그림 4.4 표지판은 직원과 방문객에게 표준 보안 정책 및 절차를 알리는 데 도움이 된다.

주차구역으로의 접근 방법을 가능한 벽이나 펜스로 최소화시켜 접근 포인트를 제한하여야 한다. 보행자와 차량의 모든 입구 지점은 CCTV 카메라의 감시 범위 안에 들어야 한다. 또한 정기적으로 해당 지역의 보안순찰을 하는 것이 좋다.

표지판의 적절한 사용

클라이언트가 여러 구역에 적절한 표지판을 사용하고 있다면 이는 보안에 매우 유용할 것이다. 예를 들어, 외곽에는 "사유 재산－침입 금지"와 "무기 휴대 금지" 등의 사유지의 경계를 나타내는 표지가 있어야 한다. 또한 차량 및 보행자 입구에 "이 건물은 CCTV 카메라 촬영 범위 안에 있습니다."라고 안내하는 표지판을 설치할 수 있다. 또한 이러한 표시는 모두 주차장과 차고입구에 게시하는 것이 좋다(그림 4.4 참조). 또한 검색 정책이 있는 경우 "차량 및 모든 화물 또는 컨테이너는 이 구역 안에서 검색 대상이 됩니다."라는 경고를 게시해야 한다. 이러한 게시물들은 클라이언트의 변호사뿐만 아니라 해당 지역의 법률가와 협의하여 간판과 표지판에 적합한 문구를 결정해야 한다.

보안 운영 - 방문객 및 계약자 통제 절차

높은 수준의 보안이 필요한 경우 보안절차(예 : 건물 외곽에서 방문객 및 계약자

통제)를 수행한다. 보안수준이 높은 시설이 아니라면, 통제는 건물 경계에서 이루어질 것이다. 두 경우 모두 문서화된 절차와 직무체계 그리고 운영 상태를 검토하여 적절성을 평가해야 한다. 이 분야의 핵심 사항은 다음과 같다.

- 운전 면허증과 같은 유효한 사진과 정부가 발행한 신분증을 확인하고 있는가?
- 그들은 신분증 번호를 기록하고 있는가?

> **참 고**
>
> 일부 고급 보안시설에서는 스캐너를 사용하여 ID를 사진화하여 모든 정보를 시스템에 파일로 저장한다. 원하는 경우 방문객 ID 또는 계약업자의 출입증에 ID사진을 인쇄할 수도 있다.

- 계약자의 비즈니스 ID를 확인하고 있는가? 가장 좋은 통제 방법은 해당 계약회사가 고객사에 방문할 직원들의 이름을 서면으로 보내도록 하는 것이다. 이 목록은 방문 직원이 해당 구역에 도착하기 전에 있어야 한다. 또한 방문업체 사람들 중 한 명의 명단이 있고 나머지 방문객이 명단에 없는 경우 최소 계약업체에서 그들의 신원과 권한을 확인해 줄 수 있는 최소 2명의 사람과 전화로 확인해야 한다.
- 출입관리 대장을 사용하는 경우 읽을 수 있도록 또박또박 서명하도록 하는가? 같은 장에 많은 방문객이 서명하지 않고 한명만 서명하도록 사용하고 있는가?

> **참 고**
>
> 방문한 한 사람이 출입관리 대장에서 전에 방문한 사람을 볼 수 있게 하는 것은 여러 가지 문제가 일으킬 수 있다. 예를 들어 회사는 자사 공급업체 중 하나를 다른 회사로 변경하는 것을 고려할 수 있다. 재직자를 포함하여 여러 회사가 공식 입찰 프로세스를 시작할 준비가 되기 전에 누가 입찰 대상인지 알면 문제가 발생할 수 있다.

트럭 운송의 경우, 현장에서 인도해야 할 물품 목록이나 선착장에 들어가기 전에 배송확인을 위해 연락할 수 있는 담당자와 연락처가 있는가?

> **참 고**
>
> 하역장 영역의 레이아웃과 사용 가능한 공간에 따라 하역장 영역에 들어가기 전에 물품을 확인하는 것이 좋다. 시설이 트럭 폭탄에 대한 리스크가 낮다고 여겨지더라도, 이것은 여전히 신중해야 할 절차이다. 하역장 영역이 많은 물품과 제한된 공간을 가지고 있다면, 이 과정을 수행하지 못할 수도 있지만 가능하다면 그 구역에 도달하기 전에 사전차단을 시도할 방법을 모색 할 것이다.

조명의 적절한 사용

외부 보안조치를 평가하는 것은 주간과 야간 환경에서 모두 수행되어야 하기 때문에 적절한 조명이 올바르게 설치 및 유지되었는지 확인해야 한다. 주변과 건물 사이, 게이트, 도로, 주차장, 건물 주변, 건물 입구 등에서 경계선을 쉽게 확인할 수 있어야 한다. 해당 구역들은 풋캔들(foot-candles : 1풋캔들 = 10.76lux)로 측정되는 다양한 수준의 밝기가 요구된다. 무엇을 해야 할지 모르겠다면 미 육군(2001) "물리적 보안" FM 3-19.30(발췌본)을 참조하라. 또는 ASIS International의 서점에서 얻을 수 있다.

조명은 가장 저렴하게 구현할 수 있는 보안방법이다. 매우 낮은 비용으로 높은 수준의 제지력을 제공하며 보안 위협상황을 평가할 수 있게 하는데 중요하다. 좋은 조명은 시설 보안프로그램의 매우 중요한 요인이다(그림 4.5 참조).

그림 4.5 물류창고에 후진으로 진입하는 트럭

조명이 맞지 않는 곳에서 몇 가지의 일반적인 상황이 발생할 수 있다. 그 중 하나는 건축가가 설계한 곳으로, 시설의 보안과 안전을 향상시키는 것이 아니라 건축물을 아름답게 보이게 하는 방법이 적용된 곳이다. 이것은 조명이 잘못 설치되었다라는 것을 의미하지는 않는다. 다만 미적 부분이 보안과 안전의 개선에 도움이 되어야 할 때가 있다. 만약 전기비용을 줄이기 위해 조명수준이 줄어든 상황이 발생했다면 이는 보안 및 안전을 감소시키는 매우 좋지 않은 전형적인 방법이다. 또 하나는 조명이 제대로 유지되지 않아서 여러 개의 조명이 꺼져 어두운 구역이 생기는 것이다. 시설의 나무와 관목이 빛의 최대 효율을 계속 방해하는 방식으로 유지되면 유지·보수 문제가 발생할 수도 있다. 종종 작은 어린 나무로 심어진 나무가 성장해서 빛을 차단하여 음영지역을 만들게 된다. 나무의 위치를 옮겨 문제를 해결할 수 없는 경우 나무를 제거 하거나 조명을 추가하는 등 두 가지 방법이 있다. 꽃나무나 덤불 등은 일부 지역의 빛을 차단할 뿐만 아니라 범죄자가 잠재적으로 숨을 수 있는 공간을 제공할 수 있다. 적절한 권고를 통해 이러한 문제점을 해결해야한다.

조명과 관련하여 해결해야 할 또 하나의 영역은 CCTV 카메라의 배치이다. 옥외형 카메라로 주야간 모두 정상적으로 확인할 수 있어야 효과적이다. 카메라가 부적절한 위치에 있거나 야간에 조명으로부터 빛이 유입되거나 카메라에 좋은 영상을 찍을 수 없을 만큼 빛이 부족한 경우가 있다. 빛의 유입 문제를 해결하려면 문제가 되는 카메라를 재배치해야 한다. 낮은 밝기수준을 보완하려면 조명을 늘리거나 저조도 카메라로 변경해야 한다.

장벽, 게이트 및 건물 경계

장벽, 게이트 및 건물 경계와 관련된 외부 영역의 나머지 부분도 평가해야 한다. 여기에 존재할 수 있는 변수는 너무 많아서 일일이 나열할 수는 없다. 요점은 유용하던 유용하지 않던 이러한 보안자산은 의미가 있다. 펜스를 인위적으로 제작한 장벽으로 사용하는 경우 적절한 설치 기준을 모두 충족하는지 확인해야 한다. 대부분의 상황에서 펜스는 높이가 7피트(약 2.15m)가 되어야하며 외부를 향해 90도 각도로 3가닥으로 꼬아 만든 가시철조망을 사용하여 높이를 증가시켜야 한다. 게이트는 적절한 조명으로 설치하고 유지·관리되는지 등을 검토해야 한다. 자연장벽은 매우 효과적일 수 있으며, 대부분의 경우 펜스와 같은 인위적인 장벽보다 우수하다. 몇몇 환경에서는 바위를 이용하여 게이트 입구를 우회할 수 없도록 하는 것이 콘크리트벽보다 훨씬 유용하다. 따라서 그것의 필요성을 평가하고, 그 자리에 있는 것이 목적에 부합하는지를 검토할 필요가 있다.

다음으로 건물 외곽 주변을 검토하여 그것이 효과적으로 구성되고 유지되어 높은 수준의 방어력을 갖추고 있는지 확인해야 한다. 경험에 의하면 모든 게이트는 주변 펜스에 비해 보안이 취약하다. 긴줄을 세우지 않고 건물 안으로 들어갈 수 있도록 하는 것은 물론이고 화재 진압 등 특별한 상황요건을 충족해야 한다. 당신이 검토할 필요가 있는 공통된 사항은 필요한 보안수준을 충족 하였는가 못하였는가의 여부이다.

문제는 단순히 편의를 위해 시설 내로 진입할 수 있는 많은 게이트가 사용되는 것이다. 게이트의 수는 가능한 최소화해야 하며, 리스크 평가에 의해 지시된 대로 가능한 많이 모니터링하고 통제해야 한다. 운용하지 않는 입구는 보안 비용을 줄이고 건물 외곽보안의 효율성을 높일 것이다. 운용하는 게이트의 숫자를 최소화하면 "비상 전용 출구"도 함께 설치해야 한다. 이것은 출구 패닉 바(exit crash bar)와 함께 게이트에 경보기를 설치하여 게이트 외부에서의 진입을 방지해야 한다. 물론 이러한 평가를 할 때에는 출입예상 인원수, 주차장이나 차고의 위치 등의 요인을 고려해야 한다.

출입 권한에 따라 직원 출입을 위한 카드리더기와 같은 다양한 보안 조치를 사용할 수 있으므로 가능한 경우 출입구에서 방문객과 계약업체, 내부 직원의 동선을 분리해야 한다.

기계 잠금 시스템 – 잠금장치 및 열쇠

다음으로 평가할 부문은 잠금장치 및 열쇠(기계 잠금 시스템)의 사용이다. 전자 접근통제시스템을 잘 구성하면 건물 외곽과 내부의 높은 보안영역에서 열쇠 소지가 필요한 사람들의 수를 크게 줄일 수 있다. 그럼에도 불구하고 현존하는 시설에는 2개 이하의 그랜드 마스터키가 존재해야하나, 되도록 존재하지 않는 것이 좋다. 열쇠를 소지해야하는 사람들은 보조 마스터키를 소유하는 것이 좋다. 그랜드 마스터키는 전체 시설에 하나의 잠금 시스템으로 구현했을 경우 해당 시설의 모든 잠금장치를 열 수 있는 열쇠이다. 단일 잠금 시스템과 그랜드 마스터키를 운영하지 않고 있다면, 잠금 시스템과 마스터키를 운영하도록 권고해야 한다. 여러 개의 잠금 및 열쇠 시스템은 모든 다른 열쇠를 추적하는 복잡성으로 인해 시설의 보안을 크게 저하시킨다. 시설은 항상 일반 열쇠가게에서 복제할 수없는 특수 열쇠가 있는 특정 열쇠 시스템을 사용해야 한다. 미가공 열쇠와 잠금장치는 제조업체에서 직접 주문해야 한다.

다음으로 시설은 교체될 수 없는 여러 다른 시스템의 서브 마스터가 되어야한다. 즉, 시스템 A의 서브 마스터키는 시스템 B 또는 C를 열지 못해야 한다. 서브 마스터의 수는 시설의 크기에 따라 다르다. 저자는 시설의 경계를 하나의 서브 마스터 시스템으로 보는 것을 선호한다. 서브 마스터키의 수는 빌딩 입구에서 출입 통제 시스템을 사용하는 경우 두 개를 만드는 것이 좋다. 하나는 시설 엔지니어링 매니저를 위한 것이고 또 다른 하나는 사내 최고보안책임자(CSO) 또는 보안책임자를 위한 것이다.

현장에 외주 보안시스템만 있는 경우, 보조 열쇠(second key)는 다른 고위급 내부 관리자에게 주어야 한다. 시설에 외곽 시스템의 레벨 통제권한이 있다면 서브 마스터들의 전자출입관리 열쇠를 초기화할 것을 권고한다. 다른 사람들이 출입증 대신 자신의 열쇠를 사용하여 보안수준이 높은 영역에 문을 열 수 있는 상황이 있어서는 안 된다. 이런 행위는 시스템 기록의 기반을 위태롭게 한다. 출입관리 시스템이 설치되어 있다면 경보가 울리는 상황을 유발시킬 수 있다.

출입관리가 적용된 문에 열쇠 초기화 기능이 있는 이유는 주로 문에 오작동이 있는 경우를 대비하기 위함이다. 과거의 시스템은 많은 실패를 겪었으며, 열쇠 초기화 기능은 여러 번 사용되었다. 그러나 오늘날의 출입 관리시스템은 시스템 문제가 매우 적어 안정적이다. 때때로 개별적인 도어 문제가 있지만 이것도 드문 경우이다. 어떤 사람들은 전원 장애의 가능성 때문에 열쇠 초기화 기능이 필요하다고 느낀다. 그러나 요즘에 설치된 평판 좋은 시스템은 일반적으로 시스템에 최소 2시간의 전력을 제공하는 자체 내장 배터리 기능을 갖추고 있다.

회사의 여러 임원이 마스터키를 갖고 싶어 하는 많은 상황을 마주하겠지만, 이는 가능한 피해야 할 상황이다. 이 모든 열쇠 중 하나가 분실한다면 잠금장치를 모두 변경해야하며 이는 값 비싼 프로젝트가 될 것이다. 그랜드 마스터키가 손실되면 전체 시설을 완전히 다시 재구축해야 한다. 검토 과정에서 임원 중 일부가 여러 서브 마스터 또는 그랜드 마스터키를 가지고 있는 경우 이러한 열쇠의 발행이 통제 불능임을 권고사항에 포함시켜야 한다. 임원을 구체적으로 언급하지 말고, 서브 마스터 공간 또는 전체 시설을 재입력하는데 비용 추정치를 산정해야 한다. 이러한 열쇠 중 하나가 손실되면 불필요한 열쇠가 존재하게 되어 리스크 비용이 커질 수 있다.

서브 마스터 시스템

서브 마스터 시스템을 계속 사용하려면 기능 또는 부서 계통에 따라 내부 영역을 분할해야 한다. 일부 큰 부서의 경우는 둘 이상의 서브 마스터로 나누기를 원할 수 있다. 여러 서브 마스터의 가치는 해당영역의 마스터키 중 하나가 손실되면 그 영역에만 국한해서 재입력하면 된다. 여러 서브 마스터가 있는 시설에서 마스터키가 소실되거나 손상이 있을 때는 두 영역을 교체할 수 있으며, 이 경우 유일한 비용은 작업의 인건비이다.

그림 4-6은 올바르게 구조화된 열쇠 시스템을 보여준다.

열쇠 시스템의 관리는 이러한 작업 노력의 중요한 부분이다. 열쇠관리자는 누가 어떤 열쇠를 가지고 있는지, 누군가가 시설을 나갈 때 열쇠가 반환되었는지, 열쇠의 공백, 각 열쇠에 대한 파기, 잠금 장치가 설치되어있는 곳, 어느 지역 서브 마스터로 구성되었는지 알고 있어야 한다. 열쇠관리자는 최소 1년마다 모든 마스터 및 서브 마스터키를 감사하여 손상된 항목이 없는지 확인해야 한다. 열쇠 시스템 제조업체 대부분은 이 모든 데이터를 기록할 수 있는 소프트웨어 프로그램을 보유하고 있으며 감사를 수행하기 위한 정보를 생성할 수 있다.

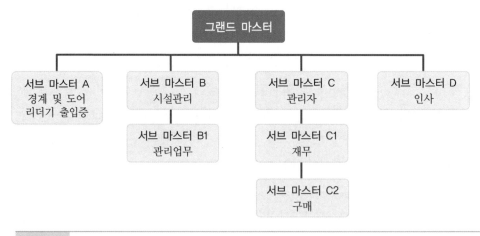

그림 4.6 적절히 구조화 된 열쇠 시스템

또한 누군가는 적어도 1년에 한번 열쇠관리자의 작업을 감사해야 한다. 일반적으로 저자는 보안조직이 감사를 수행하는 것을 선호한다. 퇴사자나 열쇠관리자가 열쇠 제작 중 미가공 열쇠를 파괴하는 행위는 해결되어야 하는 이슈이다. 모든 미가공 열쇠는 확인등록이 되어야 하며 열쇠관리자에 대한 감사를 통해 폐기되어 버린 미가공 열쇠를 확인해야 한다. 이 프로세스를 따르지 않으면 열쇠 시스템의 무결점에 대한 확신을 할 수 없다. 감사의 나머지 부분은 열쇠관리자의 감사기록 및 결과를 확인하는데 초점을 맞추어야한다. 이 독립적인 감사가 있을 때에만 당신과 클라이언트가 잠금장치와 열쇠 시스템이 합리적으로 보장됨을 느낄 수 있을 것이다.

마스터와 서브 마스터키를 관리하는 사람이 있다. 이들은 실제로 열쇠들이 필요하지 않더라도 분실하게 된다면 당황하여 보고하지 않을 수도 있다. 이들은 일반적으로 회사의 임원들이다. 이는 감사를 통해 알 수 있다. 이러한 상황이 발생하면 사내 최고보안책임자(CSO) 또는 보안담당임원이 문제의 원인이 되는 임원과 일대일로 문제를 해결해야 한다.

중요한 점은 미가공 열쇠, 잠금장치 및 열쇠 절단장비가 모두 들어있는 열쇠관리자의 가게도 높은 수준의 보안영역으로 간주되어야 한다는 것이다. 내부에 도어 센서와 동작감지기 센서를 설치하고 출입하는 인원을 모니터링할 수 있는 카메라가 문에 설치되어야 한다. 열쇠관리자와 사내 최고보안책임자(CSO) 또는 보안담당자만이 열쇠관리 공간의 열쇠를 가져야 한다. 즉, 별도의 마스터키를 사용해야 한다. 열쇠관리 공간의 방은 "slab-to-slab" 벽채로 만들어져야 한다. 즉, 방의 천장 타일을 들어 올려 방으로 들어갈 수는 없도록 해야 한다. 이 문은 소수의 사람들만이 출입함으로 비싼 비용의 출입카드리더기는 권장하지는 않는다. 방에 들어갈 때마다 열쇠관리자와 무선통신을 하거나 보안관제센터(SCC)에 전화로 보고하는 절차가 있어야 한다.

열쇠 관리

마지막으로 열쇠 다발의 배포권한을 검토해야 한다. 일반적으로 매 근무 시마다 보안담당자, 관리직원 및 시설 유지담당자에게 할당된 열쇠 다발이 있다. 이 서비스는 대개 보안관제센터에서 제공되며 사용자는 할당된 열쇠다발에 대해 실제로 기록대장에 직접 서명하도록 처리된다. 이것은 수행 가능한 프로세스이지만 많은 수의 서명을 읽기 힘들기 때문에 감사를 수행하기 어려울 수 있다. 열쇠 다발을 반출한 것으로 서명되었지만, 실제로는 반입은 서명되지 않은 경우도 발견할 수 있다. 또한 누락된 열쇠 다발이 발생할 수 있으며 상황을 바로 잡기 위한 조치가 취해지지 않았음을 알 수도 있다. 동일한 열쇠 다발을 사용하는 24/7 보안 초소가 있을 때, 열쇠 다발은 일반적으로 반출입 수불서명을 하지 않고 다음 담당자에게 인계된다. 열쇠 다발이 인수인계가 잘되었다고 관제센터에 무전교신을 하는 것은 그동안 허용되었던 관행이다. 하지만 이것은 일별 로그에 기록되어야 하며, 교대 감독자는 교대의 전반기 어느 시점에서 각 담당자가 적절한 열쇠 다발을 가지고 있는지 확인해야 한다. 이것은 또한 관제센터요원이 일일 로그에 기록해야 한다. 열쇠 다발에 고장난 열쇠가 있을 수 있고 실제로 그것이 언제 생겼는지 아무도 알지 못하는 수많은 상황을 발견할 수도 있다. 담당자가 잊어버리거나 열쇠 다발을 집으로 가져갈 때도 있다. 저자는 언제나 열쇠 다발이 있는지, 없는지 여부에 상관없이 또는 하루 정도 없어질 수 있는지 여부에 관계없이 열쇠 다발이 없어진 것을 발견하자마자 즉시 반환되어야 한다고 강조해왔다.

열쇠 다발을 관리하는 기본 방법은 출입증—제어 열쇠함을 사용하는 것이다. 이 시스템은 열쇠 다발을 얻는 각 사용자가 열쇠함을 열고 열쇠 다발을 제거하기 위해 보안관제센터(SCC) 운영자에게 출입증을 제공해야하기 때문에 훨씬 높은 책임성을 제공한다. 특정 출입증 또는 사람들이 특정 열쇠 다발에만 접근할 수 있도록 프로그래밍할 수 있으므로 인증되지 않은 사람에게 잘못된 열쇠 다발을 제공 하는 실수를 일부 제한한다. 시스템은 모든 활동을 추적할 수 있고 보고는 인쇄되어 누가 언제 어떤 열쇠 다발을 가졌는지를 알 수 있다. 또한 이러한 자동화된 함을 이용하여 비상시에 필요한 서브 마스터 또는 마스터키를 저장할 수 있다. 상위 레벨 열쇠에 대한 접근 권한은 제한된 수의 사전 승인된 사용자로 제한될 수도 있다. 여기서 명백하게 말할 수 있지만 궁극적으로 열쇠 다발은 가치 있는 자산이 보관된 영역에 접근하도록 허용하기 때문에 열쇠 다발의 관리는 중요한 프로세스이다. 이 프로세스와 관련된 리스크를 최소화하기 위해서는 열쇠 다발이 서명 후에 누구에게 인계되었는지를 알 수 있는 프로세스가 있어야 한다. 열쇠 다발의 중요성을 강조하기 위해 클라이언트에게 열쇠 다발 수불과 관련된 계약회사가 있어야 된다고 권고해야 한다. 직원들이 열쇠 다발을 잃어버리면 회사가 비용을 부담하기 때문이다. 필요에 따라 시설의 열쇠 시스템을 재구축해야 하는 경우도 있다. 이 비용은 수만 달러가 될 수 있기 때문에 일반적으로 이 프로세스를 훨씬 더 면밀하게 관리할 수 있어야 한다.

보안요원 순찰

이제 보안요원 순찰을 검토해야한다. 순찰의 효과를 평가하기 위해서는 먼저 목표를 이해해야 한다. 이러한 순찰의 역사는 원래 수십년 전의 "화재 감시(fire watch)"로부터 시작되었다. 그 당시 연기 및 열 센서가 있거나 심지어 스프링클러 시스템이 있는 건물은 거의 없었다. 요즘의 화재감시는 순찰목표의 작은 부분일 뿐이다. 그동안 검토한 시설들의 보안요원들은 이것이 자신의 업무 중 일부라는 것을 알지 못했다. 인간 센서만큼이나 좋은 센서가 없기 때문에 저자는 여전히 순찰을 신뢰한다. 이 목적을 달성하기 위해 순찰자는 화재나 기타 문제뿐만 아니라 시설의 모든 복도를 통해 가장 취약한 시설을 순찰해야 한다.

순찰의 다음 목표는 잠겨야 할 모든 구역의 '잠김' 상태를 확인하는 것이다. 이것은 낮에 대중에게 공개되는 근무시간 이후에 외곽의 문을 잠그는 것을 포함한다. 폐장 이후 시설에 아무도 남아 있지 않도록 순찰해야 한다. 이런 목적을 달성하기 위한 적절한 업무를 수행하려면 담당자는 일반인들이 접근할 수 있는 모든 영역에 아무도 없다는 것을 확인해야 한다. 여기에는 모든 화장실 공간이 포함된다.

또 다른 목적은 많은 시설에서 범죄 또는 비행을 저지르고자 하는 사람들을 제지하는 것이다. 이런 업무를 효과적으로 수행하기 위해 담당자는 무작위로 순찰을 해야 한다. 무작위 순찰이란 시설을 7일간 관찰할 경우 특정 시점이나 특정 위치에 언제 순찰자가 있을지 예측할 수 없다는 것을 의미한다. 대부분의 경우에 일부 시설에서는 무작위 순찰을 한다고 생각하지만 일반적으로 임의성에 대한 반복되는 패턴이 있다. 항상 동일한 체크 포인트로 갈 필요가 있기 때문에 패턴을 완전히 없애기가 어려울 수 있다. 일반적으로 이 작업을 수행하기 위해 두 가지 변경사항을 권장한다. 먼저 매일 다른 시간에 다른 순회 경로를 생성할 수 있는 자동 순찰시스템 중 하나를 사용해야 한다. 경비 계약업체를 이용하는 경우, 일반적으로 그 계약업체에서 시스템을 공급할 수 있으며 클라이언트는 거의 또는 전혀 비용을 들이지 않을 수 있다. 그들에게 독점적인 기술이 있다면, 시스템은 구매 비용이 많이 들지 않을 것이다.

다음으로 그들은 저자가 신속 순찰이라고 부르는 것을 구현해야 한다. 이것은 매 교대 시 하나 또는 두 개의 짧은 순찰을 추가하는 것이다. 목적은 경비원이 외부에 노출되도록 하거나 다른 장소와 시간에 시설을 관찰할 수 있도록 하는 것이다. 이것은 특정시기에 경비원이 언제 어디에 있을 수 있는지에 관해 관찰자(잠재적 범죄자)가 혼란을 일으키도록 하는데 매우 효과적일 수 있다. 순찰의 일부가 되어야 할 추가 작업 중 하나는 시설 근처에 주차된 차량을 발견할 때마다 보안관제센터(SCC)에 이를 알리는 것이다. 도심 지역에 위치일지라도 가능할 때마다 이 작업을 수행해야 한다. 당연히 주차지역에 합법적으로 주차된 차량을 보고하게 하는 것은 순찰자에게는 과도한 업무를 부과하는 것이지만, 아무도 없는 새벽 3시에 주차한 차량이라면 다르다. 이런 정보는 매우 가치 있으며 해당 장소가 누군가에 의해 모니터링 중이라는 것을 인지시켜 사건·사고를 미연에 예방할 것이다.

모든 순찰은 항상 그것의 '안전'이라는 측면에 관심을 기울여야 한다. 경비원은 막힌 비상 탈출구, 쓰레기가 넘치는 구역, 비상 대피공간이 축소된 복도 및 작동하지 않는 조명 등의 표준 항목 이외에 해당 시설에 대해 우려되는 안전교육을 받아야 한다. 일반적으로 보안 활동 시에 이러한 유형의 문제를 기록 할뿐만 아니라 보고서로 제출하는 것이 중요하다는 점을 권장한다. 이것은 시설을 거주자에게 보다 안전한 환경으로 만들고 사소한 유지·보수 이슈로 인한 소송으로부터 회사를 보호하는 등의 추가적인 가치를 입증할 수 있다.

보안요원 검토

보안요원에 관한 검토는 물론 여러 측면에서 집중해야 하는 영역이다. 먼저 그들이 근무복을 입는 방법부터 시작해야 한다. 근무복이 회사의 환경 및 문화와 일치하는가? 그들은 근무복을 제대로 입을 수 있는가? 또는 일관성이 있는가?, 아니면 보안요원이 개인 취향에 따라 근무복을 바꿀 수 있는가? 보안요원은 항상 전문적이고 긍정적인 이미지를 보여주고 있는가? 저자는 개인적으로 이것이 다른 사람들이 생각하는 것보다 더 중요하다고 믿는다. 사람들은 근무복을 입으면 더 전문적으로 행동하는 경향이 있다. 그것은 학교에서 교복을 사용한 것과 같은 원리이다. 시설 특성상 보안요원이 일반인, 고객, 클라이언트 및 직원과 상호 작용할 것으로 예상하는 경우, 보안요원이 근무복을 입으면 업무 수행을 훨씬 더 잘할 수 있다. 저자는 또한 군인 스타일의 근무복이 몇몇 보안요원의 공격적인 행동을 불러일으킨다고 생각한다. 따라서 특정 시설에 필요한 수단이 아니라면 군인 스타일의 근무복 사용을 권장하지는 않는다.

평가할 또 다른 요인은 보안요원 자신의 교육과 태도이다. 그들은 왜 그 일을 하는지 이해하는가? 보안관리자가 인력관리기술과 관련하여 거의 또는 전혀 교육을 받지 못한 경우가 많다. 보안관리자들은 보안요원들에게 그저 해야 할 일 수행하라고만 말한다. 사람들이 자신이 하고 있는 일의 목적을 이해하지 못한다면, 대부분은 잘 수행하지 못할 것이다. 그들이 이유에 동의해야 한다는 것이 아니라, 단지 이유가 무엇인지를 이해할 필요가 있다고 말하는 것이다. 보안요원에게 왜 그들이 이 업무를 수행해야하는지 물었을 때, "그것은 클라이언트가 원하는 것입니다."라고 말하는 것은 올바른 대답이 아니다. 그것은 부모가 아이에게 "내가 그렇게 말했기 때문"이라고 말할 때와 같다. 또 다른 교육측면에서 보안요원들은 대감시 교육을 받는 것이 필요하다. 그들은 보안요원이 지나온 동일 구역에 계속해서 앉아있는 동일인물 또는 동일차량이 연속으로 이틀 동안 주차되어 있거나, 누군가(잠재적 범죄자)가 보안요원에게 접근하여 얼마나 많은 보안요원이 임무를 수행하고 있는지 또는 불확실한 질문을 하는 경우에 주의를 기울여야 한다. 보안요원은 작은 세부사항에 주의를 기울이고, 어떻게 대처하고, 어느 상황을 주시해야하는지 교육할 필요가 있다.

범죄예방환경설계

보안담당이 검토해야 할 물리적 보안의 중요한 부문은 범죄예방환경설계 (CPTED) 프로그램이다. 이 개념은 누군가가 범죄를 저지르고자 하는 시설 주변의 환경설계를 통해서 범죄를 줄이는 것이다. 또한 거주자 및 방문객이 안전하고 보호받고 있다고 느낄 수 있도록 하는 것이다. 범죄예방환경설계(CPTED)의 개념은 일반적으로 최소 비용으로 구현할 수 있다. 다음은 범죄예방환경설계(CPTED) 컨셉을 구현하기 위해 설계나 검토 시 확인해야 할 몇 가지 기본 전략이다.

외곽

- 외곽으로 통하는 접근로는 모니터링이 되는 2개 이하의 입구로 제공해야 한다.
- 외곽에 숨을 수 있는 공간을 만들지 말아야 한다.
- 가시관목, 가시나무 덤블 등 접근을 제한할 수 있는 조경 식물을 사용해야 한다.
- 차량 출입구 옆에 보행자 출입구를 배치해야 한다.
- 담장, 출입구 및 경비원으로 출입을 통제해야 한다.
- 조경식물, 포장재료 및 울타리를 사용하여 공식적인 입구를 만들고 공공장소를 통제된 공간과 구분해야 한다.

공간

- 보안순찰을 위해 건물의 앞과 뒤에 외부접근권한을 제한해야 한다.
- 교대 근무를 하는 근로자에게 가까운 주차공간을 제공해야 한다.
- 지붕, 쓰레기 수집장, 적재물 하차장, 기둥, 사다리, 공공시설 출입구와 같은 장소에 안전하게 접근할 수 있도록 한다.
- 건물이나 가드하우스에서 볼 수 있도록 진입로 및 주차 구역을 설계해야 한다.
- 통로나 저장고에 사각지대를 만들어 은신처 및 매복할 수 있는 공간을 만들어서는 안 된다.
- 조경 식물은 조명이나 보안 카메라를 차단하지 않도록 배치하고 특히 통로를 따라 숨을 수 있는 장소를 제공하지 않도록 배치해야 한다.
- 눈에 잘 띄는 안내판을 설치하고 건물에 대한 정보는 제공하면 안 된다.

건물 및 주차 차고

- 출입구는 공공장소, 건물 거주자 및 보안 순찰조가 쉽게 볼 수 있도록 조명으로 비추어져야 한다.

- 출입구 가까이에 엘리베이터를 배치하고 엘리베이터 내부를 출입구에서 볼 수 있도록 한다.
- 가능한 계단을 오픈하여 아무도 숨을 수 없도록 설계해야 한다.
- 화장실 출입구는 외딴 복도를 통과하지 않고 다른 사람들에게 보이도록 배치해야 된다.

현재 조경, 조명 및 자연 장벽이 시설조직과 함께 현장에 잘 배치되어 있는지 등 이러한 모든 부분들이 지속적인 효과를 제공하기 위해 적절하게 유지·관리되고 있는지 확인하기 위한 절차를 수행하고 있는가(그림 4.7 참조)? 조명의 효과 또는 카메라의 가시성을 떨어뜨리지 않도록 정기적으로 나무와 관목들을 관리하는가? 회사와 계약업체 두 기관이 이 문제에 대해 협의하고 동의 한 것만으로는 충분하지 않으며, 인력 변경이나 예산 제약이 있는 경우 이 "신사협정(gentleman's agreement)"을 잊지 않도록 문서화해야 한다. 대부분의 시설은 계약업체가 이러한 서비스를 제공하므로 계약서에 이 사항을 포함시켜야 하며, 관목 및 나무의 높이 및 폭의 세부사항을 확인하는 시점까지 상세하게 규정해야 한다. 이 또한 시큐리티 마스터 플랜에 포함되어야 한다.

그림 4.7 야자수와 볼라드는 진입로까지 직접 차량이 진입하는 것을 억제할 수 있다.

보안요원 충원

인력 충원분야에서는 해결해야 할 여러 가지 이슈가 있다. 이미 고용 이슈에 관해 협의했을지라도 적절한 기술과 교육이 혼합되어 있는지 확인해야 한다. 모든 보안요원들이 적절한 교육을 받았는지, 정기적으로 교육이 업데이트 되는지에 대한 확인을 해야 한다. 이 책의 앞부분에서 언급했듯이 대부분의 보안프로그램은 구현에 관여하는 회사의 직원들에게 의존한다. 일반적으로 이것은 다양한 보안교육 및 인식 프로그램이 주도한다. 그러나 보안조직은 일반적으로 이러한 교육 프로그램을 개발하고 수행하는 기술을 가진 사람을 고용하는 대신 보안요원에 의존하여 이러한 섹션을 개발하고 실시한다. 물론 외부 전문가 그룹의 교육 및 인식 프로그램을 통하여 직원 자격 요건들을 보완할 수 있지만, 이러한 "틀에 박힌" 프로그램들은 맞춤형 프로그램만큼 효과적이지 않다. 그러므로 보안조직이 전문적인 방식으로 다양한 임무를 수행할 수 있는 적절한 기술들이 내·외부적으로 존재하는지 평가해야 한다.

물리적 보호 시스템 모니터링 및 관리

보안관제센터 운영자의 교육과 경험은 보안시스템 모니터링과 비상대응능력 모두에서 중요한 부분이다. 보안업계는 사람과 재산을 보호하는 능력을 향상시키기 위해 점점 더 많은 전자시스템을 활용하는 것으로 변화해 왔다. 그러나 이러한 시스템은 효과적으로 교육된 사람들에 의해 운영되어야 하며 그렇지 않으면 시스템의 가치는 상당히 퇴색되게 된다. TV 모니터링이 가능한 방에 앉아 카메라 시스템을 보면서 무슨 일이 발생했는지 확인하던 시절은 이미 지나갔다. 통합시스템에는 시스템에 의해 보고되는 이벤트들에 지능형 정보를 추가할 수 있는 교육된 운영자가 필요하다. 저자는 이 운영자들을 교육시키기 위한 최상의 솔루션이 인증된 코스를 참여하도록 하는 것이라고 믿고 있으며, 교육자 교육 프로그램(Security Industry Association, 635 Slaters Lane, Suite 110, Alexandria, VA22314 : www.siaonline .org)인 보안산업협회(SIA's)의 센트럴스테이션 교육프로그램을 추천한다. 경험 있는 사람들(상급 운영자, 관리자, 교육 코디네이터, 또는 관제 센터 관리자들)은 센트럴 스테이션 운영자 코스와 피교육자 지침 문제집을 이용해 사내운영자 교육을 시작하고 수행하는 방법에 대해 SIA를 통해 교육받고 인증 받는다.

센트럴 스테이션 운영자 강사 코스는 SIA에서 제공하는 수업이다. 개인이 센트럴 스테이션 운영자 강사 코스를 마치면, 운영자 강사 ID번호와 추가 센트럴 스테이션 운영자 피교육자 지침에 대한 주문서가 포함된 인증서를 받는다. 그런 다음 강사 ID번호를 사용하여 강사는 사내교육에 필요한 양의 센트럴 스테이션 운영자 피교육자 지침 문제집을 주문할 수 있다. 센트럴 스테이션 운영자 코스의 끝에서 강사는 운영자 연수생에게 최종시험을 치르게 하고 완료된 테스트는 SIA로 보낸다. 그러면 SIA는 운영자 인증서를 발급하여 강사에게 보내 새롭게 인증받을 운영자에게 전달한다.

센트럴 스테이션 운영자 코스는 경보시스템 개요, 관제센터의 역할과 센트럴 스테이션 장비와 같은 모든 운영자가 알아야 할 핵심자료가 포함되어 있다. 또한 자동화시스템을 통한 경보신호 처리, 검증요청 및 자연재해와 기타 비상사태와 같은 활동에서 운영자들을 위한 기본적이고 표준화된 우수 사례를 다루고 있고, 핵심소재 외에도 일부 센트럴 스테이션 또는 특정 유형의 경보 클라이언트들에게만 적용될 수 있는 표시된 섹션이 많이 있다. 일반적으로 모든 센트럴 스테이션들에 적용되는 표시 섹션도 있지만 강사가 부가자료를 제공하는 센트럴 스테이션들의 내부정책과 절차에 따라 구체적으로 결정된다.

외진 곳에 위치해 있지만 눈에 잘 띄는 근무지

이러한 근무지 유형들은 보안요원이 직무를 얼마나 잘 수행하고 있는가에 따라 유익할 수도 있고 문제가 될 수도 있다. 이런 경비초소의 성과를 완전히 평가하려면, 근무지의 보안요원들이 알아채지 못하도록 일정기간 동안 근무지를 관찰해야 한다. 접수처나 하역장 모니터와 같은 특정 장소의 담당자로 배치되어 있을 때 발생할 수 있는 여러 가지 문제점들을 찾아야 한다. 우선 하루하루가 매우 지루할 수 있으며, 이는 보안요원들을 나태하게 만드는 경향이 있을 수 있다. 다음으로는 잠깐 들려서 보안요원과 대화하기를 원하는 다른 사람과 임직원들과 종종 문제가 발생한다. 이 두 상황에서 보안요원은 자신의 일을 매우 효과적으로 수행하지 못하고 또 인식문제와 같은 또 다른 문제가 생길 수 있다. 사람들, 특히 회사의 관리자들은 대화하는 사람들 주위에 보안요원이 서 있는 것을 보았을 때, 그 위치에 보안요원은 필요 없다고 생각할 수 있다. 중요한 것은 담당자들이 자신의 직무를 수행하는 방법뿐만 아니라 자신이 초래할 수 있는 상황들을 이해하고 그러한 문제를 피하는 방법을 교육 받고 있는지 확인하는 것이다. 보안요원들은 쫓아내려고 하는 사람들에게 기분 나쁘지 않고, 시끄럽지 않게, 우발적인 대화를 피하는 방법을 아는 것이 매우 중요하다.

비상 대응 능력

비상상황 대응 능력에도 동일한 상황이 존재한다. 보안팀이 정기적으로(적어도 분기에 한번) 비상 시나리오 테스트를 실시하지 않으면 필요할 때 효과적으로 대응할 준비가 되지 않는다. 물론 시나리오 테스트를 수행하기 위해서는 각 시설의 모든 잠재적 비상사태를 해결하는 상세한 비상 대응 계획이 있어야 한다. 대부분의 시설에서 다음의 시나리오를 적용한다.

시설 서비스 중단

- ‣ 중대한 화재
- ‣ 심각한 누수
- ‣ 화학물질 유출 또는 가스 누출

자연재해

- ‣ 허리케인
- ‣ 토네이도
- ‣ 눈 폭풍
- ‣ 홍수

민간 또는 적대적 공격 또는 폭력

- ‣ 파업
- ‣ 대규모 시위
- ‣ 위협 : 폭탄 또는 작업장 폭력 사태
- ‣ 테러 공격
- ‣ 인질극 상황

클라이언트는 고유한 상황에 적합한 몇몇 다른 시나리오가 필요할 수 있다. 적어도 1년에 한번 클라이언트는 지역 공공 대응 기관(경찰, 소방 및 의료)을 포함하는 시나리오 테스트에 참여해야 한다. 연례 대피 교육은 매우 중요하지만 비상 시나리오 테스트는 아니다(그림 4.8 참조).

그림 4.8 응급상황이 발생하기 전에 비상사태 계획을 테스트하고 지역 경찰, 소방서, 의료부서와 관계를 유지하는 것이 바람직하다.

교육

어떤 시설에서 전자시스템의 투자가 이루어지더라도 교육을 잘 받은 보안요원이 필요하다. 이러한 교육은 전반적인 요구사항의 측면에서 균형을 이루어야 한다. 저자는 검토한 몇몇 시설에서 보안요원에게 대감시 교육을 철저히 시키는 것을 발견했다. 비록 대부분의 지역이 테러공격의 직접적인 대상이 되지는 않지만, 보안요원이 정보를 사용하여 운영에 부정적인 영향을 끼치려고 하는 잠재적 범죄자가 시설을 관찰하는 경우에 인지할 수 있도록 훈련하는 것이 중요하다고 생각한다.

물론 이것은 테러리스트 활동뿐만 아니라 많은 다른 많은 상황에도 적용될 수 있다. 담당자들이 필요로 하는 균형 잡힌 교육을 받을 수 있도록 보장하기 위해서 저자는 ASIS 국제 "사설 보안요원 선발 및 교육지침"을 활용할 것을 권장한다.

다음 정보는 해당 지침에서 발췌한 것이다.

각 사설 보안요원이 해당 사안을 이해했음을 보여주고 사설 보안요원의 기본 임무를 수행할 자격이 있음을 입증 하는 필기 및 실기 시험을 통과해야 한다. 교육에는 다음 핵심교육주제가 포함된다.

1. 사설 보안요원의 요구사항과 역할
   a. 보안인식
      ① 사설 보안요원과 형사 사법 제도
      ② 정보 공유
      ③ 범죄 및 손실 방지
   b. 사설 보안의 법적 측면
      ① 증거 및 증거 처리
      ② 물리적 힘 및 사용
      ③ 법정 증언
      ④ 사고 현장 보존
      ⑤ 평등 고용 기회와 다양성
      ⑥ 주 및 지역 법률
   c. 보안 담당자의 행위
      ① 윤리학
      ② 정직
      ③ 전문 이미지

2. 관찰 및 사고 보고
    a. 관찰 기술
    b. 기록물 필기
    c. 보고서 작성
    d. 순찰 기술

3. 커뮤니케이션의 원리
    a. 대인관계 기술
    b. 구두 의사소통 기술
    c. 클라이언트 서비스 및 홍보

4. 출입관리 원리
    a. 입구 및 출구 통제 절차
    b. 전자 보안 시스템

5. 정보 보호 원칙
    a. 소유권 및 기밀

6. 응급 대응 절차
    a. 중대 사건대응(예: 자연재해, 사고, 인간이 유발한 사건)
    b. 피난 프로세스

7. 생활 안전 의식
    a. 작업장 및 주변 환경의 안전 위험
    b. 응급 장비 배치
    c. 화재 방지 기술
    d. 유해 물질
    e. 직업 안전 및 건강요구사항(예: OSHA관련 교육, 혈액 매개 병원체)

8. 작업 할당 및 게시 오더
   과제에 적용되는 요구 사항 및 사양에 따라 다음과 같은 추가 교육 주제를 고려해야 한다.

9. 고용주 오리엔테이션 및 정책
    a. 자산 남용
    b. 통신 모드(예: 전화, 호출기, 라디오, 컴퓨터)

10. 직장 폭력

11. 충돌 해결 인식

12. 교통 통제 및 주차장 보안

13. 군중 통제

14. 응급처치, 심폐소생술(CPR), 자동 외부 제세동기(AED) 절차

15. 위기 관리

16. 노동 관계(파업, 직장 폐쇄 등)

보안요원들은 초기 교육뿐만 아니라 지속적인 재교육 프로그램으로 이 교육을 받은 것이 매우 중요하다. 저자는 일반적으로 계약 회사에게 매월 보안요원을 위해 최소 1시간의 지속적인 교육을 제공하는 것을 권고한다.

5

현장 보안 평가 수행
PART 3

전자시스템 평가

　전자시스템에 대해 검토해야 할 사항은 다양하다. 일부 보안전문가들은 새로운 설치물이나 기존 시스템의 주요 업그레이드를 접할 때 당황해 한다. 그러나 시스템을 어떻게 사용할 것인지 기대하고 시스템을 사용하여 무엇을 성취할 것인지에 초점을 맞추면 작업이 그리 어렵지 않다는 것을 알게 될 것이다.

전자 시스템

‣ 중앙 집중식 모니터링 및 업무할당
‣ 폐쇄 회로 텔레비전(CCTV) 시스템 통합 및 녹화
‣ 출입통제시스템(ACS) 및 출입증
‣ 경보 센서 및 보고
‣ 통신 : 무전기, 인터콤, 전화기, 호출기
‣ 기술 현황 : 현재와 미래

저자는 수년 동안 이 시스템의 발전을 지켜보았으며, 시스템 제조업체가 보다 완벽하고 통합된 시스템을 제공하도록 개인적으로 참여해 왔다. 일반적으로 카메라와 녹화시스템, 전자출입통제시스템, 경보시스템 및 무선시스템으로 설치 구성된 장소들을 발견할 수 있을 것이다. 설치시스템 중 일부는 상호 통신하거나 운영자에 의해 독립적으로 관리된다. 오늘날은 이러한 모든 구성요인을 한 공급업체로부터 구입할 수 있으며 경우에 따라 무선시스템을 제외하고는 모두가 하나의 컴퓨터시스템으로 관리된다. 업계를 위한 진정한 실제 시스템 통합에 접근하고 있는 것이다. 저자는 물리적 보호시스템을 위해서 중요한 두 가지가 있다고 생각한다. 그것은 이벤트 기반과 통합시스템이다.

이벤트 기반

"이벤트 기반"은 사건이 발생하면 운영자의 개입 없이 모든 관련 시스템 활동을 유발하는 것을 의미한다. 예를 들어, 경보가 발생하면 가장 가까운 카메라를 활성화하여 해당영역에 초점을 맞추고 운영자가 실시간으로 이벤트를 기록하는 동안 카메라를 볼 수 있도록 관제센터의 별도 모니터에 그 영상을 띄운다. 또는 특정 시간에 특정 카드리더기의 활성화를 프로그래밍하여 관제센터에서 화면을 띄우면서 동시에 기록할 수 있으므로 운영자에게 사용 중인 카드의 화면파일을 보여주어 해당 구역에 누가 접근 하는지를 알 수 있다. 이러한 종류의 상호 운용성은 시스템과 운영자가 모니터링하는 시스템의 유효성에서 중요한 차이를 만든다. 이러한 유형의 통합이 없으면 운영자가 다양한 기능을 실행하는데 의존할 것이며, 그들이 실행한 시점에서 그 사건은 이미 과거의 일이 되어 적절하게 평가할 기회를 놓칠 것이다.

경보를 활성화 시키는 조건은 일련의 문 도어 접점 경보에서 카메라시스템의 동작 센서, 잘못된 시간대나 잘못된 카드리더기에 카드를 사용하는 것에 이르기까지 다양하다. 기본적으로 통합시스템의 한계는 대부분 우리의 독창성에 의해서 통제된다. 전기신호를 보낼 수 있는 모든 것을 사용하여 통합시스템의 일부 또는 전체를 활성화시킬 수 있다. 검토를 수행할 때 제기될 수 있는 이슈 중 하나는 전체 통합과 관련하여 시스템 설계 시 기획상의 문제점을 발견하는 것이다. 예를 들어, 보안관제센터 운영자들이 특정 출입문에서 지속적인 경보를 받았지만, 문제의 원인을 파악하고 결정하는데 도움이 되는 카메라가 해당구역에 없어서 보안담당자가 도착하여 경보에 반응할 무렵이면 경보를 일으킨 것이 무엇인지 알 수가 없다고 불만을 제기할 수 있다.

통합시스템

"통합시스템"이란 시스템이 단순히 서로 통신하고 있다는 오래된 접근방식을 떠나 실제로 모두 컴퓨터의 일부이며, 같이 작동하는 것을 의미한다. 통합시스템의 기능은 상호 통신하는 독립형 시스템의 기능보다 훨씬 뛰어나다. 이는 CCTV시스템이 특정 이벤트를 기록하는 것 외에 시스템을 확장해서 다양한 동작 및 기타요인을 평가하여 제공하고, 분석 또는 지능형 소프트웨어를 추가하여 시스템의 업그레이드를 고려하는 경우 더욱 중요하다.

디지털 녹화가 도입된 것은 CCTV시스템의 가장 큰 발전 중 하나라고 생각한다. 지능형 소프트웨어로 인해 수년간 경험이 있는 운영자의 실수 상당부분을 보완할 수 있다. 아무리 자신의 의무를 성실하게 수행하는 사람일지라도 그 운영자가 모든 영상을 모니터링할 수 없다는 것을 증명하는 연구가 있었다. 지능형 소프트웨어를 사용할 경우 이 문제는 사라질 것이다. 무슨 일이 벌어지는지 분석할 운영자를 필요로 하겠지만 소프트웨어는 문제를 직접 확인하고 바로 해결할 것이다. 만약 이 응용프로그램의 개념에 익숙하지 않은 사람이라면 시큐리티 마스터 플랜 개발 프로젝트를 시작하기 전에 해당지식을 습득할 것을 추천한다.

통합시스템의 또 다른 중요한 측면은 각 회사 IT부서의 모든 요구사항을 충족하는지 확인하는 것이다. 통합시스템 중 상당수는 IT 인프라에 연결되어 인터넷에 접속할 수 있는 독립실행형(stand-alone) 컴퓨터라는 것을 명심해야 한다. 또한 그 중 일부는 설치전문 회사가 컴퓨터에 원격으로 접속하여 진단을 실행하거나 소프트웨어 및 시스템 업데이트를 수행 할 수 있도록 설정할 수 있다. 이러한 외부 연결은 회사의 내부 IT 네트워크에 대한 무단접속이 이루어질 수 있다. IT부서는 이런 시스템을 충족시킬 다양한 프로토콜을 보유하고 있다. IT 보안의 모든 요구사항을 충족시키는 가장 좋은 방법은 IT부서의 직원을 컴퓨터 및 네트워크장치 설치를 검토하는 팀원으로 참여시키는 것이다. 그 검토 과정에서 보안 프로세스가 사용되었는지 확인해야 한다. 사용되지 않은 경우 즉시 모든 시스템이 보안 요구사항을 준수하는지 확인요청을 해야 한다. 또한 IT부서가 검토하고 승인해야 하는 보안장비 일부에 네트워크 성능 문제가 발생할 수도 있다.

이 검토를 수행하기 위해서는 먼저 보안관제센터에 설치된 장비와 컴퓨터 기능을 갖춘 필드장치에 초점을 맞추어야 한다. 카메라, 카드리더기 및 경보센서와 같은 장비 제조업체에 대해서는 해당 장비가 적절한 사양을 충족하는지 또한 제대로 설치되고 유지·관리되는지 확인해야 한다.

전국적 규모(multi-location)의 회사의 경우, 적절한 수준의 보안업무를 가장 효과적으로 제공하기 위해 회사의 통합시스템이 제대로 네트워크에 연결되었는지 평가해야 한다. 많은 회사가 여러 지역에 기반을 두고 있으며, 그 회사들은 자체적으로 독립형 출입관리 시스템을 가지고 있다. 이는 비즈니스 관리측면에서 볼 때 회사 전체의 네트워크화된 시스템을 보유하는 것보다 훨씬 덜 효과적이다. 다국적 회사의 경우 하나의 네트워크 시스템을 보유하는 것을 원치 않을 수 있지만 가능한 시스템의 수는 줄여야 한다.

시스템을 올바르게 설치하고 설정을 유지하여, 수집한 정보가 유용하도록 하기 위해서는 많은 사항을 검토해야 한다. 예를 들어, 디지털녹화 대신 테이프녹화 방식을 계속 사용하는 있는 경우, 이는 즉각적인 권고사항이 된다. 오늘날의 디지털녹화는 가격대비 테이프녹화 보다 훨씬 우수한 영상을 제공받을 수 있으며, 테이프를 보관할 필요도 없다. 디지털장치를 사용하는 경우, 녹화장치를 어떻게 설정하는지 살펴볼 필요가 있다. 산업 표준에서는 모든 카메라는 최소 30일간 녹화해야 한다. 높은 수준의 보안이 필요한 일부 사업장에서는 30일 이상 권장하기도 한다. 그 수준은 아마 90일분의 비디오 녹화일 것이다. 녹화장치 당 카메라가 몇 대인지, 초당 몇 프레임인지, 카메라를 통해 멀티플렉서를 사용하여 필요한 경우 해당 카메라를 조사할 수 있는지 등을 검토해야 한다. 시스템을 유지·보수할 수 있는 사람도 검토해야 한다(일부 회사는 돈을 절약하기 위해 자체 내부 시설 유지 보수 인력을 사용한다고 결정하는데, 이는 일반적으로 좋은 결정이 아니다). 시스템에 대해 정기적 예방점검(PM)을 받아야 한다. 특히 실외형 카메라는 정기적으로 청소하고 조정해야 한다. 마크네틱타입 카드리더 또한 마찬가지이다(마그네틱타입 카드리더인 경우 가능한 빨리 근접식 카드리더로 바꾸는 것이 좋다). 다음 장에서는 카메라에 대해 자세히 살펴볼 것이며 검토 작업의 일환으로 낮과 밤에 구애받지 않고 원하는 영상을 얻을 수 있도록 올바른 렌즈를 사용하고 있는지 알아본다.

폐쇄회로 텔레비전(CCTV)

폐쇄회로 텔레비전(CCTV) 시스템은 여러 기능을 가지고 있다. 무엇보다도 제지효과(deterrent value)로 인해 일부 환경에서 사용된다. 사람들은 카메라시스템이 모니터링하고 있다고 생각되면 문제가 생길 수 있는 일을 하지 않으려는 경향이 있다. 저자가 맞닥뜨렸던 문제 중 하나는 건축가는 미적인 이유 때문에 카메라가 눈에 잘 띄는 것을 좋아하지 않는다는 점이다. 이 때문에 카메라를 잘 보이지 않는 곳에 놓거나 어떤 경우에는 작은 구멍이 있는 벽 뒤에 배치하기도 한다(그림 5.1, 5.2, 5.3 참조). 이러한 상황에서는 카메라시스템의 제지효과가 없으며(그림 5.4 참조) 숨겨진 배치 때문에 목적물에 대한 최상의 시야확보가 어려운 경우가 많다.

그림 5.1 건물외벽에 검은색 작은 구멍이 있음을 알 수 있다.

그림 5.2 매우 큰 로비의 유리벽 뒤에 있는 카메라의 근접 촬영이다.

그림 5.3 그림 5.2에서와 같은 벽의 확대 사진이다. 카메라가 오른쪽 상단 유리 창 뒤에 있다.

그림 5.4 고정 카메라 설치의 예

시야에 있는 "목적물"을 보고 있더라도, 실제로 각 카메라의 목적물이 문서화되어 있는지 확인하는 것이 좋다. 저자는 카메라의 목적물과 관련된 문서를 거의 찾지 못했지만 매우 중요하다고 생각한다. 틀림없이 일부 목적물은 출입문과 같이 아주 분명하지만 대부분은 그렇지 않다. 수행했던 많은 곳에서 아무도 그 이유를 설명할 수 없는 위치에 고정된 카메라를 발견한 적이 있다. 그곳에 카메라가 있는 이유는 과거 어느 순간 그 자리에서 발생한 사건 때문에 누군가 카메라의 시야를 그 자리로 변경했기 때문이다. 카메라의 기존 위치가 더 중요한 장소였음에도 불구하고 그 장소는 보호되지 않았다.

각 카메라의 위치에 대한 설치 이유를 문서화하고 매년 그 이유를 검토함으로써 이와 같은 상황을 피할 수 있다. 이는 관리주체가 변경되어 새로운 관리자가 부임한 경우에 시스템 사용방법을 이해하기 위한 중요한 문서가 될 수 있다.

CCTV시스템의 다른 기능은 통제센터 운영자에게 경보상태 또는 특정 이벤트에 대한 즉각적인 원격평가를 제공하는 것이다. 이는 잠재적인 경보 및 기타상황이 발생할 수 있는 모든 것을 예측하여 통제센터에 필요한 영상을 제공하도록 시스템이 설계 및 설치되어 있는 경우에만 효과적으로 수행될 수 있다. 이를 염두에 두고 CCTV시스템을 설계할 때 주요 고려사항 중 하나는, 고정 카메라를 사용할지 또는 팬틸트줌(PTZ) 카메라를 사용할지 여부이다. 일반적으로 PTZ 카메라는 고정카메라보다 약 3배의 비용이 들고 또한 고정카메라보다 디지털 저장 공간을 더 많이 사용하기 때문에 데이터 저장에 문제가 있다. 대부분의 지역에서 고정 카메라를 사용하는 것이 좋지만, 상황을 평가할 능력이 필요하거나 여러 가지 잠재적인 경보 상황이 있을 수 있는 넓은 영역 일부에는 고정 카메라 3대의 성능을 커버할 수 있는 PTZ 카메라 1대를 설치하는 것이 더 효과적이다.

예를 들어, 안쪽 마당에 4개 이상의 문이 열려있다면 하나의 PTZ카메라를 정원의 중심에 배치해서 마당의 모든 문 인근에서 발생하고 있는 상황을 지켜볼 수 있다. 이는 4개의 고정 카메라를 사용하는 것보다 더 나은 데이터를 제공함과 동시에 비용면에서도 효과적이다. 물론 모든 문에 대한 영상데이터를 저장하지는 않음으로 만약 사용빈도가 높은 문이라면 4개의 고정카메라를 사용하는 것이 더 좋은 해결책이 될 수도 있다. 그러나 자주 사용하지 않는 문이라면 PTZ 카메라를 프로그래밍하여 마당을 자동적으로 순찰하다가 사용 중인 문에 즉시 초점을 맞출 수도 있다. 이는 대부분 카메라와 도어경보를 통합하여 사용한다. 원칙적으로, PTZ 카메라는 내부공간에 적용하기보다 외부공간에 사용하지만 항상 그런 것은 아니다.

다음의 영역과 상황은 CCTV시스템에 의해 커버되어야 한다.

1. 모든 외곽의 입구는 누가 출입하는지를 보기 위해 항상 CCTV로 모니터링되도록 설계한다.
2. 고가치 시설의 출입구 양쪽에는 카메라가 설치되어야 하며 출입하는 사람과 휴대품 또한 확인해야 한다(그림 5.5 참조).
3. 모든 안내원의 뒤쪽에는 데스크에 서있는 사람이 누군지 볼 수 있도록 카메라가 설치되어야 하며, 안내원을 보는 용도는 아니다.
4. 모든 로비구역은 완벽하게 카메라로 커버되어야 하며, 수량은 로비의 크기에 의해 결정된다(그림 5.6 참조).
5. 1층에 위치한 엘리베이터 로비 복도는 적어도 고위험 또는 고가치 지역으로 간주되는 다른 층과 같은 수준으로 카메라를 적용해야 한다.
6. 일반 홀 지역은 중/고위험 상황이 있는 일부 시설처럼 관리한다.
7. 모든 고가치 영역에는 해당영역 출입문에 카메라가 설치되어야 한다. IT서버 실, 인사팀 입구 또는 자금이 보관되어있는 곳과 같은 일부 영역에는 문 안쪽에도 카메라가 있어야 한다.

그림 5.5 PTZ 돔 카메라의 예

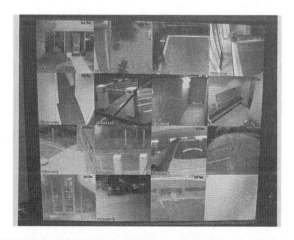

그림 5.6 시설 내부 및 외부의 여러 위치에서 감시 카메라의 영상을 보여주는 비디오 모니터

그림 5.7 차고내 고정 카메라의 예

8. 모든 하역장은 카메라의 완전한 감시 범위에 들어가야 한다.

9. 모든 주차장과 차고에는 차선 및 출입구를 볼 수 있는 카메라가 설치되어야 하고, 차고에 헬프스테이션 또는 전화가 있는 경우, 그 또한 커버되어야 한다. 입구 및 출구 카메라는 차량의 번호판 정보를 확인할 수 있어야 한다(그림 5.7 참조).

10. 빌딩외곽을 잘 커버할 수 있도록 외부카메라가 필요하며, 외부에는 많은 고정카메라가 필요한 넓은 지역을 감시하다가 비상시 문에 초점을 맞출 수 있는 PTZ 카메라가 최적이다.

11. 높은 수준의 보안시설의 경우 주변 울타리와 해당 건물 사이의 영역을 카메라로 촬영해야 한다.

12. 캠퍼스 시설의 경우, 모든 도로의 입구와 출구가 포함되어야 한다.

다시 말하면, 상기의 내용은 카메라 감시범위에 들어가야 한다고 생각하는 기본적인 범위이다. 특정 위치에 적합한 것은 시설의 사용, 배치 및 기타 여러 요인에 따라 달라질 수 있다. 다른 측면은 개인정보보호가 예상되는 분야에 카메라를 설치해서는 안 된다는 것이다. 보안조직과 시설 거주자들 간의 관계가 빅브라더(Big Brother-type)의 이미지를 갖지 않는 것이 중요하다. 이 영역에는 작업공간이나 엘리베이터가 포함된다. 예를 들어, 안내원 위치 뒤에는 카메라가 필요한 곳이지만 안내원의 작업공간은 카메라의 시야에 있지 않아야 한다. 일반적으로 안내원이 보안 모니터링 공간으로 직접 와서 어떤 영역이 모니터링 되고 있는지 정확히 파악할 수 있게 함으로써 작업공간에 대한 편안함을 가지도록 해야 한다. 조사의 일부 또는 일부 소규모 운영에 필요한 상황을 제외하고는 숨겨진 카메라를 사용해서는 안 된다. 저자는 카메라가 제지 측면에서 모든 가치를 얻는 것을 선호한다. 또한 수년 동안 숨겨진 카메라가 자주 사용되어 진다면 시설 내 대부분의 사람들은 이 사실을 매우 빨리 알게 될 것이다.

CCTV시스템의 또 다른 기능은 저장된 데이터를 조사 도구로 활용할 수 있게 하는 것이다. 테이프 저장장치에서 디지털 저장장치를 사용하면서 이 분야는 큰 발전을 이루었다. 훨씬 더 선명한 영상을 얻을 수 있으며 필요한 정확한 데이터에 접근하는 것을 저장장치의 검색 기능으로 훨씬 간단히 해결할 수 있다. 물론 시스템을 평가할 때 모든 설정이 적절하게 선택되었는지도 확인할 필요가 있다. 이런 검색 기능 중 중요한 부분은 범죄기소로 법 집행기관에서 사용할 수 있는 법의학적 워터마크를 만들 수 있다는 것이다. 새로운 시스템 중 많은 것이 이 기능을 제공하지만 모든 사용자가 활용하는 방법을 아는 것은 아니다. 따라서 카메라 시스템의 데이터를 캡처할 수 있는 책임이 있는 직원을 찾아 법원에서 사용할 수 있는 정보를 제공할 수 있도록 해야 한다.

카메라 설치에 중요한 부분은 인공조명과 자연조명이다. 조명이 충분한지 확인하고 조명이 카메라를 방해하지 않는지 확인해야 한다. 조명을 설치할 때 오후에 창문에 비치는 태양광을 고려하지 않고 설치하여 많은 눈부심을 유발하는 경우를 많이 보았다. 이와 같은 문제는 카메라를 재배치하거나 자동 조리개와 같은 적절한 렌즈를 사용하여 해결할 수 있다. 설치 시에 이런 문제가 있는지 확인하려면 장비를 검토할 뿐만 아니라 다른 근무 시간에 근무하는 직원과 이야기하는 것이 중요하다. 첫 번째 교대 근무자는 두 번째 교대 근무자에게서 발생하는 이런 상태를 알지 못하기 때문이다.

다음은 시스템 통합관리자가 처리해야 하는 카메라의 설치 요인 중 일부이다.

• 적절한 초점 거리의 렌즈를 사용해야 한다.
• 조리개 렌즈가 고정된 카메라는 적절한 f-stop으로 설정하여 전체 비디오 레벨을 제공해야 한다(f-stop 또는 focal stop은 카메라 렌즈의 조리개 설정을 측정하는 것으로 f-stop은 렌즈 및 CCD 센서를 통과하는 빛의 양과 초점의 양을 결정한다. 또한 피사체의 앞과 뒤에서 초점을 맞춘다).

- 선명한 영상을 얻기 위해 전체 시야각(field of view)을 고려해 렌즈의 초점을 맞춘다.
- 식별 요구사항에 따라 필요한 시야를 제공하기 위해서 카메라와 렌즈를 조준하고 조정해야 한다. 다시 말하면, 어떤 사람이 특정 문에 들어가는 것을 보길 원하는가? 아니면 그 사람이 누구인지 알아볼 수 있기를 원하는가?
- 떠오르는 태양이나 석양을 마주하는 옥외에 설치된 고정 카메라는 카메라가 태양을 직접 바라보는 것을 방지하기 위해 수평선 아래쪽을 향하도록 조준해야 한다.
- 오늘날 대부분의 카메라는 별도의 네트워크 또는 회사 네트워크에 연결하기 위해 Cat 5 또는 Cat 6 케이블을 사용하고 있다.

출입통제시스템

전자출입통제시스템의 사용은 시설보안과 안전을 위해 다양한 서비스를 제공할 수 있다. 이 시스템이 제대로 구현되면 보안을 위한 인력감축의 효과를 얻을 수 있다. 그러나 제대로 활용되고 관리되지 않으면 보안에 대한 잘못된 인식이 생길 수 있다. 이러한 시스템은 출입통제를 제공할 뿐만 아니라 경보 기능도 갖추고 있으며 제대로 설치하면 게이트를 오랫동안 열어 두었는지, 강제적인 힘으로 열렸는지, 해당 게이트나 시간대에 대한 권한이 없는 출입증을 가진 사람이 출입하려고 하는지 등을 알 수 있다.

출입통제시스템을 검토 할 때는 관리 컨드롤에서 시작해야 하며, 시스템에 대한 접근권한을 특정 사용자인 "관리자"로 두어야 한다. 모든 설정을 변경하고 이력에 대한 기록에 접근할 수 있기 때문이다. 일반적으로 이 권한은 보안관리 분야의 누군가에게만 제한되도록 권고한다. 보안관리센터 운영자는 시스템을 모니터링만 할 수 있으며 보안관리자 또는 책임자는 출입증을 만들고 새로운 사용자를 시스템에 추가하는 것 같은 더 높은 수준의 접근권한이 필요할 수 있다. 누구에게 어떤 수준의 권한이 적절한 지는 시설이 있는 곳의 구조에 따라 다를 것이다.

출입통제시스템(ACS)으로 통제되는 내부 제한구역이 있는 시설에서의 시스템을 관리하는 올바른 방법은 해당지역의 관리자가 그 지역에 누가 언제 출입할 수 있는지 권한을 부여할 수 있도록 하는 것이다. 저자는 그들을 "지역관리자"라고 부른다. 보안수준이 높은 지역에는 카드리더기 이외에 생체인식 리더기를 추가하는 것과 같이 높은 수준의 통제가 필요할 수도 있다. 그렇지 않으면 문 양쪽에 리더기를 배치하고 "역행방지(anti-pass-back)" 기능을 추가하여 사람들이 들어올 때뿐만 아니라 나갈 때도 카드를 사용해야 할 수도 있다. "역행방지(anti-pass-back)" 기능은 만약 당신이 퇴실기록을 남기지 않고 해당지역을 떠날 경우 시스템에서 해당지역에 다시 입실할 수 있는 권한을 부여하지 않는다. 이러한 서비스는 대부분의 IT 분야와 높은 수준의 보안지역에서 업계의 표준이 되고 있다.

이러한 시스템에서 자주 발견되는 한 가지 문제점은 퇴직자들의 출입권한을 철회하지 않는다는 것이다. 이것은 퇴직자의 카드가 보안부서로 수집되거나 반환되지 않는 문제와 결합 될 경우 나타난다. 이 두 가지 문제는 반드시 해결해야할 절차상 문제이다. 이것이 장기간에 걸친 문제가 되지 않도록 하는 효과적인 방법 중 하나는 주기적으로 지역관리자에게 해당지역에 대한 출입권한이 있는 모든 사람의 목록을 보내는 것이다. 이렇게 하면 목록에 퇴직자가 있다는 것을 보안담당자에게 알릴 수 있고 보안담당자는 그들의 출입권한을 철회해야 한다. 출입통제시스템(ACS)에 대한 검토는 항상 이 프로세스가 제대로 수행되고 있는지 확인하고 이러한 절차 상 문제가 지속되는지 확인해야 한다.

또한 설치된 출입통제시스템(ACS)의 철학을 이해하는 것도 중요하다. 예를 들어, 높은 보안수준의 지역을 제외한 대부분의 관리지역에서는 해당지역에 수시로 출입해야 하는 어떤 직원에게든 카드를 통해 출입권한을 부여해야 한다. 그러나 해당지역에 대한 접근을 그 지역에서 일하는 사람들에게만 제한 한다면, 이것은 모든 사람들에게 불필요한 업무를 유발하고 직원들에게 비우호적인 환경을 조성한다. 그들에게 출입 권한을 부여하고 그들의 출입기록을 시스템에 남기는 것이 더 좋은 방법이라고 생각한다. 일반적으로 대부분의 사람들은 방문자 기록에 서명하는 것을 꺼려하기 때문에 출입기록이 남아 있지 않을 것이다. 이것은 "통제"와 "접근 금지"의 차이이다. 이 시스템의 사용은 회사의 문화와 밀접한 관계를 유지하는 것이 중요하다. 그렇지 않으면 직원들은 시스템을 회피하고, 효과가 떨어지는 방법을 찾게 된다. 일부 기업의 경우 영업시간 이후에만 접근을 통제하는 일부 지역이 있을 수 있다. 따라서 해당 지역의 카드리더기를 정규시간 동안 "열림"또는 "풀림" 위치로 설정한 다음 근무 시간 후 "닫힘" 또는 "잠김"으로 되돌릴 수 있도록 시스템을 프로그래밍할 수 있다.

컨설턴트는 시설이나 회사를 위한 출입통제시스템 정책이 필요한지에 대하여 결정해야 한다. 아래 목록은 이 정책에 최소한 무엇이 포함되어야 하는지에 대한 개요를 제공한다.

출입통제시스템 정책

출입시스템 정책 – 목적

- 전자출입통제시스템은 일부직원 및 계약자에게 생소하므로, 시스템의 목적과 필요성에 대해 교육이 필요하다.
- 시스템은 사람과 자산의 안전을 위해 모든 사람이 준수해야 하는 일관된 전사적 출입절차를 제공한다.
- 그 효과를 발휘하려면 정책에 대한 부서 간의 합의와 지원이 있어야 한다.
- 모든 사용자 특히 지역관리자들은 '통제' 만큼이나 '차단'이 중요하다는 시스템의 의도를 이해해야 한다.
- 사용자들은 자신이 카드를 사용할 때 언제, 어디서 사용되는지 기록된다는 것을 알도록 해야 한다. 그로 인해 직원들이 타인에게 카드를 빌려주는 것을 막을 수 있다.

출입시스템 정책 – 용어

- **출입 등급** : 각 카드리더는 출입카드마다의 출입등급을 다르게 설정할 수 있다. 통상 5개의 보안등급이 있다.
  - ▸ **마스터 권한** : 시설의 모든 지역에 출입이 가능하다. 이 권한은 일부임원, 보안부서장, 엔지니어링 관리자, 지역 보안관리자 및 보안 교대관리자에게 주어진다.
  - ▸ **부 마스터 권한** : 높은 수준의 보안지역 또는 제한된 지역을 제외한 모든 지역에 출입이 가능하다. 이 목록에 있는 사람들은 시설 엔지니어링, 유지·보수 직원, 보안담당자 및 미화직원 등이다.

‣ **공용부 출입** : 건물 외부에서 건물 공용부의 출입이 가능하다. 카드를 소유한 모든 직원 및 계약업체에 해당된다. 카드리더를 통해 출입할 수 있으며, 일부 계약업체들은 시간대 및 요일에 출입이 제한될 수 있다.

‣ **기능별 출입** : 건물 내부의 기능별, 부서별 공간을 통제한다. 이 목록에 있는 사람들은 이 지역에서 일하거나 지역 관리자의 승인에 따라 정기적으로 출입할 필요가 있는 인원들을 대상으로 한다. 이 지역 중 일부는 특정 시간대 및 특정 요일에 일반인의 출입이 허용되기도 한다.

‣ **높은 수준의 보안 지역** : 주요 자산 또는 비즈니스 연속성에 대한 다양한 리스크로 인해 더 높은 보안을 요구하는 지역이다. 이 구역에서 일하는 사람들로만 제한된다.

• **지역 관리자** : 해당 구역의 보안을 담당하고 누가 혹은 어떤 게이트가 일반인의 출입이 허용되는지 등을 결정하는 사람이다.

출입시스템 정책 ─ 요구 사항

• 모든 직원, 계약자 및 방문자는 항상 출입증을 패용해야 한다. 출입증을 패용하지 않고 보안지역에 있는 사람은 누구나 출입증을 관찰하는 직원의 심문을 받아야 한다.

• 문이 자동으로 잠기거나 잠금 해제된 경우, 해당 지역에 대한 접근 권한과 같은 공간에 대한 부분별 또는 기능적 책임

• "높은 수준의 보안" 지역 : 이러한 지역은 재무, IT, 인사, 기밀기록 보관소 등과 같은 장소이다. 해당지역에서 근무하는 직원만 출입할 수 있으며, 그 외의 인원은 해당지역에 출입할 때 방문객 명부에 서명이 필수이다.

• 출입기록 감사 : 지역 관리자는 3~6개월마다 누가 해당지역에 대한 접근 권한이 있는지가 표시된 출력물을 제공받고 최신정보 또는 필요한 변경사항을 표시하여 해당 목록을 서명하거나 승인한다.

• 퇴사하는 직원과 계약자는 퇴사 전에 출입증을 반환해야 한다. 담당 관리자가 출입증을 수집하여 보안담당자에게 전달하도록 한다.

경보 센서 및 보고

완전한 물리적 보안시스템을 갖추려면 울타리, 조명, CCTV, 출입 통제, 잠금장치 그리고 모니터링 상황실 등과 함께 적절한 경보시스템이 있어야 한다. 완전한 보안시스템의 목적은 감지, 지연, 그리고 대응이다. 경보시스템은 침입자가 목표에 도달하기 전에 대응인력이 감지할 수 있도록 설계되어야 한다. 따라서 경보시스템을 적절히 선택하고 배치하는 것은 전체 시스템의 핵심적인 요인이다. 필요한 장소에 경보장치를 적절히 배치했는지 평가하는 것 외에도, 적합한 경보 센서와 시스템을 사용하였는지 결정하는 것이 중요하다.

올바른 유형의 경보 센서를 사용하는 것은 완전한 물리적 보안시스템이 최고의 성능을 발휘하도록 하는데 매우 중요하다. 다양한 사례에 사용할 수 있는 다양한 센서가 있다. 적절한 센서를 올바르게 선택하려면 여러 가지 요인을 고려해야 한다. 아래 목록은 고려해야 하는 모든 것을 포함하는 것은 아니지만, 몇 가지 요인의 예이다.

- 보안 대상물 또는 지역
- 외곽경계 또는 출입 지점
- 외부지형 조건
- 온도 변화
- 전기 또는 전자기장에 의한 간섭 가능성
- 대상의 은폐나 노출의 여부
- 전력 요구량
- 설치비용 및 용이성
- 침입자를 탐지 할 확률
- 유지·보수의 편의 및 비용
- 보안대상 지역의 크기

다음은 선택 가능한 센서 중 일부이다.

- **실내 센서**
  - ‣ 캐비닛 및 금고용 정전용량센서 또는 압전 결정체나 마이크를 사용하여 사운드 패턴을 감지하는 진동 센서와 같은 근접 센서
  - ‣ 정해진 지역 내의 움직임을 감지하는데 사용되는 단일정적 초단파감지기
  - ‣ 열에너지의 변화를 감지하는 적외선 센서
  - ‣ 마이크로 웨이브와 적외선 센서를 조합하여 오작동을 줄이고 감지성능을 개선하는 다중 센서
  - ‣ 창문이나 문의 개폐를 감지하는 자석감지기
  - ‣ 유리가 깨졌을 때(호일이 함께 깨짐)를 감지하기 위해 창문에 사용되는 금속 호일 유리파손센서 – 하나 이상의 창문에서 유리의 충격을 감지한다.
  - ‣ 벽, 문, 금고 등에 부착해 감지하는 와이어 센서
  - ‣ 바닥 등에서 무게의 위치 또는 변위를 감지하는 데 사용되는 압력매트

- **외부 센서**(침입지점을 정확하게 측정하기 위해 "구획화"하는 것이 중요)
  - ‣ 지역을 횡단하는 사람의 압력감지를 위해 매립된 광케이블
  - ‣ 현장을 통과하는 사람을 감지하기 위해 매립된 전자기장케이블
  - ‣ 음성 진동 감지 동축케이블 또는 움직임, 진동, 압력, 소리를 감지하는 광섬유케이블 등의 울타리감지 센서
  - ‣ CCTV시스템을 사용하여 움직임을 감지하는 비디오 모션 감지시스템(그림 5.8 참조)
  - ‣ CCTV시스템을 사용하여 지정된 행동 또는 선호하지 않는 행동을 감지하는 지능형 소프트웨어시스템
  - ‣ 투사 지역을 통과하는 침입자를 감지하는 능동형 적외선 센서
  - ‣ 마이크로 웨이브 투사 지역 내의 침입을 감지하는 마이크로 웨이브시스템
  - ‣ 지역 내 어떠한 침입도 감지할 수 있는 레이저펜스

그림 5.8 첨단 울타리 감지센서는 기존의 체인 링크 펜싱과 함께 사용되어 주변 보안을 강화할 수 있다.

전형적으로 많이 찾고 추천하는 다른 경보 방식은 여러 곳에 "긴급 경보 버튼"을 설치하는 것이다. 이 경보장치는 현금을 취급하는 장소에 설치하며 일반적으로 카운터나 책상 아래에 장착되는 작은 버튼이다(이 용례에서는 일반적으로 '보류 (hold-up)'경보라고 한다). 또한 접수처, 인사팀 안내데스크, 인사임원 책상, 해고통보 시 사용하는 회의실, 일부 임원 및 비서의 책상 등에 설치하게 되며, 기본적으로 어떤 유형의 폭력적인 행동이 일어날 수 있는 장소에 사용해야 한다.

경보시스템에 중대한 영향을 미칠 수 있는 한 가지 요인은 회선 모니터링의 사용이다. 회선장애가 있을 때마다 항상 모니터링 되고 있는 보안관제센터에 이상 신호가 전달된다. 이것은 화재경보시스템에는 법제화된 요구사항이나, 보안경보시스템에는 필수가 아닌 클라이언트의 요청에 따라 적용된다. 이러한 방식으로 경보시스템을 설치하는 업체가 다수이지만, 일부는 그렇지 않다. 그렇게 하려면 선단 끝에 저항을 설치해야 하고, 그에 따라 설치비용이 증가하게 된다.

경보시스템을 적절하게 검증하기 위해서는 "경보 평가 절차"를 먼저 확인해야 한다. 이 문서는 시스템을 모니터링하는 보안담당자에게 자세한 운영절차를 제공하고 각각의 경보에 대응하여 취할 조치를 설명하는 문서이다. 또한 현장에서 해당 보안담당자(실무자)가 각 경보에 대해 취해야 할 조치를 자세히 설명하는 내용도 필요하다. 그리고 마지막 점검은 언제였으며 그 결과는 어떠했는지를 보여주는 문서도 확인해야한다. 이러한 문서가 없다면 가능한 빨리 해당 문서를 작성하도록 권장해야 한다.

무전 시스템

보안 시스템을 갖춘 대부분의 현장은 통신용 무전시스템(radio system)을 갖추고 있다. 이런 통신기능은 응급상황에서 매우 중요하다. 이 시스템의 일반적인 문제점은 "통신불가지역(dead spots)"이 있다는 것이다. 이 지역은 무선 전파가 매우 약한 곳으로 현장에 있는 사람들이 무전을 받을 수 없거나 무전을 보낼 수 없다. 이러한 통신불가지역은 주차시설이나, 콘크리트와 강철로 구성된 기타 지역에 종종 발생하게 된다. 이런 문제는 대개 원격 안테나 또는 중계국 설치로 해결할 수 있으며 보통 이런 사각지대는 보안관제센터의 운영자나 보안순찰 담당자에게 묻는 것만으로도 확인할 수 있다. 그러나 무선통신을 할당 한 다음 문제가 되는 지역 중 일부를 테스트하여 현장 테스트를 수행해야 한다.

또한 무전사용에 대한 일반적인 절차상의 문제가 있다. 무전 통신은 매우 간결하고 짧아야 하므로 "텐코드(10 codes)"(경찰·CB 등의 무선 통신에서 10과 다른 숫자를 조합하여 쓰는 부호 체계임. 예를 들어 10-1(신호 약함), 10-9(반복하라) 등)를 사용한다. 이 방법은 말하고자 하는 것을 의미하는 코드가 있을 때 유용하다. 예를 들어 "10-4"는 "OK"를 의미한다. 하지만 텐코드의 문제점은 위급한 상황에서 사람들이 혼동을 겪고 잘못된 코드를 사용하여 의사소통이 악화될 수 있다는 것이다. 따라서 텐코드를 사용하지 않고, 대신에 절제된 통신을 하는 것을 선호한다.

또한, 한 명이 무전으로 이야기를 하고 있으면 다른 사람은 말할 수가 없다. 비상상황에서는 사람들이 흥분해서 말을 많이 하는 경향이 있으므로 이것은 큰 문제가 될 수 있다. 일상생활에서도 무전사용을 엄격하게 통제해야 비상사태에서 이를 관리할 수 있다. 또한 시설그룹과 같은 다른 부서가 보안부서와 동일한 무선 채널을 사용하면 무선 사용량이 크게 증가한다. 이것은 보안부서보다 훨씬 더 많은 소통이 필요한 업무의 성격 때문이다. 가장 좋은 해결책은 두 부서가 다른 채널을 사용하는 것이다. 많은 시설을 살펴보았을 때 이미 여러 채널을 사용할 수 있더라도 어떤 이유인지 모르지만 두 부서가 같은 채널을 사용하고 있었다. 별도의 채널을 사용할 수 없는 경우의 비상상황에는 매우 간결한 비상통신만을 할 수 있도록 채널의 모든 사용자에게 확실한 교육을 해야 한다.

기술 현황 – 현재와 미래

평가를 수행할 때 고객의 기술현황을 문서화해야 한다. 여기서 가장 중점을 두어야 할 것은 기술이 "최고 수준"인지 아니면 다음에 업그레이드해야 할 수준인지를 판단하는 것이다. 이는 사용 중인 카메라의 유형, 녹화시스템의 디지털/아날로그 여부, 근접식 리더기를 사용하는지 마그네틱카드리더기를 사용하는지와 같은 항목에서 분명하게 알 수 있다. 고객의 5년간의 계획을 문서화할 때 다음 단계로 이동할 수 있는 기술발전계획도 같이 준비해야 한다. 그들이 지금 시점에서는 최첨단 기술을 적용했다 할지라도 향후 5년 동안의 발전 계획(migration plan)이 없다면 5년 뒤에는 그에 해당하는 첨단기술이 아닐 것이다.

또한 시스템 통합 업체와 기본 보안시스템 및 장비 제조업체에 문의하여 해당 시스템의 단종시기를 확인해야한다. 이렇게 하면 시스템을 제시간에 교체해야 한다는 필요성에 대해 더 깊이 이해할 수 있다.

적절한 발전 계획은 비용을 절감할 수 있거나, 적어도 장기간의 비용 분산효과가 있다. 예를 들어, 현재 근접식 리더기를 활용하고 있다면, 앞으로 몇 년 내에 스마트 카드 기술로 전환해야 할 필요가 있다. 클라이언트가 해당전략에 동의하면 리더기를 새로 설치하거나 교체할 때 근접식과 스마트 카드를 동시에 처리할 수 있는 듀얼리더기를 사용하는 계획을 세울 수 있다. 또한 시간이 지남에 따라 현재 리더기를 특정 시점까지 듀얼리더기로 교체하고자 하는 목표를 세울 수도 있다. 듀얼리더기는 단일 근접식 리더기보다 약간 더 비싸지만 구식 리더기에 돈을 낭비하는 것을 피할 수 있도록 해준다. 동일한 프로세스를 카메라, 영상녹화, 무전 및 경보시스템에 적용할 수 있다. 이 계획의 가장 핵심적인 부분은 준비가 될 때까지는 기존의 기술이 계속 유효하므로 새로운 기술에 대한 실제 전환 시점이 될 때까지 유연성을 유지해야 하는 것이다.

현장 보안 평가 수행
PART 4

정보 보호 평가

최근 PWC(PriceWaterhouse Coopers)가 후원한 '독점 정보 손실 조사보고서 동향'에 따르면 미국 상공 회의소와 ASIS 국제 재단은 Fortune 1000대 기업과 중소기업 모두가 독점적 정보와 지적 재산권의 침해를 경험할 가능성이 있었고, 이에 따른 손실이 530억 달러에서 590억 달러에 이른다고 한다. 이러한 손실은 다음을 포함한다.

‣ 연구개발(49%)

‣ 고객목록 및 관련 데이터(36%)

‣ 재무 데이터(27%)

정보 보안 프로그램

정보 보안 보호프로그램의 경우 시스템과 네트워크의 외부침투보다는 허가된 내부자가 저지른 범죄가 더 많다. 산업스파이 행위의 경우, 내부자가 외부인에 의해 동기부여가 되었을 수도 있다. 보안 및 IT 책임자들은 직원들에 대한 신뢰의 분위기를 조성하는 것과 직원들이 회사의 보안자산을 훔치는 것을 방지하기 위해 억제 프로그램을 구현하는 것 사이에서 미묘한 운영을 해야 한다. 매우 민감하거나 중요한 정보의 경우는 정보 확인을 위해 두 명 이상의 사람들이 함께 처리하는 식으로 프로그램을 구성하는 것이 좋다. 즉, 직원 간에 담합이 필요하거나 시스템의 우회가 필요하도록 설계하면 대개 범죄의 증거는 남게 된다.

이 장에서는 정보 보호프로그램 중 상세프로그램의 개요를 살펴본다. 일부 보안컨설턴트 및 기타 사내 보안전문가는 물리적 보안만큼이나 정보보호에 정통하지 않다. 이 책이 첫머리에서 약속했듯이 자신의 능력을 보완하고 최고의 시큐리티 마스터 플랜을 개발할 수 있도록 도움을 줄 것이다.

정보 보호프로그램

- ▸ 컴퓨터 및 네트워크 시스템 보안
- ▸ 재난 복구 프로그램
- ▸ 인식 교육
- ▸ 조사 요구 사항
- ▸ 주요 직원에 대한 퇴사 인터뷰
- ▸ 정보 자산 보안

컴퓨터 및 네트워크 보안 책임 권한

일부 최고보안책임자(CSO) 및 보안담당자들은 정보보호 프로그램을 자신의 책임으로 여기지 않는다. 회사의 정보자산에 대한 보안은 회사의 성패와 연관되어 있다. 회사의 성패와 연관이 있는데 어떻게 회사의 보안책임자가 정보보안에 대해 책임지지 않을 수 있는가? 보안조직이 컴퓨터 또는 네트워크 보안과 관련한 권한이 없을 경우에도 보안의 모든 측면을 마스터 플랜에 포함시켜야 한다. 이에 대한 추론은 간단하다. 잠금장치 및 열쇠 관리기능의 책임을 시설이 가지고 있다면 해당 기능을 계획에서 제외할 수 없으며, IT부서에서 이 보안 측면에 대한 책임이 있는 경우에도 마스터 플랜에 포함되어야 한다. 이러한 프로그램의 유효성을 직접 테스트할 수 없을 수도 있지만 프로그램이 있는지 여부와 IT부서가 다른 기관 등에서 테스트를 받았는지 여부를 확인해야 한다. 그렇지 않은 경우에는 최소한 연 1회 실시하도록 권장해야 한다.

이러한 프로그램 보호조치가 적절하여 회사가 보호를 받을 수 있도록 하려면 이 부분을 검토사항에 포함해야 하며, 내부 또는 외부 자원을 통해 최소한 다음의 내용을 구현해야 한다.

- 시스템 보안프로그램의 설계 및 구현 : 시스템 침입 방지, 탐지 및 보호프로그램, 데이터 보안시스템 프로그램, 인터넷 및 인트라넷 네트워크 보안프로그램이 있다.

- 재난복구 프로그램의 개발 및 구현 : 현장외부에 백업데이터를 저장하거나 재해 발생 시 IT 기능을 신속하게 복구할 수 있는 회사나 현장과의 계약을 포함하는 프로그램. 이 계획에는 매년 복구기능 테스트가 포함되어야 하고, 계획의 범위는 회사가 일상 업무를 수행하는데 있어 IT 운영에 얼마나 의존하는지에 따라 다르겠지만, 오늘날 IT에 크게 의존하지 않는 회사는 거의 없을 것이다.

- 컴퓨터 보안 요구사항 및 하드 카피 정보보호(clean desk 정책)에 중점을 둔 모든 직원을 위한 정보 보안 교육 : 이 프로그램은 매우 민감한 정보나 기밀정보를 다루는 회사에서나 일반적이었지만, 지난 몇 년 동안 도입된 개인정보보호법 및 기타 요구사항으로 인해 많은 회사에서 필요로 하게 되었다. 직원들이 누구나 볼 수 있는 곳에 데이터를 방치하는 것은 나중에 법적다툼에서 회사의 평판에 손상을 주는 등의 문제를 야기할 수 있다. 클린 데스크 프로그램은 고객정보나 기밀정보를 처리하는 모든 직원이 해당 데이터를 보호하도록 민감하게 설계되었으며, 다음 요구사항이 필요하다.

  ‣ 어떤 정보를 보호해야 하는지 명확히 표시해야 한다.
  ‣ 누가 어떤 데이터에 접근 권한을 갖는지 표시해야 한다.

- 해당지역의 외부인이 데이터를 볼 수 있는지 주의해야 한다.
- 사용하지 않을 때는 언제나 정보를 안전하게 보관해야 한다.
- 휴식 시간과 근무시간 외에는 모든 정보를 잠금장치가 있는 캐비닛에 안전하게 보관해야 한다.
- 정보가 인쇄되는 곳을 주의하고, 프린터가 공용부에 있는 경우 직원은 즉시 인쇄물을 찾아야 한다.
- 인쇄물의 사용이 끝났을 때 파기하는 방법을 표시해야 한다.
- 이러한 유형의 정보를 다루는 직원들에 대해 관리자는 프로그램의 요구사항을 준수하는지 정기적인 점검이 필수이며, 자율적으로 수행해야 한다. 특히 고용된 보안요원을 활용할 경우 보안부서에만 의존해서는 안 된다.
- 프로그램을 준수하지 않고 반복적으로 적발된 직원은 해고 까지도 고려하는 징계가 있어야 한다. 징계가 없는 프로그램은 효과적인 프로그램이 아니다.

전 직원을 대상으로 인식교육 문제를 강조하기 위해 2007년 12월 6일 'Computerworld'에 실린 기사를 인용한다. "회사 전체를 아우르는 정보보안정책을 가지고 있는 것과 직원들이 정책을 따르게 하는 것은, 심지어 IT 분야의 경우에도, 완전히 다른 일이다. Ponemon Institute LLC가 890명이 넘는 IT 전문가들을 대상으로 실시한 설문조사에 따르면 놀랄 만큼 많은 기술전문가들이 고의로 보안정책을 무시하거나 이해하지 못한다." 대부분의 직원은 규칙을 이해하지 못하거나, 이해하더라도 규칙을 무시한다.

직원을 위한 보안 및 컴퓨터 사용 기준

다음은 컨설턴트로서 클라이언트가 구현한 것과 비교해 제시할 수 있는 컴퓨터 사용기준 프로그램의 개요이다. 만약 클라이언트에게 기준이 없다면 다음의 내용을 기초로 시작해보는 것도 좋을 것이다.

범위

모든 XYZ 직원이 준수해야 하는 기본적인 컴퓨터 보안조치에 대해 설명한다.

XYZ 자회사, 계약자, 공급업체 및 XYZ의 내부 컴퓨터 시스템을 사용하도록 XYZ 경영진이 승인한 기타 직원이 여기에 포함된다.

여기에는 두 가지 주요 섹션이 있다. 첫 번째는 개인 워크스테이션을 보호하고 유해한 코드로부터 XYZ 시스템을 보호하기 위해 직원이 취해야 할 가장 중요한 단계를 요약한다. 두 번째는 XYZ 기밀정보를 보호하기 위한 직원의 책임을 요약하고 직원들이 접할 수 있는 여러 상황에서 보안 및 적절한 사용 요구사항을 나열하였다.

소개

XYZ의 정보 및 컴퓨팅 자산은 회사의 성패에 중요한 영향을 미친다. 따라서 손실·변형·파괴되는 것으로부터 보호되어야 한다. 이 문서는 모든 XYZ 직원, XYZ 자회사, 계약자, 공급업체 및 XYZ의 내부 컴퓨터 시스템을 사용하기 위해 XYZ 관리자가 승인한 기타 직원이 따라야 하는 기본적인 컴퓨터 보안조치에 대해 설명한다.

> **참 고**
>
> 다음을 포함한 다중 사용자 시스템 및 응용 프로그램을 운영하는 개인은 해당 시스템 및 서비스에 필요한 추가 보안 제어 대책을 IT부서에 문의해야 한다.(XYZ 생산 서비스, 지역 및 부서 서비스, 키오스크, 강의실이나 방문자 센터 및 고객 브리핑 센터에서 일반적으로 사용되는 하는 워크스테이션 또는 해당 프로세스의 개발을 지원하는 워크스테이션)

그림 6.1 컴퓨터 보안 문제는 현대적인 비즈니스 환경에서 가장 중요하다.

보안 요구사항

개인 워크스테이션의 보안

모든 직원은 개인 XYZ 컴퓨팅 자원과 장치 및 포함된 정보의 도난 가능성을 줄일 수 있도록 해야 한다(그림 6.1 참조).

모든 개인 워크스테이션에서 다음의 보안수단이 활성화 되어야 한다.

- PC의 BIOS 설정에서 전원 암호와 하드디스크 암호를 활성화시킨다.
- 데스크탑 워크스테이션 BIOS 설정에서 전원 암호를 활성화시킨다.
- 일정시간 미사용시에는 암호로 보호된 키보드 및 화면 잠금이 자동으로 활성화되도록 설정한다. 비활성시간 간격은 30분을 넘지 않아야 한다.
- 메일 파일, 보관함 및 데이터베이스 복사본을 포함하여 XYZ의 기밀정보가 포함 된 로컬 데이터베이스(워크스테이션에 있는 데이터베이스)는 암호화해야 한다. 전원 및 하드디스크 드라이브 암호를 설정하고 로컬 데이터베이스를 암호화하려면 IT 부서에 문의하여야 한다.

> **참 고**
> 워크스테이션의 전원 켜기, 하드디스크 및 키보드, 화면 잠금 암호를 주기적으로 변경할 필요는 없다.

> **참 고**
> 출입이 제한된 지역 또는 사무실 내에 있는 데스크탑 워크스테이션은 전원 켜기나 키보드 및 화면 잠금 암호를 적용할 필요가 없다.

사무실이나 직장에서의 부재

사무실을 잠글 수 없는 경우

- 자리에서 떠날 때에는 암호로 보호된 키보드 및 화면 잠금 기능을 활성화시켜야 한다(워크스테이션을 30분의 미사용 시간동안 잠기지 않은 상태로 노출시켜서는 안 된다). PC는 물리적으로 고정된 경우(예 : 책상서랍 또는 파일캐비닛에 잠겨있거나 사무실을 잠근 경우 또는 본인이 들고 나가는 경우) 외에는 케이블 잠금장치를 사용하여 고정된 물체에 고정시켜야 한다.

출장 혹은 사무실 외의 곳에서 업무시

- 가능하다면 언제나 PC를 가지고 있어야 한다.
- 항공 여행 시에는 PC를 수하물에 넣지 말고 공항의 보안 검문소를 통과할 때는 도난 가능성에 주의하도록 한다.
- 비어있는 차량에 PC를 장시간 방치해서는 안 된다.
- 비어있는 차량에 PC를 두어야 하는 경우에는 PC를 트렁크 내부의 차량본체에 고정시키도록 한다. 차량에 PC를 가장 잘 보호하는 방법에 대한 정보는 위치보안부서에서 얻을 수 있다.
- 호텔에 PC를 두어야 하는 경우는 호텔의 안전한 위치에 PC를 보관한다.
- 금고를 사용할 수 없는 상황인 경우는 잠금 케이블 등 활용할 수 있는 기구를 사용한다.
- 만약 종이, 디스켓 또는 CD와 같은 휴대용 매체에 XYZ 기밀자료를 기록하여 여행하는 경우는 PC 보호를 위해 위에 나열한 것과 동일한 지침에 따라 이 매체를 보호해야 한다.

> **참 고**
>
> PC 또는 XYZ 기밀정보를 도난당하거나 분실한 경우, XYZ 위치보안부서 및 관리자에게 그 손실내용을 보고해야 한다.

휴대용 장치

XYZ의 기밀 또는 중요 업무 데이터에 접근하거나 저장할 수 있는 휴대용 장치(개인용 디지털 보조 장치, RIM BlackBerry, 데이터 접속이 가능한 휴대전화 등)는 물리적 및 논리적 접근 제어가 필요하다(그림 6.2 참조). 그에 따라 다음의 조치가 요구된다.

- 휴대용 장치는 가능한 지니고 있도록 한다.
- 휴대용 장치에서는 전원 암호와 시간초과 암호잠금 또는 해제기능을 활성화하도록 한다.
- 모뎀을 통한 원격 동기화로 장치와 워크스테이션 간에 XYZ 데이터를 이동하려면 XYZ가 인증한 원격 접속 게이트웨이를 통과해야 한다.

그림 6.2 PDA, 썸드라이브(USB), 휴대용 장비, 스마트폰 등은 유용한 기기이지만, 업무환경에서 정보보안에 대한 위협을 증대시키고 있다.

컴퓨터 바이러스 및 기타 악성 코드

- 워크스테이션에 XYZ에서 승인한 바이러스 백신프로그램을 설치하고 실행한다.

- e-비즈니스(C4eb)용 표준 클라이언트를 실행하는 경우는 Norton AntiVirus를 설치해야 하고 실행한다. 만약 워크스테이션에 바이러스 백신프로그램이 설치되어 있지 않으면 정보기술부서에 문의한다.

- Norton AntiVirus를 사용하는 경우는 매주 Norton AntiVirus Live Update를 실행하여 바이러스 백신파일을 최신상태로 유지해야 한다. 만약 바이러스를 발견하면 정보기술 부서에 문의한다.

보안 방화벽

- 워크스테이션에 XYZ에서 승인된 개인 방화벽프로그램을 설치하고 실행한다.
- 승인된 방화벽 프로그램 및 프로세스에 대한 추가 정보는 IT 부서에 문의한다.

파일 공유

다음과 같은 경우에만 다른 사용자에게 네트워크에 연결된 워크스테이션의 파일 접근 및 저장을 허용한다.

- 파일에 접근하는 소프트웨어는 XYZ가 제공한 것이어야 한다(이것은 보안 취약점과 법적 및 라이센스 제한이 적절히 점검 되었는지 확인하기 위한 것이다).

> **참 고**
>
> XYZ의 CIO 보안요원이 명시적으로 승인하지 않으면, XYZ 워크스테이션에서 Napster 같은 인터넷 기반의 1:1 파일 공유서비스의 사용은 금지된다.

- XYZ의 기밀로 분류되는 데이터 및 프로그램 또는 하드 디스크 공간은 인증되지 않은 접속을 허용해서는 안 된다.
- 다른 목적(예를 들어 운영체제의 구성요소를 원격으로 관리하거나 업데이트를 허용하는 경우 등)으로 사용되는 하드디스크나 XYZ의 기밀자료에 대한 접속을 허용해야 하는 경우, 공유옵션을 정의할 때 사용자 ID 또는 비밀번호 접속 제어 중 선택해야 한다. 또한 해당 접속이 필요한 제한된 사용자에 대해서만 접속 권한을 부여해야 한다(예를 들어 XYZ 인트라넷 비밀번호로 인증한 사람도 해당 없음).

파일을 안전하게 공유하는 시스템 구성법은 IT부서에 문의하도록 한다.

저작권 및 지적재산권

공개도메인(인터넷 포함)에서 사용할 수 있는 대부분의 정보 및 소프트웨어(프로그램, 오디오, 비디오, 데이터 파일 등)는 저작권 또는 기타 지적재산권의 보호를 받는다. XYZ 내부에서 사용하는 자료를 취득할 때는 다음 사항을 확인해야 한다.

- 자료의 소유자가 허가를 명시하지 않았다면, XYZ에서 사용을 위해 소프트웨어를 다운로드해서는 안 된다.
- 소프트웨어 저작권의 제한사항을 읽고 이해해야 한다. XYZ가 약관의 일부를 준수할 수 없다고 판단할 경우에는 자료를 다운로드하거나 사용하지 말아야 한다.

- 해당 소프트웨어 사용에 관련된 명시적 요구사항 및 제한사항을 준수하는지 확인하여야 한다(예를 들어, 상업적 목적으로 사용되지 않아야 하며, 사용 또는 배포를 위해 청구할 수 없으며, 각 사본에 저작권 또는 귀속고지가 첨부되어 있어야 하며, 소스코드를 배포해야 한다.).
- 제한적 언어의 의미에 대한 확신이 없거나 문의사항이 있는 경우에는 다운로드 하지 말고, 사용하기 전 검토를 위해 XYZ 법무팀(변호사)에게 가능한지 확인해야 한다.
- XYZ가 외부에 배포하려는 제품 또는 자료를 공개자료로 반영하기 전에 XYZ 법무팀 또는 변리사의 도움과 승인을 받아야 한다.

공개 도메인에 XYZ 정보 공개

XYZ의 소프트웨어를 인터넷에 업로드하기 전에 XYZ의 법률고문의 자문을 구해야 한다. XYZ의 저작권 문서에는 소유권을 명확하게 명시해야 한다.

XYZ 정보 보호

암호

XYZ의 정보에 접근하도록 허용하는 컴퓨터 접속 ID와 관련된 암호는 본인의 신분을 확인하는 중요한 수단이다. 본인의 자산보호와 XYZ의 자원보호를 위해 신분 확인 암호를 비밀로 유지하고 다른 사람과 공유하지 않아야 한다.

> **참 고**
> 워크스테이션에 대한 무단 접속을 방지하기 위해 사용하는 전원 및 하드디스크 암호는 신원확인용 암호가 아니다. 이러한 암호는 사용자의 신원과 연관되어 있지 않지만, 도어락 키 또는 안전한 조합과 같이 관리할 수 있다. 관리자에게 이러한 암호를 알리는 것은 보안 정책이 아니다.

> **참 고**
> 각국의 정보보호 및 개인정보 보호법에 대한 최근 변경사항에는 보안 신원 확인 암호를 선택하기 위한 특정 요구사항이 포함되어 있으며 이러한 암호규칙을 준수하는 것은 법적의무이다. 아래에 나열된 XYZ 암호규칙은 현재 국제 요구사항과 일치한다.

신원 확인 암호는 간단하지 않거나 예측할 수 없어야 하고, 다음의 지침을 따라야 한다.

- 길이는 8자 이상이어야 한다.
- 문자와 비문자(숫자, 구두점 또는 특수 문자) 또는 적어도 두 가지 유형의 비영문자로 조합이 혼합되어야 한다.
- 사용자 ID를 암호의 일부로 포함해서는 안 된다. XYZ의 기밀정보가 포함된 내부 비즈니스 시스템 및 응용 프로그램은 최소 3개월(90일)마다 암호를 변경해야 한다. 시스템 또는 응용프로그램이 기술적 제어 조치를 사용하여 암호변경을 강요하지 않는 경우에는 사용자가 암호변경의 요건을 준수해야 한다. 암호를 변경할 때는 새로운 암호를 선택해야 한다(즉 과거에 사용했던 암호로 변경하면 안 된다).

> **참 고**
> 만약 XYZ 제어 하에 있지 않은 컴퓨터 시스템에 접속할 경우는 내부 시스템에서 사용하는 암호와 동일하게 사용해서는 안 된다.

캘린더

부서, 팀 구성원 또는 관리자와 같은 공인된 사람만 캘린더를 열람할 수 있도록 해야 한다.

XYZ 기밀 정보 보호

XYZ의 기밀 정보보호를 위한 주된 요구사항은 사업적으로 정보가 필요한 사람 외에 다른 사람들로부터 보호하는 것이다. XYZ의 기밀정보는 다음의 보호지침을 준수하여 적절히 표기되어야 한다.

- XYZ의 기밀정보가 인터넷, 공용네트워크 또는 무선장치를 통해 전송될 때에는 기밀정보를 암호화해야 한다.
- XYZ의 기밀정보를 컴퓨터 시스템(그룹 웹사이트 및 다른 공유 데이터 저장소)에 저장하는 경우에는 보안통제 소프트웨어를 사용하여 접근을 관리하고 제한해야 한다. 보안통제 기능을 올바르게 설정하거나 사용하는 방법을 모를 경우는

서비스 제공자에게 조언이나 도움을 요청해야 한다.

- 만일 디스켓, 테이프, CD 및 USB와 같은 이동식 저장매체에 XYZ의 기밀정보를 저장하는 경우에는 도난 및 무단접속으로부터 정보를 보호해야 한다. 저장매체 미디어에 'XYZ 기밀' 라벨을 붙여 사용해야 하며, 그렇지 않을 경우에는 보안장소 또는 저장장치에 보관해야 하고, 무인장소 같은 곳에 방치하면 안 된다.
- XYZ 외의 시스템에 XYZ의 기밀정보를 저장하거나 처리하면 안 된다.
- XYZ의 기밀정보를 인터넷 웹사이트에 게시하면 안 된다.
- XYZ의 기밀정보를 인쇄할 때는 도난 되거나 무단도용하지 못하도록 정보를 보호해야 한다('프린터'라는 용어에는 프린터, 플로터 및 하드카피 아웃풋을 만드는 데 사용되는 기타장치 포함). XYZ의 기밀정보는 다음의 규제 하에만 인쇄할 수 있다.
  - ‣ 통제된 접근 구역에서 "반드시 알아야 하는 사항"에 근거한 접속인 경우
  - ‣ XYZ 프린터로 관리되는 시설에서 그 문서 소유자만 인쇄가능
  - ‣ 사용자가 캡처 및 출력 기능을 제어할 수 있는 프린터
  - ‣ 사용자가 개인적으로 직접 관리 및 처리하는 프린터
  - ‣ 이 옵션 중 당신의 위치에서 이용할 수 있는 경우가 없다면, XYZ 내부 사무실에 있는 프린터를 사용할 수 있지만, 적어도 30분 이내에 기밀 인쇄물을 회수해야 한다.

전화 또는 팩스의 사용

XYZ의 기밀정보를 협의할 때는 시작하거나 데이터를 전송하기 전에 모든 참석자 또는 수령인에게 기밀정보를 다룰 수 있는 권한이 있는지 확인해야 한다.

화상 회의 시스템 사용

XYZ 기밀 화상 회의의 의장일 경우는 시작 전에 모든 참석자가 참여할 권한이 있는지 확인해야 한다.

XYZ 내부 네트워크

로컬 영역 네트워크를 포함하여 XYZ의 내부 네트워크에 연결하여 사용할 때에는 다음 지침을 따라야 한다.

- 네트워크상에서 자신을 다른 인물로 속이지 않는다(사칭).
- 네트워크 관리자에게 확실한 관리 승인과 허가를 받지 않고는 네트워크 트래픽을 모니터링하지 않는다('스니퍼' 등의 유사장치 사용).
- 확실한 관리 승인을 받지 않으면 인트라넷 시스템 또는 서버에 대한 보안테스트 프로그램을 실행하지 않는다.
- 어떤 이유로든 네트워크 관리자의 허가 없이 XYZ의 인프라를 확장하는 네트워크 장치를 추가하지 않는다(스위치, 브리지, 라우터, 허브, 모뎀 또는 무선 액세스 포인트 같은 작동 장치).
- 워크스테이션이 XYZ의 사내 WLAN 인프라나 보안 홈 네트워크 같이 '안전한' 무선 네트워크에만 연결되도록 무선네트워크 어댑터를 구성한다.

분류 시스템의 구현

모든 주체가 그들의 정보를 보호하는 가장 좋은 방법은 분류 프로그램을 구현하는 것이다. 컨설턴트로서 당신이 일하고 있는 기업에 그런 프로그램이 존재하는지 여부를 판단해야 한다. 존재한다면 프로그램의 효과를 판단하고, 존재하지 않는다면 그런 프로그램을 구현할 것을 권장해야 한다. 기준으로 사용하기 좋은 분류 프로그램의 기본에 대한 개인적인 개요는 다음과 같다.

분류 및 통제 요구사항

이것은 기업 정보의 보안 분류 체계를 정의한다. 전자파일, 데이터베이스, e-메일, 프로그램 및 문서를 포함한 모든 형식의 정보가 이 분류에 적용된다. 분류는 기업정보에 대한 접근을 제한하고 손실을 방지하는 수단으로 사용하여 정보보호를 확인하고 보장하는 방법이다. 분류는 정보의 가치에 비례해서 할당되며 손실이 발생했을 경우 법적 자원에 대한 근거를 제공한다.

적절한 분류로 정보를 라벨링하면 해당정보를 접한 사람은 그것이 기업의 독점적 정보인지, 올바른 분류인지, 그리고 정보를 보호하기 위해 특정조치를 취해야 하는지 알 수 있다. 대부분의 기업정보는 분류되어있지 않다. 특정정보를 분류하는 작업은 작성자가 수행해야 한다. 이 작업은 정보의 특정 내용과 가치를 기반으로 한다. 시스템을 저하시키고, 수령자를 혼란스럽게 하고, 비즈니스에 불필요한 비용이 추가되기 때문에 작성자가 정보를 지나치게 분류하지 않는 것도 중요하다.

비정규직에게 기밀로 된 정보를 공개할 경우는 경영진의 승인을 받아야 한다. 기밀정보에 대한 내부공개는 "반드시 알아야 하는 사항"이 있는 직원에게만 적용된다.

분류 체계

다음의 계층적 분류 프로그램은 분류된 기밀정보의 가치에 비례한 통제계획 수립을 돕기 위한 것이다.

- 'XYZ 기업' 내부용 : 고도로 민감하지는 않으나 인사, 기술 또는 비즈니스의 기밀을 기업 내에서만 사용하고 기업의 비즈니스 활동과 관련된 목적으로 만 사용되어야 하는 정보를 나타낸다.

> **참고**
> 내부용 문서로 간주될 수 있는 한 사례를 예를 들면, 일부기업은 직원목록이 외부인에게 들어가지 못하도록 내부 전화번호부를 기밀로 분류하는 경우도 있다.

- 'XYZ 기업' 기밀 : 시장에서 기업의 경쟁 우위를 제공하는 정보 또는 기업 외부에 무단으로 공개하면 기업의 이익에 반하는 정보를 나타낸다.

> **참고**
> 고객리스트, 상세 제품사양 및 제조사양과 같은 기밀로 분류될 수 있는 것이 여기에 포함된

> **참고**
> 이것은 2단계의 분류시스템이고 몇몇 기업은 일부 민감한 데이터에 대해 보다 높은 수준의 보호기능을 추가할 수 있도록 3, 4단계 시스템을 시행한다.

책임

작성자(originator)는 정보의 창작자(creator)이며, 문서에 따라 정보를 기밀화하고 라벨링할 책임이 있다.

관리자는 조직에서 발생하는 정보에 대한 분류 작업의 정확성을 보장할 책임이 있고, 모든 직원들(조직 내 정보 발신자 또는 수령인)이 정보 분류 프로세스를 이해하고, 기밀정보에 적절히 라벨을 붙이고, 적절한 분류 제어를 적용할 수 있게 해야 한다. 관리자는 직원의 해고 또는 이직 시 기밀정보의 반환을 보장해야 한다. 또한 모든 데이터 및 파일(물리적 또는 전자식)에 대한 소유권한의 적절한 이관을 보장해야 한다.

직원은 다음에 명시된 분류 프로그램을 준수할 책임이 있다.

통제력

내부 공개

XYZ 내부용

- 모든 정규직 직원에게 공개된다. 보조직 직원 또는 계약직 직원이 알아야 할 필요가 있는 경우 이 등급을 부여 받을 수 있다.

XYZ 기밀

- 알아야 할 권리가 있는 정규직 직원에게 공개된다. 보조직 직원 또는 계약직 직원이 알아야 할 경우 기밀 비공개 서약에 서명하면 이 등급을 부여 받을 수 있다.

외부 공개

XYZ 내부용

- 경영진의 승인을 받아야 기업 외부로 반출할 수 있다.

XYZ 기밀

- 경영진의 승인과 기밀 비공개 서약을 사용하여 기업 외부로 반출할 수 있다.

보호 및 보관

XYZ 내부용

- 사용하지 않을 때에는 안전하게 보관한다.
- 권한이 없는 사람이 정보를 열람할 수 없도록 한다.
- 공인된 잠금장치를 통해 보안을 유지한다.
- 워크스테이션 접속은 무인상태에서도 보안을 유지해야 한다.

XYZ 기밀

- 사용하지 않을 때는 안전하게 보관한다.
- 권한이 없는 사람이 정보를 열람할 수 없도록 한다.
- 공인된 잠금장치를 통해 보안을 유지한다.
- 워크스테이션 접속은 무인상태에서도 보안을 유지해야 한다.
- 다량의 기밀정보 또는 특별히 지정된 기밀정보의 경우, 특수 잠금장치가 구비된 캐비닛 또는 동등한 것이 요구된다.

출장

XYZ 내부용

- 출장 중 기밀정보를 휴대하지 않도록 주의한다.
- 필요에 따라 사전에 우편으로 정보를 전달한다.

XYZ 기밀

- 출장 중 기밀정보를 휴대하지 않도록 주의한다.
- 필요에 따라 사전에 우편으로 정보를 전달한다.
- 관리 승인이 필요하다.

> **참고**
>
> 해외 출장의 경우, 기술정보를 전달하기 위해 관리 및 법적 승인을 받아야 한다. 정보를 전달하는 출장자는 방문하려는 나라 또는 국가의 특정 보안문제를 인지해야 한다.

복사

XYZ 내부용

• 복사할 수 있다.

XYZ 기밀

• 관리자의 승인을 받은 경우에만 복사할 수 있다.

파쇄

XYZ 내부용

• 기업이 승인한 문서 파쇄기를 사용하여 파쇄해야 한다.

XYZ 기밀

• 기업이 승인한 문서 파쇄기를 사용하여 파쇄해야 한다.

식별

XYZ 내부용

• 모든 페이지에 분류를 표시한다.

• 전자상으로 파일 또는 데이터의 시작 부분에 사람이 판독할 수 있도록 분류해서 작성해야 한다.

XYZ 기밀

• 모든 페이지에 분류를 표시한다.

• 전자상으로 파일 또는 데이터의 시작 부분에 사람이 판독할 수 있도록 분류해서 작성해야 한다.

조사 요구사항

컴퓨터와 통신망 오용, 도난 또는 독점정보의 침해, 서비스 중단 사고 등의 발생할 수 있는 모든 사건에 대한 조사 요구사항을 파악한다.

이것은 관련된 법의학적 조사를 포함해야 한다. 이러한 조사는 보안부서와 IT 부서에서 공동으로 실시하는 것이 중요하다. IT 전문가는 전자적인 조사에 필요한 정보를 찾는 방법을 알고 있어야 하고, 보안 전문가는 기소에 사용하기 위해 '증거의 사슬(chain of evidence)'을 보존하는 일에 대한 지식이 있어야 한다.

대부분의 기업에서 컴퓨터 시스템과 관련된 사기 또는 기타 유형의 범죄에 대한 조사를 수행하는 경우는 드문 일이다. 보안 조사관이나 IT 담당자가 컴퓨터 또는 네트워크 조사 자료 보존에 대한 교육을 받지 않은 경우, 이런 유형의 조사를 지원하기 위해서는 해당 전문기업의 도움을 받아야 한다.

직원 퇴사 프로세스

클라이언트는 퇴사하는 모든 핵심직원을 대상으로 인터뷰하는 프로세스를 마련해야 한다. 여기에는 관리, 인사 및 법무부서가 포함될 수 있다. 중점영역은 기업에서 일하는 동안 알고 있거나 접속했던 독점정보를 보호해야 한다는 것이다. 많은 기업에서 직원은 업무를 시작할 때 비공개 계약에 서명한다. 이러한 인터뷰는 직원에게 계약요건을 상기시켜 준다. 연구개발 활동에 참여하는 많은 기업들이 한 단계 더 나아가 이직요건을 상기시키기 위해, 퇴사하는 직원에게 서명하거나 재계약 하려할 것이다. 퇴사하는 직원이 중요한 데이터나 기업의 전략적 방향과 같은 기업정보에 대해 많이 알고 있는 경우에는 기업의 법률고문이 퇴사하는 직원을 직접 인터뷰하여 그 정보를 보호해야 한다. 또한 이직하는 기업에서 해당 정보를 사용할 수 없다는 사실을 알리도록 하는 것이 일반적이다. 이러한 인터뷰는 퇴사한 직원에 대해 소송을 제기할 필요가 생겼을 경우에 중요한 요인이 될 수 있다. 어떤 경우에는 퇴사하는 직원이 경쟁기업에 입사할 우려도 있을 수 있는데 이는 관리자와 법률고문에 의해 고려되어야 하며 퇴사 인터뷰에서 서면으로 처리되어야 한다.

기업의 중요한 프로세스는 직원이 퇴사할 때 열쇠, 출입증 및 카드와 같은 주요물품을 회수하는 것이다. 이 문제를 해결하는 가장 좋은 방법은 인사부서에서 관리자에게 직원을 퇴직처리 할 때 제출해야 하는 퇴사 체크리스트를 발행하는 것이다. 그 예로써 부록 F '퇴직 체크리스트 샘플'을 참조할 수 있다.

정보 자산의 보안

정보자산의 보안은 많은 기업들에게 경쟁우위를 제공하고 미래의 성공을 위한 기반이 되는 자산을 보호하기 위한 중요한 프로그램이다. 몇 년 전 IBM에서 근무할 때 최고경영자(CEO)는 모든 IBM 직원에게 다음과 같은 성명서를 발표했다.

"정보는 IBM의 비즈니스뿐만 아니라 성장의 원동력이기도 하다. 제품 및 비즈니스에 대해 개발한 독점정보는 IBM 소유의 제품보다 더 중요하다. IBM의 미래를 위해 우리 모두는 이 정보를 보호할 책임이 있다."

이것은 오늘날 많은 기업에 적용될 것이고 앞으로 더 그러할 것이다. 또한 새롭게 시작하는 중소기업들에게도 마찬가지로 중요하다고 생각한다. 이러한 기업들 대부분이 단지 한 두 개의 새로운 아이디어와 기술혁신을 위해 비즈니스에 종사하고 있기 때문에, 만약 정보자산이 위험에 처한 경우 빠른 시일 내에 업무가 중단될 수 있을 것이다. 효과적인 정보자산 보안프로그램을 갖추기 위해서는 이 책의 2장, '리스크 평가'에서 언급했듯이 컨설턴트로서 이러한 자산이 무엇인지 파악할 수 있도록 돕는 것부터 시작해야 한다.

당신의 평가를 위해 정보자산 보호프로그램의 기본사항을 간략하게 설명한다. 그러나 여기서 제공하는 정보는 현재 프로그램이 전혀 없는 기업에게는 충분하지 않을 수 있다. 프로그램이 없는 기업도 시작할 수 있지만 훌륭한 지식을 가진 보안전문가와 협력하여 양질의 프로그램에 필요한 모든 구성요인을 구현하고 있는지 확인해야 한다. 모든 통제프로그램과 마찬가지로 비용의 문제도 있으며 보안전문가는 비용에 따라 효율적인 방식으로 통제기능을 구현할 수 있도록 도와줄 것이다.

정보자산이 추가 보안을 요구할 정도로 가치 있는지 여부를 결정할 때에는 여러 가지 요인을 고려해야 한다.

다음은 이러한 요인 중 일부이다.

- **재무**(financial) : 개발 및 제조과정에서 자산의 어떤 비용이 추가되는가? 정보가 유출된 경우 잠재적인 수익에 손실이 발생하는가?

- **경쟁력**(competitive) : 자산이 기업의 경쟁우위에 얼마나 가치가 있는가? 정보가 파괴, 손상 또는 경쟁사에게 공개된 경우 그 결과는 어떻게 되는가?
- **무형자산**(intangible) : 정보의 무단공개가 기업에 폐를 끼치거나 민감한 파일 (인사 파일, 고객 목록, 고객 주문 정보 등)의 기밀성을 파괴하는가?

기본적인 정보자산 보안프로그램은 이를 준수할 책임이 있는 경영관리팀에게 개요를 설명해야 한다. 이것은 경영관리팀의 의식수준을 높이고 정보자산의 보안 문제의 범위를 정의하고 관리자로서의 책임을 명확히 하기 위해 설계되었다.

정보 자산 결정

관리자로서 책임 범위 내에서 기업에서 가장 중요하게 생각하는 정보자산에 대한 적절한 보호수준을 식별 및 평가하고, 선택할 책임이 있다. 또한 중요하지 않은 영역을 보호할 때 합당한 경계를 유지해야 한다.

정보 자산의 소유권 할당

귀중한 정보를 보호하고 통제하기 위해서 일부의 사람은 정보자산에 대해 책임을 져야 한다. 그 사람은 자산에 대해 적절한 통제가 명시되었는지 확인할 책임이 있는 소유자, 관리자 또는 관리담당자이다.

소유권을 할당할 때 소유자가 정보자산의 보안요구사항을 준수하는지 모니터링할 책임이 있고, 또한 보호와 생산성 사이의 균형을 유지해야 한다.

충분한 관리가 없으면 자산의 심각한 손실이나 오용으로 이어질 수 있지만 너무 많이 통제하면 비즈니스의 효율성과 효과가 저하될 수 있다.

정보 자산의 사용 승인

관리자는 자산이 관리 승인된 목적으로만 사용되도록 자산의 사용을 승인하고 관리준수를 모니터링 해야 한다. 이러한 자산은 데이터, 이미지, 음성 또는 텍스트 형식일 수 있다. 내부시스템 또는 하드카피에 포함되어 있을 수도 있으며 공급업체에 제공될 필요가 있을 수도 있다.

따라서 개개인의 필요성을 알아야 하고 필요성이 달라질 수 있다는 사실에 주의해야 한다. 그러한 필요사항이 변경될 때마다 승인이 필요하다.

직원의 책임에 대한 교육

관리자는 정보자산 보호를 위한 직원교육에 대한 책임이 있다. 직원들에게 책임이 무엇인지 알리는 것만으로는 충분하지 않다. 직원들의 역할을 이해시키고 책임을 효과적으로 수행할 수 있도록 해야 한다. 교육의 핵심은 직원들에게 정보자산의 보안정책 및 절차에 대해 이해시키고, 핵심정보자산을 안전하게 지키는 일상적인 과제에 그들을 참여시키는 것이다. 결국 이러한 자산을 보호하는 것이 자신의 업무만큼 중요하다고 인식시키는 것이다.

통제의 효과적인 사용 보장

기업의 모든 데이터, 음성, 이미지 및 텍스트 자산은 물리적 및 절차적 제어를 받는다. 정보자산의 보안프로그램을 준수하기 위해 자산소유자는 자산을 적절히 보호하는데 필요한 관리방법을 결정해야 한다. 그런 다음 관리자는 소유자와 권한이 부여된 사용자를 모니터링하여 올바른 통제가 구현되었는지, 효과적인지 여부를 확인해야 한다.

통제수단과 절차의 설치 및 사용은 프로그램을 갖추고 준수한다고 해서 원하는 결과가 산출되지 않을 수도 있다. 관리가 효과적으로 활용 될 때에만 만족스러운 결과가 달성된다. 예를 들어, 출입통제시스템은 "뒤따름(tailgating)"이 허용되면 효과적이지 않다. 암호가 다른 사람들과 공유되는 경우에도 접속을 제한하는데 효과적이지 않다.

프로그램이 효과를 발휘하려면, 관리자가 정기적으로 정보자산 보안인식 캠페인의 일환으로 직원의 의견을 수렴하여 통제가 합리적으로 사용가능하다는 것을 확인해야 한다. 이렇게 하면 관리자가 이 프로그램이 해당 통제수단에 가장 적합한지 여부를 판단할 수 있다.

컴플라이언스를 위한 자체 평가 수행

자체 평가는 담당자의 관리통제 하에 있는 정보자산이 보안 요구사항을 준수하고 있는지 자체적으로 판단하는 프로세스이다. 최소한 1년에 한 번씩 공식적으로 정확하게 검토를 수행해야 한다. 그러나 끊임없이 변화하는 비즈니스 상황으로 인해 준수상태를 보다 자주 검토해야 한다. 정보자산의 보호를 확보하는 것은 비즈니스의 일상적인 운영에 없어서는 안 될 부분이다.

> **사 례**
>
> 신입사원 채용, 기존 직원 퇴사 또는 외부업체와 계약을 체결하거나 계약이 종료되고 새로운 장비가 프로젝트에 투입되면 오래된 장비는 단계적으로 폐기된다. 이러한 모든 상황은 관리자가 담당자의 통제 하에 있는 정보자산의 보안에 미치는 영향을 조사하도록 유도해야 한다.
> 컴플라이언스를 달성하려면 이러한 상황이 발생할 때 또는 계획의 허점이 발견될 때마다 지속적으로 인지하고, 정기적인 자체평가 및 관리에 신중한 조정을 해야 한다.

연간 자체 평가에는 모든 책임 평가, 승인 된 사용자와 소유자 모니터링, 자산 관리의 검토 및 검증, 확인된 노출 및 비 준수파악, 노출된 리스크 평가, 이전에 확인 된 리스크에 대한 기존의 컴플라이언스 계획 평가 등이 포함된다.

리스크 평가 및 승인

리스크 평가는 정보자산과 관련하여 확인되고 알려진 상황 또는 비 준수 상황을 평가하고 문서화하여 문제를 해결할 것인지, 알려진 상황을 축소할 것인지, 리스크를 수용할 것인지 결정하기 위해 사용되는 과정이다. 관리자가 문제를 전체적 또는 부분적으로 해결하기로 결정한 경우에는 계획을 문서화해야 하며 지식이 필요한 경우 상위 관리자에게 전달해야 한다. 이 계획은 문제를 어떻게 바로 잡을지 또는 축소할지에 대한 세부사항과 해결을 위한 일정이 포함되어야 한다.

알려진 상황을 축소할 수 있지만 제거하지 않을 자산의 경우는 리스크를 수락하기로 결정하고 리스크 승인 문서를 준비해서 상급 관리자에게 승인을 받아야 한다. 이 문서에는 결정의 근거를 명시하고 결론에 도달하기 전에 어떤 준수 옵션을 고려해야 하는지를 설명해야 한다. 컴플라이언스 비용을 고려하거나 리스크를 제거하는 것은 항상 신중해야 하며 자산의 손실이나 손상보다 많은 비용이 들지 않아야 한다.

정보 자산의 노출, 오용 또는 손실에 대한 결단력 있는 대응

자산 보안 관리를 아무리 효과적으로 구현하더라도 자산이 손상될 가능성은 항상 있다. 이 문제는 자체평가, 모니터링 및 리스크평가 프로세스를 통해 발견할 수 있다. 이러한 상황이 발생하면 신속하고 효과적인 시정조치를 취할 책임이 있는 자산관리자가 즉각적으로 주의를 기울여야 한다.

정보자산의 노출, 오용 또는 손실이 발견되면, 상황을 즉시 고위관리자 및 보안담당자에게 보고하는 것이 중요하다. 또한 관리자가 상황을 처리하고 취하는 조치를 문서화하기 위해서는 리스크 평가 프로세스를 따라야 하며, 정보자산의 손상 대처를 주도적으로 진행해야 한다.

보관 권한 및 책임 지정

기업의 관리자로서 컨설턴트는 정보자산의 소유자일 수 있으며 비즈니스 운영 과정에서 해당정보의 소유를 양도할 수 있다. 소유권을 부여 받은 개인은 자산 보관자가 되며 자산을 보호해야 한다. 보관담당자는 정보자산에 대한 책임과 적용 가능한 모든 관리프로세스와 과정을 준수할 책임이 있다. 이 기간 동안 추가적인 통제가 보장되어야 한다면, 자산 양도 이전에 관리인에게 이점을 주지시켜야 한다. 컨설턴트는 보관책임을 가지고 있는 동안 모든 컴플라이언스 요구사항을 충족시키도록 공인된 관리자를 정기적인 모니터링 프로그램에 포함시켜야 한다.

시스템 오용

협의해야 되는 또 하나의 항목은 정보자산의 오용이다. 이 문제와 관련된 조사를 수행할 때 보안담당자의 검토 요청으로 자주 나오는 우려사항이다. 이 문제의 예방은 보안프로그램이 아니다. 이것은 관리상의 문제이며 일반적으로 인사부서와 IT부서에 의해 집중된다. 많은 기업에서의 보안조직은 이러한 문제에 대한 조사에 참여하지 않는다. 주요 문제는 기업의 컴퓨터나 네트워크 자산에 접근할 수 있는 일부 직원 또는 다른 사람들이 개인적인 용도로 사용함으로서 발생하는 것이다. 가끔 직원으로서가 아닌 개인적인 e-메일 사용 등의 사소한 것들로부터 야기된다. 이것은 기업자산을 지나치게 자신의 개인적인 용도로 이용해서 컴퓨터 및 네트워크의 자산과 기업의 시간을 낭비하는 것이다. 대부분의 기업은 비즈니스 문제 행동 지침이나 직원을 위한 정책 성명서와 같은 문서에서 이 문제를 다루고 있다.

이것이 컨설턴트와 함께 일하는 기업의 문제라면 직원들에게 이러한 행동이 틀렸다는 것을 알리는 서면 방침이 있는지 확인해야 한다. 그리고 IT부서로 하여금 주기적으로 프로그램을 실행하여 문제가 있는지 확인해야 한다. 문제가 발견되면, 그 사람이 IT, 인사 및 관리부서가 수행중인 업무를 감독하고 있는 보안감독자이더라도 항상 모든 유형의 조사에 관여해야 한다.

요약 – 정보 보호

정보자산의 보호를 위해 구현할 수 있는 여러 가지 선택적 제어 요구사항이 있다. 앞에서 설명한 것처럼 정보보호를 위한 분류시스템을 개발하고 구현하는 것에서부터 시작해야 한다. 즉, 문서 또는 전자 파일 분류를 통한 제어 요구사항을 전달할 수 있는 분류시스템의 실행이 선행되어야 한다. 분류는 일반적으로 내부용과 기밀, 두 가지로 분류한다. 내부용은 기업이 해당 유형의 정보에 대해 해당 관리자의 승인 없이 기업 외부로 공개될 수 없는 정보를 말한다. 이것은 기업이 외부의 "헤드헌터"가 소유하지 않았으면 하는 내부 전화번호부 같은 것을 뜻할 수 있다. 기밀 등급은 기업 외부에 공개할 수 없다는 사실 외에도 보다 엄격한 규제가 필요한 정보를 말하는 것이다. 만약 기업이 시간제 직원이나 계약직원을 고용하는 경우, 그들은 기밀정보에 접근할 수 없고 접근해야 한다면 특별 비공개 합의서에 서명해야 한다. 또한 이중 잠금 캐비닛의 사용과 같은 물리적 저장소에 대한 요구사항을 설정하거나 사용자가 멀리 떨어져있을 때 정보를 일반 시야에 두지 않도록 하는 요구사항이 있어야 한다. 전자데이터의 경우 암호화 요구사항을 설정하고 개인 노트북 컴퓨터에 정보를 둘 수 없게 해야 한다. 일부 기업에서는 분류된 문서의 하드카피에 대해 "복사 금지" 등의 라벨 사용과 같은 보다 엄격한 사항을 요구한다.

사용할 수 있는 수많은 통제수단이 있지만 주요목적은 다음과 같다. 중요한 기업정보에 접촉하는 모든 직원들에게 정보보호의 중요성에 대해 즉각적으로 경고 하는 것이다. 특정 자산의 소유자는 자신이 소유한 자산에 대한 철저한 관리를 원할 수 있다. 그렇다면 그 자산에 접근할 수 있는 모든 사람에게 해당 요구사항을 알려야 한다.

물론 이러한 성격의 프로그램은 정기적으로 교육을 받은 모든 직원들, 자산에 합법적으로 접근할 필요가 있고 프로그램의 중요성을 알 필요가 있는 사람들에게만 유효하다. 많은 기업자산은 그 자산의 중요성을 이해하지 못하는 직원이 의도치 않게 공개를 함으로써 쉽게 손실될 수 있다. 이를 예방하기 위해 직원들에게 자산의 가치와 적절한 보호를 제공해야 할 필요성을 자주 상기시켜야 한다.

정부 규정

자산보호에 관해 클라이언트에게 조언하는 것 외에도 클라이언트 정보 및 기타 규정을 보호하기 위한 정부 요구사항도 있다. 각 업계는 자체적인 규정이 있으며 모든 규정을 정의하지는 않는다. 가장 일반적인 두 가지 규정은 다음과 같다.

- 2002년의 공개기업회계개혁 및 투자보호법이라고도 알려져 있는 "The Sarbanes-Oxley Act of 2002(Pub. L. No. 107-204, 116 Stat. 745)", 일반적으로 SOX라고 한다.

- 1996년의 미국 건강보험 이동성 및 책임 법(HIPAA)은 의사, 병원 및 기타 건강관리 제공자가 따르는 일련의 규정이다. HIPAA는 2006년 4월 14일에 발효되었다. HIPAA는 모든 의료기록, 의료청구나 환자의 계좌가 문서화로 취급 및 개인정보보호와 관련하여 일관된 표준을 준수하도록 한다. 또한 HIPAA는 모든 환자가 자신의 의료기록에 접근하고 오류나 누락을 수정하고 개인정보가 어떻게 공유되고 사용되는지 요구할 수 있다. 다른 조항은 환자에게 개인정보보호 절차를 알리는 것을 포함한다.

따라서 클라이언트의 평가 작업을 시작하기 전에 산업에 적용할 수 있는 모든 정부규정을 알고 있는지 확인해야 한다.

보안조직의 평가 수행

보안조직의 평가 수행은 내부 보안전문가가 공정하게 수행하기 어려운 검토 영역이다. 특히 평가를 수행하는 사람이 다른 보안조직이나 산업분야에서 경험이 부족한 경우에 더 그렇다. 따라서 이러한 검토 측면에서는 사내 보안전문가가 검토를 진행하는 것보다 외부 컨설턴트를 채용하는 것이 좋다. 이와 같이 할 수 없는 경우에는 다른 회사와의 네트워크 상에 있는 적어도 한명 이상의 다른 보안전문가에게 검토 결과를 살펴보게 하거나, 결과에 이의를 제기할 수 있도록 의뢰해야 한다. 조직 밖에서 객관적인 의견을 구하는 것은 컨설턴트의 업무에 도움이 될 것이며, 필수적이라고 생각된다.

› 보고 구조
- 보안책임자는 어디에 보고하는가? 법무, 시설, 관리
- 보안부서는 어떻게 구성되어 있는가? 관리수준, 교대감독자

- **역량**
  - 보안담당자가 적절한 역량과 연락망을 가지고 있는가? 담당자는 예방프로그램과 보안기술에 대해 잘 알고 있는가? 다른 보안담당자들과 연계되어 있는가? 담당자는 경찰(지역, 주, 연방)과 접촉하고 있는가?
  - 보안조직은 적절한 기술 매트릭스를 가지고 있는가? 인력 또는 비즈니스 관리기능, 기술 및 시스템 지식, 조사 기술, 교육기술 등

- **직원 채용**
  - 보안담당자들은 정규직인가? 계약직인가? 혹은 둘 다인가? 직원이 충분하거나 너무 많은가? 근무복을 입은 직원들은 교육을 받았는가? 그들은 적절한 이미지를 투영하는가? 근무복이 환경과 조화되는가? 감독자는 경험이 있는가?
  - 경영진이 '무장', '비무장' 보안요원에 대한 결정을 내렸는가?

보고체계

보고체계를 검토할 때는 정답이 없음을 이해하는 것이 중요하다. 그것은 회사의 일반적인 보안부서에 크게 의존한다. 저자는 최고보안책임자(CSO) 또는 보안책임자가 여러 다른 업무분야에 보고하는 상황을 보았다. 보고체계는 일반적으로는 최고경영자(CEO) 아래 두 단계를 갖지만 중요한 사항은 한 단계로 보고하는 것이 좋다. 만약 조사 내용이 많은 비즈니스의 경우는 보안부서가 법무부서에 보고하는 것이 매우 중요할 수 있다. 이는 변호사가 준비되어 있고, 조사의 주 대상이 법적 자문인 일 경우, 조사정보의 보호를 강화한다. 물론 최고보안책임자(CSO) 또는 보안책임자는 그러한 보호를 위해 회사 변호사에게 보고할 필요는 없다. 모든 조사 보고서가 '변호사 검토필요'라고 분류되고 실무적으로 회사 변호사에게 보내도록 하는 것이 표준 관례일 수 있다(그림 7.1 참조).

그러나 많은 중소기업에는 사내 변호사가 없다. 그들의 법률 업무는 외부의 법적자문이 수행한다. 이러한 경우에는 모든 조사 보고서를 외부 변호사에게 제출하는데 드는 비용이 발생하므로 중요한 보고서만 보내는 것이 바람직할 수 있다. 만약에 회사가 고소를 당해 해당 사건과 관련된 모든 기록을 요구하는 소환장

을 발부 받은 경우, '변호사 검토필요'*라고 분류된 문서정보들은 소환에서 제외
될 수 있다. 이는 회사를 위한 보호수단으로 사용될 수 있다.

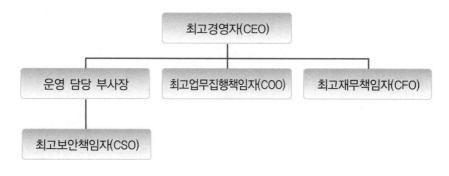

그림 7.1   전형적인 기업 조직 체계. 여기서 최고보안책임자(CSO)는 운영 담당 부사장에게 보고한다. 최고보안책임자(CSO)가 보고하는 곳은 비즈니스에서 높은 수준이어야 한다.

또 다른 고려사항은 협조의 갈등이다. 예를 들어, 보안부서가 시설 엔지니어
링 부서에 보고하는 경우, 조직을 운영하는 사람이 보안측면보다 비즈니스의 시
설측면에 대한 지식이 훨씬 더 많을 가능성이 있다. 결과적으로 이 사용자는 보안
부서가 필요로 하거나 원하는 것보다 엔지니어링 부서가 원하는 것에 더 많은 신
빙성을 부여하는 경향이 있다. 이것을 알아내기는 어렵지만, 흔히 예산 편성 과정
에서 알 수 있다. 과거에 보안부서가 일상적으로 시설 쪽보다 예산의 대폭 삭감이
나 낮은 증가를 나타낼 경우, 이는 해당 조직에 보고되는 보안부서와 관련된 문제
를 입증할 수 있다. 그러나 분명히 정치적인 이유로 컨설턴트와 대조적으로 보안
조직 내 누군가가 이런 경우를 밝히기는 어려울 것이다.

동일한 시나리오는 법무, 관리 또는 재무와 같은 보안보고서가 있는 조직에서
도 존재할 수 있다. 중요한 것은 보안부서가 필요로 하는 상위의 관리지원을 받고
있는지 여부이다. 그렇다고 해서 보안담당자가 더 많은 예산을 요구할 때마다 얻
을 수 있다는 의미는 아니다. 이는 단순히 다른 조직보다 더 많은 예산 또는 인원
감축을 위해 관리자가 보안을 선택하지 않았다는 것을 의미한다.

---

* 미국사례

보안조직의 체계

보안조직의 체계에 대한 검토는 몇 가지 문제가 있는지를 확인하기 위한 것이다. 첫째, 그들이 "상부가 너무 무거운"(이것은 관리직에 너무 많은 사람들이 있다는 것을 의미한다) 것이 아님을 확인 하고자 함이다. 이는 비즈니스에 추가 비용을 발생시키는 것 외에도 조직의 운영 효율성에 영향을 미친다. 예를 들어, 정규직 경비원이 3교대로 운영되는 경우에 교대감독자와 교대관리자가 있다면, 보안요원 규모가 극도로 크지 않고서는 관리자가 너무 많은 것이다. 소규모의 경우는 주중에 각 교대를 담당하는 감독자 한 명(3교대이므로 3명)과 주말을 담당하는 감독자 2명을 포함하는 5명의 감독자과 1명의 관리자로 충분하다. 대규모일 경우는 두 명의 관리자가 있을 수 있다. 한 명은 근무 교대를, 다른 한 명은 주간 근무를 담당한다.

관리자가 너무 많다는 문제는 비용문제 이외에도 모든 관리자가 운영에 관여하여 교대 기능 운영 방식에 불일치가 있을 수 있다는 것이다. 이 문제는 대개 "통솔 범위"라고 불리며, 회사의 각 관리자가 얼마나 많은 사람을 관리할 수 있는지를 강조한다. 조직에서 관리자가 너무 많거나 심지어 너무 적다면, 인사 관리자와 협력하여 경영진이 옳은지 아닌지를 파악하고 보안조직 내에서 발생하는 상황이 회사의 다른 부서의 상황과 일치하는지 파악할 수 있다.

두 번째 가능성은 보안부서 내 관리자 수가 너무 적게 확보되는 경우로 실제로 가능성이 더 높으며 이로 인해 문제가 발생할 수 있다. 관리자가 너무 적으면 보안담당자에게 발생하는 모든 인사문제를 적절히 처리할 수 있는 시간이 부족하기 때문에(특히 정규직이 있는 경우) 경비원의 이직률이 높아질 수 있다는 것이다. 조직의 비즈니스 운영분석 및 관리에 얼마나 많은 시간을 소모해야 하는지를 결정하는데 도움이 된다. 관리자에게 이러한 유형의 업무 보고서를 활용할 수 있는 훌륭한 관리직원이 있으면 이 문제를 해결할 수 있다. 관리자가 너무 적다는 것을 판단하기 전에 직원들의 업무 시간이 어떻게 사용되는지 완전히 이해해야 한다.

클라이언트가 외주 보안계약을 이용하는 경우에는 아마 단 한 명의 현장 관리자만 배치될 것이다. 그렇다면 관리자가 주의를 기울여야 할 모든 인사문제를 신속하고 적절하게 처리할 수 있도록 지원하는데 얼마나 많은 지사 관리 시간이 소요되는지를 결정해야 한다.

혼용 보안부서

일부 회사는 정규직과 계약직 보안담당자가 있다. 이는 특정 작업이 제대로 수행되고 중요한 결정이 올바르게 이루어지도록 보장하면서도 필요한 보안을 저렴한 비용으로 제공하는 적절한 솔루션이다. 또한 대부분의 중대형 기업에 가장 적합한 모델이다. 그러나 직원들에게 정규직 인력의 추가 비용을 감내할 수 없는 경우가 많다. 적어도 회사에 고용되어 근무 중인 보안전문가는 항상 계약직을 적절히 지휘할 수 있는 지식이 있어야 한다. 대기업에서는 각 주요 회사가 위치한 곳에 적어도 한 명의 정규직의 전문보안요원이 있어야 하며 만약 해당시설이 한 번 이상 교대로 운영되는 경우, 운영될 때마다 근무 중인 사내 보안전문가가 있어야 한다.

이것은 계약직 보안요원을 감독하기 위해 한 장소마다 6명 이상의 정규직 보안요원이 필요하다는 것을 의미할 수 있다. 보안 사업에서는 항상 즉각적인 결정을 내려야 하는 상황이 생기고, 그들이 무엇을 해야 하는지 알고 있는 사람의 연락을 기다려 결정할 수 없기 때문이다. 이러한 결정 중 일부는 회사의 평판과, 때로는 재정적인 측면에 중대한 영향을 미칠 수 있다. 항상 회사의 이익을 염두에 두고 있으며, 외주 회사의 누구보다 그런 상황을 잘 처리할 수 있는 내부의 경험이 많은 보안전문가가 있어야 한다. 더불어 지불하고 있는 서비스를 잘 수행하고 있는지 확인하기 위해 계약직 직원의 성과를 모니터링하는 전문적인 사내 보안요원을 확보하는 것은 중요하다. 비록 많은 사람들이 보안전문가 없이도 이러한 계약직 보안요원에 대한 모니터링을 수행할 수 있을 만큼 보안에 대해 충분히 알고 있다고 생각한다. 그러나 계약직에 대한 모니터링 활동이 잘 수행되고 있는지 아닌지를 이해하는 데에 필요한 지식을 실제로 가지고 있지 않다는 사실을 발견하게 될 것이다.

직무 분리

정규직과 계약직 보안근무자 둘 다 운영할 때, 또 하나의 주요 관심사는 두 조직 간의 적절한 직무분리가 이루어지도록 함으로써 사내 및 계약관계에 대한 혼란이 없으며, 노사관계 문제가 발생하지 않도록 하는 것이다. 노사관계에 있어 주된 관심사는 노동조합이다. 정규직과 계약직 근무자 중 후자가 더 많은 경우 그들은 투표를 통해 노동조합을 결성, 가입할 가능성이 있다. 특히 이 둘의 직무 분리가 제대로 이루어지지 않은 경우, 이 노동조합에 정규직 근무자가 가입할 수 도 있다. 직무 분리의 한 예로, 보안관제센터는 정규직 근무자가, 순찰 및 경계 구역은 계약직 근무자가 맡도록 하는 것이다. 일부 회사는 이 방법을 통해 계약직 근무자의 이직률을 줄이고, 새로운 계약직 직원에 대한 교육비용도 줄이고 있다. 이러한 전략은 누가 어떤 일을 해야 하는지를 명확하게 구분하기 때문에 효과적인 직무분리 방법이다. 하지만, 교대 근무를 함에 따라 위의 배치를 지속하기가 어려울 수 있다. 그렇기 때문에 가장 좋은 직무분리 전략은 회사 내에 보안전문가를 배치하여 전문적 보안직무를 담당하게 하는 것이다. 이들은 근무복을 입지 않으며 출입통제시스템의 관리자 역할, 조사 실시, 직원이나 세입자의 보안관련 문의 처리 등의 다양한 관리 직무를 책임진다. 정규직 근무자와 계약직 근무자의 공존에서 비롯된 다양한 문제가 존재하지만, 직무분리가 명확하다면 그러한 문제를 해결할 수 있다.

다른 이슈들

고용관행과 관련된 문제를 조사해야 한다. 일반적으로 사내 보안조직이 임시 직원을 고용하여 경비원을 보강하고 있다. 이것은 처음에는 문제가 되지 않지만 정규직 채용을 위한 심사과정의 일종으로 이 과정을 사용하는 경우가 있다. 이는 특히 이 프로세스를 정기적으로 사용하는 경우 많은 문제를 발생시킨다. 가장 큰 문제는 노사관계 쟁점으로서 이러한 고용관행으로 인해 비정규직원들은 그들이 회사의 일부라는 것을 공고히 할 수 있고 노조활동에 개입할 수 있다. 또한 이것 이 표준관행으로 자리매김하면서 정규 직원들의 업무의욕 저하를 비롯한 여러 가지 문제들이 발생할 수 있다.

임시 보안요원을 고용하는 것은 평소보다 많은 인원이 필요한 특별 행사를 할 때처럼 업무량이 많아질 때 좋은 해결책이다. 이는 정직원이 초과근무를 하여 인원부족을 충당하는 것보다 비용이 적게 들고 짧은 시간 안에 많은 일을 해야 할 때 생기는 문제들을 방지할 수 있다. 업무량이 많아질 때 개인적으로 선호하는 것은 계약부서를 활용하는 것이다. 임시 보안요원을 고용하는 것은 정규직원을 고용하는 것과 비슷하게 비용이 드는 반면 계약직 근무자를 고용하는 것은 비용이 적게 들뿐더러 경영관리팀과 인사팀에게는 비용과 세금의 부담을 덜어준다. 만약 클라이언트가 계약직을 주로 사용하고 일부 특별 행사에서 추가 담당자가 필요한 경우, 계약회사에 추가 업무를 충당하기 적합한 인력, 즉 현장에 대한 오리엔테이션 교육이 되어 있고 기본적인 보안 업무 교육을 받은 인력이 있는지 알아보는 것이 좋다.

보안 기법

보안부서의 업무능력을 평가할 때에는 먼저 업무분배의 균형을 알아보아야 한다. 업무분배는 보통 다음과 같은 기준에 의해 이루어진다.

- 물리 보안
- 경영진 보호
- 정보 보호
- 위기관리 및 비상계획
- 조사 관리

위의 기준 중 누락된 것도 있고, 잠금장치 수리업무처럼 다른 작업이 보안기능의 일부로 추가된 경우도 있다. 또한 한 사람이 여러 분야에 대해 책임지는 경우도 있다. 하지만 어떤 상황이든지 클라이언트가 완전한 프로그램을 가지고자 한다면 이러한 책임은 시설의 누군가가 해결해야 한다. 각 기준에 대한 책임은 보통 다음과 같이 세분화된다.

› 물리적 보안에는 다음과 관련된 역량을 포함한다.
  - 보안경비팀 관리
  - 전자시스템 관리
  - 사고 및 비상대응

› 경영진 보호프로그램은 다음을 포함한다.
  - 경영진 운전기사 및 교육 관리
  - 무장 경호 및 에스코트 제공
  - 경영진 보호를 위한 출장 동행
  - 검색 패키지
  - 경영진 주택 보호 및 상태 검토

› 정보 보호기술은 비즈니스 유형에 따라 크게 다르지만 다음을 포함한다.
  - 관리와 시스템 프로토콜 및 구현을 위한 IT조직 감사
  - IT 및 기타 조직의 재해복구계획 검토
  - 하드카피 정보보호(clean desk), 정책 수행 또는 관리(기밀정보 또는 민감한 정보가 보호되는지 확인)
  - 정보 분류 방법에 대해 직원 운영가이드 제공
  - 기밀정보의 파기 감독

› 위기관리 기술은 다음을 포함한다.
  - 비상계획 업데이트에 대한 책임
  - 위기 관리팀과 정기적인 시나리오 테스트 수행
  - 사내의 초기 대처 부서와 지역사회의 초기 대응 기관과의 정기적인 시나리오 테스트 실시
  - 현장 대피훈련 관리

› 조사 관리는 다음을 포함된다.
  - 조사관리 및 실시
  - 추세분석을 위한 월별 데이터 분석과 사고를 줄이거나 예방하기 위한 보안전략에 대한 자문 제공
  - 해당지역의 모든 범죄행위, 테러리스트 정보 등의 업데이트를 지속적으로 유지하는 방법 및 집행기관과의 연계

계약 관리기술도 검토되어야 한다. 이것은 각 규정 안에 포함될 수 있으며 조직 내에 그 책임을 가진 행정담당자가 있을 수 있다.

또한 누군가는 "현장 인력"에 대한 보안인식 및 교육프로그램에 대한 책임을 맡는다. 이는 각기 다른 프로그램 모두를 다루는 사람이거나 개별 분야의 프로그램들을 수행하는 특정인일 수 있다.

보안부서에 훌륭한 인사 기술이 있어야 한다는 것도 중요하다. 계약직의 경우는 해당조직의 누군가 그들을 관리하는 책임을 져야 한다. 보안요원이 사내 직원이거나 계약직 혹은 둘 다인지에 관계없이 사람들을 잘 관리하고 있는지 여부를 파악하는 것은 매우 중요하다. 이는 조직의 사기와 효율성에 영향을 미치고 궁극적으로는 직원들의 이직률에도 영향을 주게 된다.

또한 계약회사가 기본 지식이 있는 보안담당자를 제공하는지 확인해야 하고, 그 기술이 적합한지 판단해야 한다. 계약회사가 행정직 및 기타 업무을 수행하는 추가인력을 제공하는 것은 상당히 일반적인 일이다. 효율적으로 업무를 수행하고 적절한 교육을 받은 인력이라면 문제가 되지 않는다.

조직에 어떤 역량이 필요한지 결정한 후에는 해당 작업을 수행하는 사람들이 올바른 역량을 보유하고 있는지, 업무량에 따라 적절한 업무가 배분되었는지를 평가해야 한다. 평가를 수행하는 동안 결정하기 어려울 수 있지만 최고의 접근법은 그들의 성과가 만족스러운지 알아내는 것이다. 예를 들어, 인사 기술과 관련하여 어떤 유형의 교육에 대해 감독자(교대 감독자를 포함하여)와 구성원들이 정기적으로 제공되고, 해당교육 분야 중 어느 부분이 인사관리 기술에 적용되는지 확인하는 것이 좋다. 또한 조직 내의 직원 보상프로그램에 대해서도 문의해야 한다. 이직률 또한 전형적으로 보는 분야이다. 이직률은 일반적으로 계약직에 관한 고려 사항이지만 정규직 인력과의 문제일 수도 있다고 본다면 좋지 않은 역량의 예측요인일 수도 있고, 그들의 인력관리 성과에 대한 궁극적인 결과로 나타난다. 각 업무영역에 대해서도 필요한 자격을 갖추었는지 알아보기 위해 테스트해야 한다.

보안요원 평가

먼저 보안담당자의 역량수준을 검토한다. 물론 순찰을 수행하고, 보안구역에 근무를 서고, 현장 구성원과 상호작용하는 분야에서 보안요원으로서의 기본적인 책임을 얼마나 잘 수행하고 있는지 평가해야 한다. 그러나 이 외에도 회사 경영진, 직원 및 임차인들이 때때로 근무복을 입은 보안요원과 단지 30초간 마주치는 것으로 시설의 보안에 대해 판단 한다는 것을 이해해야 한다. 이들은 근무지 한편에서 서로 이야기하며 서 있는 두 세 명의 보안 담당자를 보았을 때, "보안 근무자가 주변에 서서 서로 이야기 할 시간이 있다면 쓸데없이 너무 많은 보안 담당자가 근무 중이다."라고 평가할 수도 있다. 남성 보안요원이 안내데스크에 서서 여성 안내데스크 담당자와 이야기를 나누고 있을 때, 그들은 단지 그녀에게 시시덕거리고 있을 정도로 시간이 많거나 "자신의 일"을 하지 않고 있다고 섣불리 판단할 수 있다. 보안요원의 근무복이 더럽거나 몸에 잘 맞지 않는다면 보안조직이 매우 전문적이지 않다는 판단을 내려버린다. 비록 이런 판단이 타당하지 않다는 것을 논리적으로는 이해할 수 있지만, 그럼에도 불구하고 그러한 판단이 매우 현실적이며, 예산승인 및 인력배치에 영향을 미치게 하고, 보안부서에 확신을 가지고 있던 사람들을 포함하여 클라이언트의 만족도를 떨어뜨릴 수 있음을 인식해야 한다. 보안의 업계에서 "인식은 현실"이다. 검토를 수행할 때 현장 구성원들이 보안조직을 어떻게 인식하는지 확인해야 한다. 보안관리자는 보안담당자의 교육과정에서 인식문제를 다루고 있는가? 교대 근무 감독자는 운영 중인 요원들을 관찰하면서 이러한 유형의 문제에 집중하는가? 그런 다음 모든 교육과정을 검토하여 요원들이 검토 완료된 표준교육을 받고 있는지 확인해야 한다.

교대 감독자 평가

교대 감독자는 일반적으로 보안담당자의 일일업무 관리를 수행하지만 인사기술에 대한 교육은 거의 받지 않는다. 많은 운영자들은 현장에서 보안관리자의 현장감독 없이 보안요원을 관리하고 있다. 현장에서의 이직률을 살펴볼 때 교대자 또는 교대 감독자 중에서 다른 사람들 보다 이직률이 높은지 확인해야 한다(또한 보안관리자가 이러한 분석을 수행했는지 여부를 기록하는 것도 중요하다). 또한 그들이 요청한 일에 적합한 지 판단하기 위해 사람들이 받은 교육을 재검토할 필요가 있다. 그들 중에는 "타고난 지도자"라는 사람들도 있지만, 대부분은 그렇지 못하므로 그들은 인력과 사업 운영을 관리하는 올바른 방법을 배워야 한다. 종종 사람들은 잘못된 직업을 선택하고, 일부는 다른 사람들과 충분한 상호 작용을 하지 않기 때문에 좋은 감독자나 관리자로 성장하지 못할 것이며, 불행히도 일부는 그 역량의 부족을 극복하거나 보완할 수 있는 방법을 배울 수 없을 것이다. 교대 관리자의 역할은 보안담당자들의 일일 업무성과 실적에 핵심적인 요인이며, 따라서 기존 운영에 대한 평가에 매우 중요한 역할을 한다.

최고보안책임자(CSO) 또는 보안책임자 평가

아마도 평가하기 가장 중요한 직무이고, 때로는 기술 수준을 결정하기 가장 어려운 직무는 최고보안책임자(CSO) 또는 보안책임자이다. 보안업무의 모든 면에서 전문가일 필요는 없지만, 각 분야에 대해 합리적인 수준의 지식을 가지고 있어야 한다. 특히 기술에 있어서는 명백한 사실이다. 법 집행기관에 고용된 사람들은 보안기술에 대한 배경지식이 없을 수도 있다. 이것은 그들이 그것을 배울 수 없다는 의미는 아니지만, 그들이 모른다는 사실을 인지하지 못한다면 조직에 매우 심각한 문제가 될 수 있다. 평판이 좋은 인력을 고용했지만, 업무수행에 필요한 모든 역량들은 이전에 그가 수행했던 일들이 아닌 경우도 있다. 이러한 경우에는 가능한 단기간에 집중교육을 제공하여 조직을 신속하고 적절하게 관리할 수 있도록 준비해야 한다. 또한 개인이 너무 오랫동안 업무에 종사하며 생기는 문제가 있을 수 있다. 그들은 지속적으로 "그들이 항상 해왔던 방식"으로 보안조직을 관리하고 운영한다. 때때로 그들은 변화에 저항하기도 하고, 때로는 기술변화를 따라가지 못한다.

이러한 직책의 중요한 기술요구사항 중의 하나는 회사임원, 부서 담당자, 시설 소유자 및 보안조직 자체와 의사소통을 원활하게 할 수 있는 능력이다. 더불어 이러한 사람은 외부의 법 집행기관 및 기타 조직과의 좋은 관계를 만들고 유지할 수 있어야 한다. 어떤 사람들은 현재 이러한 의사소통의 역량을 갖고 있지 않다면, 조직에 해가 되지 않으면서 그러한 역량을 습득하기에는 너무 오랜 시간이 걸릴 것이라고 주장한다. 그 이론을 전적으로 지지하며, 의사소통 기술 부족으로 인해 보안조직이 임무를 수행하는데 어려움을 겪은 사례들을 보았다. 보안업무를 담당하는 사람이 회사임원과의 관계를 발전시킬 수 없다면 조직에 자금과 자원이 부족할 수 있다.

최고보안책임자(CSO) 또는 보안책임자의 역량에 중요한 역할을 하는 한 가지 측면은 비즈니스 지식이다. 단지 예산을 관리하는 능력을 의미하지는 않는다. 중요한 것은 비즈니스 지식이 아니라, 보안조직의 리더는 임직원, 자산 및 사업의 평판을 보호할 책임이 있으며, 사업이 번창할 수 있도록 안전한 환경을 조성해야 한다. 최고보안책임자(CSO) 또는 보안책임자가 보안 산업을 넘어서 지식이 풍부한 사람이 아니라면 효과적으로 이를 수행할 수 없다.

저자는 12년 동안 IBM에서 일한 후 보안 사업을 접하게 되었다. 제조, 관리, 마케팅, 시스템 엔지니어링, 컴퓨터 프로그래밍, 툴링 엔지니어링 및 엔지니어링 기록관리 분야에서 일했었다. 주로 프로젝트 관리기술과 1차 보안관리 업무를 인수하도록 요청 받았다. 이 시설은 확장 중이었으며 보안기술의 확장과 업그레이드를 관리할 인력이 필요했다. 보안 프로세스에 대해 알았을 때, 해당 위치에 있는 조직의 어느 누구도 보안을 제외한 IBM의 다른 영역에서 일하지 않았다는 것이 흥미로웠다. 그로 인해, 그들이 '나쁜 일이 일어나지 않게 막거나 나쁜 사람을 잡는 것'을 가장 중요하다고 생각한다는 것을 배웠다. 비록 이것이 틀린 것은 아니지만, 그런 생각은 때로는 비즈니스의 전반적인 성공과 충돌하기도 했다.

2년 후 현장 보안관리자로 승진했다. 일단 그 수준에 도달하면서 조직에 필요한 몇 가지 사항을 변경하기 시작했다. 첫째, 비즈니스의 다른 분야에서 경험이 없으면 보안관리직으로 승진시키지 않았다. 따라서 근무조 감독자들이 보안관리에 입문하는 방법에 대해 조언을 구할 때, 그들에게 최소한 1년 동안 제조 또는 관리업무를 수행할 것을 권했다. 그런 다음에 보안관리 업무로 승격될 수 있었다. 다음으로 조직에 새로운 기술을 도입할 수 있는 기회를 모색했으므로 인사 담당자를 일급 관리자로 끌어 들였다. 결국 조직은 보안조직에 가장 적합한 것이 아닌 비즈니스에 가장 적합한 것이 무엇인지 고려하여 이전과 다르게 운영해야 하는 방법을 알아보기 시작했다. "IBM은 보안 사업에 종사하는 것이 아니라 하드웨어, 소프트웨어 및 비즈니스 솔루션을 고객에게 판매하는 사업에 종사하고 있다." 조직으로서 한 일이 목표 이상이 아니라면, 무언가 잘못하고 있는 것이다. 주요 현장에서 대부분의 사람들이 "궁극적인" 고객에 대한 명확한 시각을 얻지 못하는데, 왜냐하면 그러한 현장에서는 IBM의 다른 기능이었던 즉각적인 고객들에게 너무 집중하기 때문이다. 그러나 보안담당자가 다른 기능을 수행하도록 함으로써 내부목표를 넘어선 내부고객의 요구사항을 파악하는 데 더욱 집중하기 시작했다. 이것이 회사 전체와 "진정한" 고객의 요구를 이해하는 단계로 더 나아가는 것이라고 믿는다.

최고보안책임자(CSO) 또는 보안책임자의 요구사항을 보다 완벽하게 이해하려면 ASIS International의 "최고보안책임자(CSO) 지침"을 검토하는 것이 좋다. 웹사이트 www.asisonline.org에서 찾을 수 있다.

다른 보안 직책의 평가

다른 직책도 자격이 있는지의 여부를 확인하기가 어려울 수 있다. 클라이언트의 운영에 따라 일급 관리자, 관리지원 등 다른 직책이 여기에 포함될 수 있다. 가장 중요한 직책 중 하나는 조사관의 직책이므로, 그 역량을 평가하는 방법을 알아본다. 예를 들어, 조사관에 대한 판단은 해결된 사례 비율만으로 판단할 수 없다. 사실, "나쁜 사람을 잡을 수 없을 것"이라는 걸 알면서도 손실을 막기 위해 단지 현재 상황을 단순히 바로잡는 결정을 하는 경우도 있다. 그러나 미해결 사건 파일을 검토하여 조사자가 조사를 종료하기 위해 취한 단계를 정확하게 파악하는 것이 중요하다. 예를 들어, 한때 중고 컴퓨터 부품의 유입이 회사 주요시설 중 한 곳에 위치한 도시의 시장에서 급격히 늘고 있는 경우가 있었다. 초기조사에서는 부품의 출처나 판매처를 밝혀내지 못했다. 회사는 수사와 관련하여 현지경찰과 접촉했지만 의미있는 결과를 밝혀내지 못했다. 나중에, 현장의 모든 공개 사건파일을 조사했을 때 흥미로운 특이점을 발견했다. 경찰에 따르면 폐기물 처리장에서 부품이 유출되었다고 밝혀졌다. 이곳으로 교환되거나 반환된 컴퓨터가 재사용이 가능하도록 특별한 방식으로 처리해야 하는 부분을 제거하기 위해 보내지게 된다. 통상 사람들이 알지 못하지만 금과 백금과 같은 귀금속을 사용하여 만들어진 수많은 컴퓨터 부품이 있다. 일반인은 이런 부품에서 금속을 제거할 수 없다.

그것은 특별한 처리과정을 필요로 한다. 하지만, 이런 처리과정을 통해 폐기물 처리업자는 이 과정을 시행해야 약간의 비용을 줄일 수 있다. 이것이 중고부품의 유입 원인이 될 수 있다는 가정 하에 폐기물 처리작업에 대한 통제를 시작했다. 우리는 작업장 통제가 불충분하다는 것을 알았다. 외견상 처리장 보안에 대해 특별히 신경 쓰는 사람은 아무도 없었다. 단지 중고 컴퓨터만이 해체되고 있었기 때문이다.

이런 유형의 조사에서 수시로 결정해야 하는 사항 중 하나는 "나쁜 짓을 한 사람을 잡아야 할지 그냥 문제를 막아야 할지"이다. 조사에 많은 시간과 자원을 소비할 수 있다. 때로는 그것은 회사가 겪고 있는 손실보다 훨씬 더 클 수 있다. 그래서 저자는 문제만을 바로 해결하기로 했다. 비즈니스 통제 및 절차를 추가 실시해서 해당 지역 내 반출입물에 대한 확인을 하도록 했다. 또한 폐기물처리장 내 귀금속 탐지가 가능한 금속탐지게이트를 설치 운용했다. 현장에서 일하는 사람들 중 몇 명은 시간제 근로자였기 때문에 일정 시간 후 다른 직원들로 교체하도록 했다. 결국 부품의 시장유입이 예전수준으로 줄어들면서 중고부품 문제가 해결되었다. 문제가 있던 처리장 밖으로의 부품 및 자재 유출 우려 또한 해소되었다. 이 경우에 나쁜 짓을 한 사람을 잡지는 못했지만 문제를 해결했고, 이런 식의 해결을 통해 전면적인 조사를 할 경우 보다 비용이 적게 들었다.

미해결 및 종결사건에 대한 적절한 분석을 수행하는 것은 물리적 보안 전략에 필요한 변경사항을 결정하는데 있어 매우 유용할 수 있으며, 관리자 방문 및 기타 절차 변경을 최적으로 활용할 수 있다. 또한 조사관의 능력에 대한 통찰력을 제공할 수도 있다. 저자는 수년 간 더 단순하고 평범한 사례로 시간을 "낭비"하고 싶지 않았던 조사관들과 마찰을 빚었다. 그들은 "중요한" 사례를 다루고자 했다. 저자는 그들에게 평범한 것처럼 보일 수 있지만 피해자에게는 그렇지 않을 수도 있다고 설명하였다. 한 명의 피해자는 회사만큼 중요한 클라이언트이다. 또한 사례의 양으로 보면 일반적으로 단순한 사례의 수가 많으므로 최대한 많은 문제를 해결하는 것이 중요하다고 설명한 적이 있다.

데이터 분석은 반복되는 활동패턴을 보여줄 수 있고, 사례를 해결하는 훌륭한 도구가 될 수 있으므로 조사자가 데이터분석을 얼마나 광범위하게 사용하고 있는지 살펴봐야 한다.

이러한 다른 직책 중 많은 부분을 평가하는 가장 좋은 방법은 최고보안책임자

(CSO) 또는 보안책임자에게 보안요원의 각 구성원에 대한 인사파일을 제공해달라고 요청하는 것이다. 그런 다음 개별 담당인력의 업무방식 절차와 업무성과를 살펴보면서 각자의 업무효율성에 대한 합리적인 판단을 내릴 수 있다. 확신하지 못하는 사람들을 위해 그들의 업무내용을 보다 깊이 파악해보고, 능률적이지 못하다고 생각되면 그 직원에 대한 평가를 최고보안책임자(CSO) 또는 보안책임자와 협의할 수 있다.

인력배치 수준

다음으로 인력배치 현황을 검토하여 필수적인 여러 가지 직무에 적절한 인력이 배치되었는지 확인해야 한다. 어느 한 보안부서에서 인원을 증원시키는 상황이 회사 내에서의 전개되는 여러 경우가 있다. 예를 들어, 합리적인 기한 내에 사건을 해결하기 위해 더 많은 조사관을 필요로 하는 조사사건의 증가가 있을 수 있다. 안타깝게도 회사는 이러한 상황에 맞게 직원 수를 언제나 늘려주지는 못하며 다른 부서로부터 인력을 재배치 받게 된다. 이는 다른 부서의 효율성이 현저히 떨어지지 않는 한 적절한 조치일 것이다. 해당부서의 업무부하 균형에 대해서는 이미 수집한 정보부터 다시 살펴봐야 한다. 이전에 언급했듯이 업무부하는 일반적으로 물리보안, 경영진보호, 정보보호, 위기관리, 비상계획 및 조사관리 분야에 고루 분산된다. 이 다양한 직업을 수행하는 사람들의 역량기술을 검토했으므로 특정부서에 인력이 과다 또는 과소 배치되어 있는지에 대한 통찰력을 이미 가지게 되었다. 이제 이 부서에서 권장사항을 공식화하기 위해 각 업무항목에 대해 인력이 과하거나 부족한 정도를 판단해야 한다.

보안 담당자가 정규직인지 계약직인지 또는 둘 다인지 확인해야 한다. 다시 말하지만, 이 부분에서는 정답이 없다. 좋은 결정이 내려졌는지 그리고 그것이 문서화되었는지 확인할 필요가 있다. 전략으로 문서화된 경우 해당 전략을 고수하고 있는가? 다음사항을 결정해야 한다.

• 담당인력이 충분하거나, 너무 많거나, 적은가?
• 근무복을 입은 보안요원들이 교육을 받았는가?

- 기업문화에 적합한 이미지를 가지고 있는가?
- 근무복이 환경과 일치하는가?
- 관리감독자가 경험이 있는가?

충분한 보안담당인력이 있는지 또는 너무 많은 지의 여부에 대한 평가는 복잡할 수 있다. 일부 지역의 경우 특정수의 고정 근무위치와 1명 또는 2명의 순환배치인력이 있다. 그들의 요구는 일상적인 일로서 예외사항은 매우 드물다. 이 지역에서 다루어야 할 일반적인 관심사는 잠재적인 응급상황에 효과적으로 대응·반응할 수 있는 보안요원이 충분한 지의 여부이다. 어떤 회사는 시설관리 인력이 이런 상황에 지원할 수 있도록 대응 조직도에 포함되어 있기도 하다. 이 사람들이 적절한 교육을 받으면 이런 대응방안이 적절하다고 본다. 그것은 정기적인 시나리오 훈련실시를 포함한다. 이 훈련이 일상적으로 실시, 업데이트되고 있는지 확인해야 한다.

하지만, 여러 가지 예외사항이 일어나는 몇 군데 장소에서는 예상보다 더 많은 인력을 배치해야 할 수 있다. 이런 곳에는 피크 시간대에 요구되는 보안요원수 만큼 배치되어야 한다. 이런 상황이 발생해서 추가배치가 필요하다고 판단되면 이런 추가배치인력이 수행할 직무내용을 검토·파악토록 한다. 예를 들면, 보안장비가 적절히 작동하고 있는지, 소화기 점검기한이 다하지 않았는지 확인한다. 보안요원 수를 검토하기 위해 근무위치 배치규정을 검토하고 주변상황에 적합한지 파악해야 한다. 당직인력이 과다 또는 부족하다고 생각되면, 그러한 근거사유를 정확히 판단하기 위해 보안담당임원과 협의해서 판단해야 한다.

추가로, 보안요원 요건과 설치된 기술시스템이 균형을 맞출 수 있도록 한다. 출입통제, 경보, CCTV시스템의 사용은 어느 정도 당직인력 소요를 감소시키게 된다. 하지만, 어떤 시설은 매우 빈번한 방문객 수로 인해 일정 시간대 출입통제 게이트를 개방 또는 해제하고 보안요원을 배치해야 할 수도 있다. 이런 예외사항이 발생하는 걸 파악하게 되면 이런 조치가 업무 및 보안상 합당한지 판단, 결정해야 한다. 흔히 겪는 상황은 "늘 그렇게 해왔던 방식"이기 때문에 그런 상식으로 보안요원 배치를 해왔던 것이다. 제3자가 기여하는 주요한 내용은 현재 업무관행을 살펴보고 "왜 그런 식으로 하는가?"라는 정확한 질문을 던지는 것이다. 사람들이 흔히 해오던 관행 또는 익숙한 곳을 찾듯이 비즈니스 보안 운영도 마찬가지로 익숙한 관행에 안주하려고 한다.

무장, 비무장 보안요원

이 분야의 최종 검토부분은 적어도 감정적 문제가 될 수 있다. 이 문제에 관해 보안업계에서는 상반된 생각이 있다. 직장 내 폭력사태나 현금 또는 다른 귀중품을 탈취하려는 무장공격의 경우, 그에 대처하기 위한 무장 보안요원을 최소한으로 배치시키는 게 필요하다고 생각하는 사람들도 있다. 대부분의 경우 무기는 문제를 일으키며 해결책으로 부적절하다. 사업장에서 총격전이 벌어지게 되면 틀림없이 누군가는 죽거나 다치게 되며, 흔히 무고한 제3자의 희생을 초래하게 된다. 더욱이 무장요원은 총기사용에 능숙한 사람이지만 범인은 그렇지 못해 사태가 커질 수 있다.

어떤 상황이나 여건에서는 무장보안요원 배치가 필요한 경우도 있다. 예를 들면, 확실한 리스크가 있는 곳에는 무장요원을 배치할 매우 합당한 사유가 있다고 믿는다. 하지만 이런 상황에서 바람직한 방향은 경찰병력을 배치해달라고 하거나 비번경찰을 채용하여 배치하는 게 낫다. 은행이나 원자력 발전소 같은 시설에는 무장요원을 배치하는 것이 정당화될 수 있다. 무장보안요원을 배치하는 게 낫다고 생각되는 일반적인 비즈니스 환경이 많지는 않다. 최선의 방책은 보안요원에게 위기대처기술을 교육시키고, 현장의 보안강화를 위해 비번경찰요원을 채용하도록 하여 특정한 위기상황을 상정하는 비상대응계획을 마련토록 하는 것이다.

이런 보안조치계획 마련에 핵심적인 요인은 클라이언트가 이런 결정을 공식적으로 진행했는지 확인하는 것이다. 그런 결정에 합당한 이유를 갖고 문서화 되어 있으며, 문서화 과정에서 사내 자문변호사와 경영진에 의해 모든 사람들이 동의하는지 확인되었는가? 만일 그렇지 못하다면 이런 검증과정은 반드시 실시되고 적합한 인력에 의해 정기적으로 확인검토 되도록 시큐리티 마스터 플랜의 일부에 반영되어야 한다.

8

예방조치, 위기관리 및 비상복구프로그램의 확립

　2장의 리스크 평가에서 살펴본 것처럼, 대부분의 최고경영자(CEO), 최고재무책임자(CFO) 및 인사담당임원들 몇몇은 리스크 경험이 없기 때문에 모든 리스크를 다 파악하지 못할 수 있다. 민간기업이나 공공기관이 맞닥뜨리게 되는 수많은 리스크에 이런 상황이 있을 수 있다. 좋은 프로그램에서 리스크에 대한 정보를 얻지 못하면, 경영진들은 그런 리스크의 존재자체를 망각하게 된다.

　다음은 예방 및 비상복구프로그램의 개요이다. 즉 새로운 리스크가 확대되거나 기존 리스크가 증가하거나 문제점이 확산되지 못하게 예방할 때의 결정에 도움이 되는 다양한 프로그램이다. 올바르게 계획되고 실행되는 비상복구프로그램은 어떤 문제가 발생할 경우 회사가 조속히 업무정상화를 할 수 있게 한다.

예방 및 비상복구 프로그램

‣ 비즈니스 정보조사

‣ 위기관리 계획

‣ 기업 평판 위기관리 계획

‣ 기업 조사 : 재무, 재정 건정성, 범죄, 컴퓨터 및 네트워크

‣ 자산 실사 절차

‣ 비상대응 계획 및 훈련

‣ 비즈니스 연속성 및 재해 복구

‣ 경영 보호 프로그램

‣ 내부감사 및 영업통제, 모니터링 프로그램과 부정과 무결성 프로그램

‣ 채용전 신원조회 및 약물 검사

‣ 리스크 평가 프로세스(연간)

‣ 보안 시스템 및 절차

‣ 테러, 생화학테러 및 국토 안보부 : 위협 자문 시스템 대응

‣ 직장 내 폭력 예방 프로그램

비즈니스 정보조사

첫 번째 항목은 비즈니스 정보에 관한 것이다. 대부분의 중소기업 및 대기업은 경쟁사 정보를 수집하고 사업에 관련된 유용한 정보를 분석하는 전담부서를 두고 있다. 어떤 소규모 회사들은 이런 업무를 마케팅부서에서 수행하며, 비록 정식 조직에서 꼭 수행하지는 않더라도 임원이 정보를 취합할 것이다. 대부분의 이런 정보는 보안조직과 관련이 없지만 회사가 다루게 될 리스크를 명확히 깨닫게 해준다. 컨설턴트는 클라이언트가 이런 정보를 수집하는 방법과 리스크의 영향력을 파악하는데 도움이 되는 아이디어를 갖고 분석하고 있는지를 확인하는 게 중요하다.

위기관리 계획

위기관리 계획은 최고보안책임자(CSO)의 직접 책임 하에 있으며 아마도 여기에서 더 많은 시간을 검토, 협의하게 될 가장 중요한 부분이 될 것이다. 유감스럽게도 많은 회사가 시간을 들여서 위기관리 계획을 발전시켜놓고는 서랍이나 책장에 처박아놓고 다시는 들여다보지 않을 경우가 많다. "비상대피 계획"은 아마도 대부분의 회사조직이 일상에서 실행하는 유일한 계획일 것이다. 물론, 이것도 대부분 연중 한번 하는 행사로만 실시되며 불행히 이 조차도 최소한의 수준에서만 시행되는 정도일 것이다.

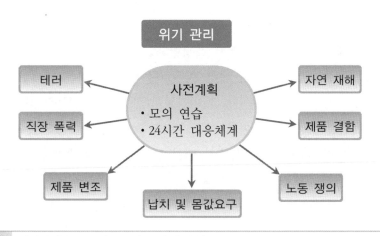

그림 8.1 위기상황을 구성할 수 있는 사건 유형

일반적으로 화재 경보를 확인하기 위한 시험을 실시하지만, 다른 대체 비상대피 요구사항은 시험하지 않는다. 예를 들어, 직장폭력 상황이 발생해서 총기난사범이 있는 한 층 또는 특정장소를 제외하고 건물 전체에 있는 사람들을 대피시켜야 할 수도 있다. 또는 캠퍼스 환경에서는 인접 건물로 대피할 수 있는 건물이 필요할 수도 있다. 가능한 많은 대체 대피 통보문서를 사전에 작성해 두어야 한다. 마지막으로 필요한 것은 뭔가 잘못된 일이 일어났다고 하거나, 사람들을 긴장상태에 몰아넣는 비상방송을 할 사람을 두는 것이다. 만약 가능하다면, 다양한 상황에 맞는 안내방송내용을 사전에 녹음하고, 운영자가 상황에 맞는 내용의 녹음 테이프를 방송하게끔 방송시스템을 미리 구축해놓아야 한다.

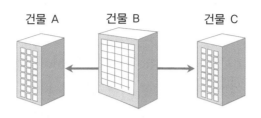

그림 8.2 대피 예 : 3개의 건물이 나란히 있는 사례

예를 들어, 캠퍼스 형태의 환경에서 건물 중 하나에 문제가 발생 하였다. 해당 구역의 건물배치는 건물 3개가 나란히 상호 연결되어 있다(그림 8.2 참조).

미국 동북부는 한창 겨울이었기 때문에 꼭 필요하지 않는 한, 사람들을 외부로 보내고 싶지 않았다. 문제는 건물 B의 중간에서 발생하였고 건물의 서쪽은 건물 A로, 동쪽은 건물 C로 대피시키기로 결정했다. 안내방송 시 가장 큰 걱정거리는 사람들이 어느 쪽으로 대피할지 너무 혼동스럽지 않을까하는 것이었다.

건물 B에서 가장 가까운 출구로 대피하도록 한 다음 직원들로 하여금 사람들을 외부에서 안전한 건물로 들여보내도록 했다. 그 당시 새로 부임한 상사가 있었고 자신의 방법이 최고라고 확신했기 때문에 상사에게 안내방송을 맡겼다.

그는 안내방송은 했지만 약간의 실수를 저질렀다. 건물 C 근무자들에게 서쪽과 동쪽으로 대피하라고 말했다 저자는 그에게 그 실수를 알려줬고, 그는 즉시 첫 번째 발표가 잘못되었다고 정정하고서는, 다시 이번에는 A빌딩 근무자들은 서쪽과 동쪽으로 대피해야 한다고 안내방송을 했다. 다시 그에게 그의 새로운 실수를 알려주었고 그는 이 문제를 해결하기 위해 즉시 저자에게 권한을 넘겨주었다.

저자는 모든 가능한 보안요원들과 방재실 인력을 건물에 배치하고 사고현장에서 모든 사람들을 직접 대피시켰다. 그 사건 이후, 상사는 사고현황을 단순화하고자 하는 저자의 주안점과 "자기 머리속에서 즉흥적으로"하는 발표가 문제를 더욱 악화시킬 수 있다는 것을 이해했다.

기업 평판 위기관리 계획

경우에 따라 회사의 평판에 영향을 미칠 수 있는 문제에 대한 대응방안을 모든 잠재적 재난요인을 포함하는 위기관리 계획에 포함할 수 있다. 그러나 만약 그 계획이 존재한다면 평판위기에 대한 반응이 주주들과 대중들에게 중요한 요인이 될 것이기 때문에 대부분의 경우 의사소통 작용에 의해 유지된다. 만약 그것이 타당한 계획이라면, 각각의 상황 대응 시 발생 가능한 문제에 대한 시나리오에 추가적 의견이 포함될 수 있을 것이다. 기본적인 목표는 계획이 존재하는지 여부를 파악하고 최소한의 위기관리 계획 내에서 그것이 언급되었는지 확인하는 것이다.

기업 조사 : 재무, 재정 건정성, 범죄, 컴퓨터 및 네트워크

주요 초점은 보안조직 내의 누군가가 조사 데이터를 문서화된 리스크 항목과 비교하여 빠른 시간 내에 상관관계를 파악하고 상황의 악화를 막기 위한 적절한 계획을 수립하는 것이다. 이 사업 분야의 범죄에 대해 보안 및 내부 감사부서가 이 데이터와 관련된 정보와 자산의 재무처리 등 관련된 문제를 나타내는 감사결과를 공유하는 것이 중요하다는 점을 이해해야 한다. 또한 이 문제가 지속적으로 발생하고 있는지 확인해야 한다.

자산 실사 절차

대부분의 기업에서 이 프로세스는 다른 사업체와 사업관계를 맺고자 할 때 실행되는 중요한 절차이다. 이런 경우는 협력사로서든, 대규모 생산 외주협력 건으로든, 합병 또는 심지어 다른 회사를 공개 매수하는 건일 수도 있다. 상황이 어떻든 잘못된 재무결정으로부터 자기 자신을 보호하기 위한 실사 과정을 두도록 해야 한다. 이것은 기업의 정보가 쉽게 파악되지 않거나 신뢰할 만하지 않은 외국에서 사업이 수행되는 경우 특히 중요하다.

비상대응 계획 및 대피훈련

이것은 위기관리 계획의 일부분이어야 하지만 일부 회사에서는 두 가지를 분리해서 각각을 조직적으로 대응하지 않는 경우도 있다. 위기관리/비상계획과 비상대피 계획은 적어도 6개월마다 정기적으로 검사하고 업데이트하지 않는 한 효과적일 수가 없다. 대피훈련을 할 때에는 실제 응급상황에 관련된 모든 담당자들이 함께해야 한다. 만일 담당임원의 보좌인력이 대피훈련을 하고, 비상사태 발생 시에만 담당임원이 직접 상황통제를 하게 한다면 정상적인 대피훈련이 안 된다. 담당임원은 프로그램이 어떻게 작동하는지 이해하지 못할 것이고, 더 많은 문제를 야기할 것이다. 위기 관리팀이 비상사태의 유동성을 이해하고 각 상황에 대한 절대적인 정답이 없음을 이해할 수 있도록 훈련 시 매번 다른 시나리오를 사용해야 한다. 따라서 해당지역의 훈련실시 때마다 클라이언트가 수행했던 세부 활동의 이력을 검토해야 한다. 올바르게 작성했는지, 누가 참석했는지, 어떤 시나리오를 사용했는지, 훈련실시에서 배운 교훈 등을 포함하여 각 훈련의 결과를 모두 문서화해야 한다. 즉, 학습교훈에 의해 필요한 변화를 반영해야 한다.

다음은 저자가 버몬트의 IBM 재직 시 수행한 시나리오 테스트로, 비상대응을 이해하는데 유익한 사례가 될 것이다. 자산에 대해 발생할 수 있는 다양한 위기상황별 시나리오를 개발했다. 땅을 가로질러 달리는 철로를 소유하고 있기 때문에 개발한 시나리오는 열차 사고에 관한 것이었다. 어느 해 인근 지역 관계당국을 초대하여 함께 비상대응 시나리오의 훈련을 하였다. 이 훈련을 통하여 관계당국 간의 소통문제 때문에 더 많은 문제들이 발생하는 것을 배우게 되었다. 이러한 유형의 주요 사건을 다루는데 많은 훈련을 받지 못했다는 사실, 그리고 부상자를 옮기는 데 쓸 수 있는 환자이송용 침상의 부족 등 많은 것들이 부족한 실정이었다. 시나리오 테스트의 결과로 목공소에서 끈이 달린 125개의 목재 들것을 만들었다. 125개의 담요와 다양한 크기의 약 50개의 작업복을 구입했다. 또한 이슈화된 소통문제에 대한 해결책을 조사하기 위해 여러 기관과 협력하기 시작했으며, 각각의 관할권을 가진 사람들이 주요 비상사태 발생 시에 각 관할 구역의 주파수를 할애하도록 요구할 수 있도록 계획을 수정했다.

그 해 말에 278명이 탑승 한 13량의 "전미철도여객수송공사(Amtrak)" 열차가 탈선한 사건이 있었다. 그 당시 해당노선의 열차운행 중 13년 만에 일어난 두 번째 최악의 열차 사고로 집중호우까지 겹쳐 5명이 사망하고 149명이 부상당한 큰 사고였다.

그림 8.3에서 볼 수 있듯이, 사고열차는 고립되고 나무가 우거진 지역에서 발생했다. IBM의 방재실 시설인력들이 처음 현장에 도착했고 구조작업을 도맡아 수행했다. 결국 주방위군을 포함한 관내의 모든 관련당국이 도움이 필요한 현장

에 도착하였다. 운 좋게도 그 아침에 현장에 있던 건설 장비를 사고지역으로 즉시 보내 부상자 이송장소, 헬리콥터 착륙 장소 그리고 열차잔해로의 접근로를 구축하기 시작했다.

그림 8.3 탈선으로 인한 여객열차 탈선사고의 위성사진. 위스콘신 주(州) 버몬트의 센트럴 버몬트 근처. 1984년 7월7일.

IBM 비상통제관리센터는 사상자를 완전히 구조할 때까지 걸린 24시간 정도의 전체 구조작전과정을 완전히 통제했다. 만든 모든 비상용 들것과 담요는 그 날 활용되었다. 커뮤니케이션 문제에 관해 이전에 배운 교훈을 바탕으로 새로운 응급구호팀이 도착할 때마다 한 사람은 통신지원을 위해 무전기를 지니게 해서 지휘소 업무에 배정했다. 주요비상사태에 대한 계획의 일환으로 식당종업원에게 생존자를 위한 음식과 음료를 준비하도록 요청했으며 가벼운 부상자는 구조현장 식당으로 보내서 치료를 받도록 했다. 주변 모든 대응기관과의 초기 시나리오 대응 훈련실시를 하지 않았다면, 그날 사망자 수가 훨씬 더 늘었으리라고 생각한다.

열차들은 씻겨져 내려간 도랑에 목재더미처럼 겹쳐져 있었다. 그날 불행하게도 목숨을 잃은 다섯 명 모두가 마지막 칸에 있었다. 약 150명의 모든 IBM 직원이 그날의 구조작업에 참여했었다. 그 중 일부는 보안과 비상 관리부서에서 일하고 있었고, 다른 사람들은 주변 지역의 기관들과 함께 온 자원봉사자였고, 또 다른 사람들은 지원을 위해 불려온 구내식당 및 의료부서 직원이었다. 이 밖에 중요한 사실은 지난 몇 년간 수행된 시나리오 테스트처럼 모든 위기관리팀 구성원들은 위기관리 회의실에서 필요한 모든 자원을 제공함으로써 해당위치에서 현장의 팀을 지원했다는 것이다.

보안관제센터에서 위기관리실로 공급된 CCTV 시스템을 통해서 지원활동의 일부를 볼 수도 있었다. 최악의 비극에서 최선을 다할 준비가 잘되어 있었기 때문에 소중한 생명을 구할 수 있었다.

그림 8.4 비상 관리, 보안 및 기타 부서의 약 150명의 IBM 직원이 구조작업을 지원하고 있다.

위기관리와 재난 대응계획의 다른 측면은 계획의 의사소통 측면을 다룬다. 이 부분에 대해 자세히 설명할 수 있는 가장 좋은 방법은 *Security Tech- nology & Design Magazine*에 나와 있는 관련주제에 대한 기사를 포함시키는 것이라고 생각한다.

비난게임
(1937년, 주정부 및 연방정부 관료들이 뉴올리언스 대피, 보호, 재건의 실패에 관한 책임소재를 두고 공방을 벌이면서 널리 사용되기 시작한 표현)

재난이 발생하면 대응할 준비가 되었는가?

재난계획은 대부분의 사람들이 일상적으로 대하는 주제이다. 저자는 모든 보안담당 임원, 보안책임자 및 보안서비스 제공자들이 시행할 수 있는 준비된 위기관리계획을 갖고 있다고 생각한다. 저자는 이러한 계획들이 일어날 수 있는 모든 우발사태들을 다룰 수 있기를 희망한다. 그들은 발생할 수 있는 특정 이벤트의 영향을 최소화하는 방법뿐만 아니라 해당 이벤트를 복구하여 가능한 한 빨리 정상상태로 되돌릴 수 있는 계획을 잘 세워야 한다.

적절한 재난계획이 없다고 생각되면 ASIS 재해대비가이드(www.asisonline.org) 사본을 다운로드 하기 바란다. 이 지침은 계획의 모든 측면을 살펴볼 수 있는 훌륭한 체크리스트를 제공할 것이다. 또한, www.asisonline.org /guidelines/inprogress_published.htm에서 다운로드 할 수 있는 "비지니스 연속성 지침 : 비상대비, 위기관리 및 재해복구를 위한 실용적인 접근법"을 검토해야 한다.

저자는 많은 사람들이 고려하거나 계획하지 않은 위기관리의 측면이 있다고 믿는다. 이러한 상황이 이미 발생한 경우, 관리인, 정치인 또는 언론매체가 피해를 평가하기 시작하고 특히 사람이 만든 재난인 경우 재난 발생을 우선적으로 지적한 사람이나 단체를 지목한다. 중대한 재해가 일어났을 때 누가 책임을 져야 하는지 쉽고 빠르게 결정할 수 없다면, 정당한지에 상관없이 어딘가에서 책임을 지우려고 한다.

한 가지 사례가 '911 테러'일 것이다. 이러한 끔찍한 사건의 여파로 보안책임자는 일자리를 잃었고 보안회사는 업무를 잃었으며 심지어 테러가 발생하도록 허용했다고 공개적으로 비난 받은 개인과 회사도 있었다. 이 중 가장 주목할만한 것은 Frank Argenbright, Jr.이며, 그는 이전에 Argenbright Security 회사를 소유했었다. Frank Argenbright, Jr.는 9월 11일 테러 1년 전부터 자신의 회사를 매각했으며, 테러 당시에는 더 이상 경영진이 아니었다. 그런데도 그는 여전히 국영방송에서 CEO 직에서 "해고당했다"라고 한다.

왜냐하면 Argenbright Security는 전 세계의 여러 공항, 특히 보스턴의 Logan 공항과 계약을 체결했었기 때문에 위의 계약자들로부터 의도적으로 계약해지 되었다.

재난 발생으로 비롯된 비난여론에 대응하는 계획을 회사들이 보유하고 있었다면 911 테러의 여파가 어떻게 달라졌을지 궁금하다. 물론 대부분의 회사는 조직의 누군가(일반적으로 홍보부서)가 재해 발생 후 직원, 클라이언트 및 언론과의 의사소통을 담당하고 있다. 하지만 이러한 전문가들이 실제로 이 시나리오에 대한 적절한 계획을 수립하였는가?

우리 모두는 일이 잘못될 때, 특히 나 자신을 변호해야 하는 입장에 놓이게 될 때, 심지어 당신의 실패가 아니었을 때조차도 승산 없는 싸움을 해야 할 수 있다. 따라서 Argenbright Security가 그러한 사건 직후에 언론에 대해 어떤 말을 할 준비 계획을 갖고 있었다면 어떠했을까?

한 예로 공항에서 승객 심사를 담당하는 경우, 어떤 시점에서 보안검색 요원이 기본 업무를 수행하지 못했음을 암시하는 사건이 발생할 것이라고 가정해보자. 그래서 다른 사람들이 비난을 제기하기 전에 보안검색과정을 거쳤음에도 무기를 반입했는지 또는 다른 경로로 무기를 들여왔는지 여부를 알아내기 위해 당국과 즉시 작업하기 시작할 것이라고 발표하면 어떠한가? 아니면 다른 방법으로 비행기에 탑승하였는데, 그것이 잘못되었다는 의견을 내세울 것인가?

방어 자세를 취하는 대신에, 공격적인 자세를 취했다면, 그들은 자신들과 다른 회사에서 해고되는 것을 막을 수도 있었을 것이다.

위기관리 계획에 관여하는 모든 사람은 자신이나 회사가 비난 받을 수 있는 잠재적 재난이 무엇인지 판단하고 그러한 발생에 어떻게 대응할 것인지에 대한 해결방안을 미리 결정하기 위해, 프로세스를 한 단계 더 멀리 나아갈 것을 고려한다. 이것은 대중에게 영향을 미치는 인간이 만든 재난을 다루는데 가장 도움이 되겠지만, 회사 내부에 분명하게 존재하는 비상사태에 대해서도 고려할 수 있다. 자신의 상황과 관련하여 발표성명서의 여러 버전을 초안 작성하는데 도움이 되도록 외부에 있는 전문가를 고용할 수도 있다. 당신의 회사에도 똑같은 권고가 적용된다.

이 문제에 대한 최선의 접근법은 이미 위기관리 계획에 있을 수 있는 몇 가지 시나리오를 개발한 다음 전문적인 홍보담당자에게 정확한 상황에 쉽게 적용할 수 있는 상용구로 문구를 작성하는 것이다.

비상계획에 대해 더 알고 싶다면 웹사이트 www.asisonline.org에 있는 ASIS International의 '비즈니스 연속성 지침 : A. 비상사태 대비, 위기관리 및 재해 복구를 위한 실용적인 접근법'을 검토해야 한다. 또한, 부록 G '위기관리 비상계획 체크리스트'를 참조해라.

비즈니스 연속성과 재해 복구

재해복구를 통해 비즈니스 연속성 문제를 해결 할 수 있다. IT부서가 재해복구 계획을 수립하는 것이 중요한 이유는 비즈니스를 최대한 신속히 정상화하고 실행할 수 있기 때문이다. 하지만 많은 기업에서 진정한 재해복구 계획이 존재하는 유일한 영역은 비지니스 영역일 것이다. 업무를 수행하기 위해 사무실 공간, 사무 장비 등이 필요한 경우 직원이 근무할 장소가 없다면, IT 기능을 복구하는 것은 전혀 도움이 되지 않다. 모든 비즈니스는 리스크를 식별하는 재난복구 계획을 가지고 있어야 한다. 가능한 짧은 시간 내에 이러한 다른 기능들이 어떻게 다시 작동하게 될지 정확하게 정의해야 한다. 그들은 도상연습과 시뮬레이션 연습을 포함한 계획에 대한 대체작업 현장, 중요한 기록, 완화 전략 및 테스트를 정의해야 한다.

경영 보호 프로그램

미국의 많은 회사에서, 이 프로그램은 큰 규모의 대기업을 제외하고는 공식적으로 시행되지 않는다. 그러나 개인적으로는 위협적인 상황이 전개될 때 구현되는 계획일지라도 공식적인 프로그램이 모든 회사에서 개발되어야 한다고 생각한다. 발생한 직장 폭력 건수가 많을수록 외면한 체 "우리에게 일어나지 않을 것"이라고 생각하는 것은 미련한 일이라고 생각한다. 앞에서 언급했듯이, 부록 B, "경영진 및 직원보호"는 집중해야하는 여러 영역을 요약한 기본 프로그램을 제공한다. 이러한 유형의 프로그램은 각 고위 임원, 특히 외부에 대한 "회사를 대표할 얼굴"인 사람들을 위해 문서화되어야 한다. 또한 분석을 위해 보안기관에 위협적인 편지를 제공하고 가능하면 법 집행 기관 등에 제공되었는지 확인해야 한다.

내부감사 및 영업통제, 모니터링 프로그램과 부정과 무결성 프로그램

이러한 예방 및 차단 프로그램은 어떤 형태로든 거의 모든 회사에 존재해야 한다. 소기업의 경우 재무조직 내에서 일하는 사람이 수행할 수 있다. 대기업의 경우 일반적으로 재무 조직의 일원으로 회사 내 2~3개 부서가 있을 수 있다. 이러한 프로그램이 존재하는지 여부, 이들과 보안조직 간의 소통이 있는지 그리고 리스크분석 프로그램의 구성요인인지 여부를 결정하는데 다시 중점을 두어야 한다.

채용전 신원조회 및 약물 검사

앞의 장에서 언급된 바와 같이, 이 프로그램은 결격사유가 가장 적은 사람들을 최대한 활용함으로써 회사를 보호하는 중요한 역할을 한다. 모든 정규직 및 비정규직 고용에 대해 이것이 실행되는지 확인해야 한다. 또한 정기적인 약물 검사 프로그램을 마련하는 것이 중요한데, 일부 회사에서는 시행하지 않고 있다. 처음 고용되었을 때 깨끗하다고 해서 그들이 계속 그렇다는 것을 의미하는 것은 아니기 때문이다.

리스크 평가 프로세스(연년)

이미 이 프로그램을 실행하는 중요성에 대해 언급했다. 여기에서 요점은 클라이언트에게 새로운 리스크를 재평가하고 이전에 확인된 리스크를 모두 업데이트하기 위한 연간 프로세스가 있는지 확인해야 한다는 것이다.

보안 시스템과 절차

예방 프로그램의 이러한 측면에 대해 매우 상세하게 언급했다. 그럼에도 불구하고 프로그램의 목록에서 벗어났다는 것은 부주의했기 때문이다.

테러, 생화학테러 및 국토 안보부 : 위협 자문 시스템 대응

먼저 클라이이언트가 테러의 잠재적 표적인지 판단해야 한다. 이를 위해서는 사내보안 전문가 및 현지 법집행 기관과 협의해야 한다. 잠재적인 테러리스트 표적으로 간주되는 사업은 극히 일부 존재한다. 대부분의 국토안보부(DHS) 사무국은 이러한 잠재적 표적을 확인하고 완화 계획을 수립하고 있다. 그들이 표적이 아니라고 가정할 때, 다음 고려사항은 그들이 잠재적인 목표에 꽤 근접해 있는지 여부를 결정하는 데 도움을 줄 것이다. 물론 이 작업은 모두 리스크 분석 프로세스의 일부로 수행되어야 하며, 사용자가 근접 시나리오를 고려하고 적절한 대응 계획을 수립했는지 확인해야 한다. 또한 매우 구체적인 이유로 여기에 생물학적 테러를 언급했다. 클라이언트가 개발한 계획은 선택한 무기가 일종의 폭탄이라면 잘 적용할 수 있을 것이다. 그러나 생물학적 공격계획의 구체적인 내용은 상당히 다르게 반영해야 한다. 예를 들어, 대부분의 생물학적 테러에 대한 계획은 대피시설로 대피할 필요가 있지만, 대피하는 것이 안전하다는 것을 확인하기 전까지는 대피시설로 대피할 필요가 없다. 이것은 생물학적 계획의 많은 세부 사항이 기존의 공격 계획과 상당히 다르다는 것을 의미한다.

국토안보부(DHS)가 처음으로 위협 자문 시스템을 도입했을 때, 그들은 자주 YELLOW에서 ORANGE로 변경하는 것처럼 보였고, 일반적으로 모든 사람에게 영향을 주는 방식으로 이루어졌다. 우리는 최근에 위협 자문 시스템을 사용하는 국토안보부(DHS)를 보지 못했지만 공식적으로 그 시스템은 여전히 사용되고 있다. 모든 기업과 시설이 위기관리 계획의 일환으로서, 위협 자문 시스템의 증가에 어떻게 대응할지에 대한 계획을 가지고 있어야 한다.

과거에는 국토안보부(DHS)의 시스템 사용에 대한 우려가 있었다. 대부분의 보안관리자는 위협 자문 시스템이 추가 보안조치와 관련하여 올바른 의사결정을 내리는데 필요한 정보를 제공할 만큼 구체적이지 않다고 생각했다. 일반적으로 위협 수준이 YELLOW에서 ORANGE로 올라갈 때 어떤 요인이 변화를 가져 왔는지 또는 미국의 어떤 지역이 활동 가능한 목표로 추정되는지에 대한 정보가 매우 제한적이다. 결과적으로 그들은 이 시스템에만 기반한 조치를 취할 때 자원을 낭비하고 있다고 생각한다. 그러나 이 시스템은 또한 대중에게 매우 잘 보이기 때문에 단순히 무시하는 것은 현명하지 않다고 느낀다. 다행스럽게도 최근 위협 상황과 비교하여 데이터 공유가 약간 개선되어 프로그램이 어느 정도 향상되었다.

저자 생각에는 시스템의 많은 수준들이 매우 혼란을 줄 것 같다. 프로그램이 소개된 이래로, 국가가 결코 YELLOW의 수준 아래로 내려간 적은 없지만, 그 아래에 BLUE와 GREEN 2가지 레벨이 있다. 또한, 우리는 결코 최고 수준의 RED를 본 적이 없다. 저자는 실제 사건이 확인되었거나 진행 중일 때만 그 수준으로 갈 것이라고 생각한다. 그러나 보안레벨을 바꾸기 위해서 어떤 기준이 사용될 것인지 정말로 모르겠다.

보안을 강화하기 위해 어떤 조치를 취하든 간에 보안 및 응급 대응 프로그램이 이미 시설에 존재하고 있음을 전제로 해야 한다. 이 프로그램에서는 시설에 특별히 발생할 수 있는 응급 상황에 대한 구체적인 대응 계획을 수립하는 것이 중요하다. 대응 계획은 다음을 포함하나 이에 국한되지는 않아야 한다.

- 시설물에 대한 폭탄 위협
- 시설 내 폭탄
- 시설 내에서 폭탄 폭발
- 시설에 있는 누군가에게 가해지는 폭력 위협
- 시설에서의 직장 내 폭력 행위
- 시설, 인근 시설 또는 지역사회 내에서 발생할 수 있는 모든 형태의 폭력 또는 테러행위

이러한 각각의 상황과 발생 가능한 여러 가지 상황 모두에 대한 구체적인 대응 계획을 수립해야 한다. 운영 관점에서 볼 때 가장 좋은 방법은 지역 및 주 당국과의 원활한 의사소통을 확보하여 지역에서 발생할 수 있는 잠재적인 사건이 있음을 알려줄 수 있는 것이다. 반면 직원 및 방문객 모두 위협 수준이 YELLOW에서 ORANGE로 상승했음을 인지하고 있기 때문에 언제든지 리스크가 증가할 때마다 시설의 보안수준을 높여 항상 그들을 보호하고 더 안전하다고 느끼도록 하여야 한다. 이것은 피상적으로 보일지 모르지만 직원들의 생산성과 회사의 평판에 있어 매우 중요하다. 따라서 위협 자문 시스템 대응과 관련하여 다음 조치를 권장한다.

- 잠재적인 목표 또는 지리적 영역에 대한 특정 정보 없이 위협 수준이 YELLOW 에서 ORANGE로 올라가면 다음과 같은 조치를 취해야 한다.
  1. 직원 및 보안요원에게 의심스러운 활동 또는 사람에 대해 보다 주의하 도록 조언한다.
  2. 보안 관리자가 더 자주 순찰하고 시설의 주요 출입구에 더 오랜 시간 머물면서 인력과 임직원에게 자주 노출되도록 한다.
  3. 모든 소포배달원은 건물진입 전에 특정 하역장으로 이동시켜 신원확인 및 기록함으로써 통제를 강화한다.

- 국가의 잠재적인 목표 또는 지역과 같은 시설지역에 대한 구체적인 목표가 있 을 경우, 위협 수준이 YELLOW에서 ORANGE로 올라가면 다음과 같은 조치를 취해야 한다.
  1. 위기관리 팀 회의를 소집하여 상황을 알린다.
  2. 직원 및 보안요원에게 의심스러운 활동이나 사람에 대해 보다 주의하도 록 조언한다.
  3. 담당자가 더 자주 순찰함으로써 인력과 임직원들에게 자주 노출되도록 한다.
  4. 모든 소포배달원은 건물진입 전에 특정 하역장으로 이동시켜 신원확인 과 기록 및 소포물을 확인함으로써 통제를 강화한다.
  5. 모든 방문객를 등록해야 한다. 구내에서 항상 착용할 수 있도록 방문객 출입증을 제공해야 한다.
  6. 사유지 주변에 순찰을 추가하고 모든 주요 출입구에 보안요원을 배치한 다.

- 국가의 잠재적인 목표 또는 당신 또는 당신의 지역과 같은 시설지역에 대한 구체적인 목표가 있을 경우, 위협 수준이 YELLOW 또는 ORANGE에서 RED로 올라가면 다음과 같은 조치를 취해야 한다.
  1. 위기관리 팀 회의를 소집하여 상황을 알린다.
  2. 직원 및 보안요원에게 의심스러운 활동이나 사람에 대해 보다 주의하도 록 조언한다.
  3. 담당자가 더 자주 순찰함으로써 인력과 임직원들에게 자주 노출되도록 한다.

4. 모든 소포배달원은 건물진입 전에 특정 하역장으로 이동시켜 신원확인 과 기록 및 소포물을 확인함으로써 통제를 강화한다.

5. 가능한 방문객은 필수 방문객으로만 제한하고 모든 방문객을 등록해야 한다. 구내에서 항상 착용할 수 있도록 방문객 출입증을 제공한다.

6. 추가 주변 지역과 차량 순찰을 추가하여 모든 주요 출입구에 보안요원 을 배치한다.

7. 카메라와 경보를 감시하기 위해 보안관제센터(SCC)에 추가요원을 배치 한다.

8. 핵심 인력의 여행 및 이전에 승인된 휴가를 모두 취소한다.

이러한 대책을 통해 위협 수준이 ORANGE 또는 RED이고, 더 엄격한 보안통제 가 시행되면 추가지연이 발생할 수 있음을 사람들에게 알리는 표지판을 주요 출 입구에 배치하는 것도 고려해야 한다.

위협대응시스템에 대한 자세한 내용을 알고 싶으면 ASIS International Guide-line, 'Threat Advisory System Response'를 웹 사이트 www.asisonline.org에서 검토할 수 있다.

직장내 폭력 예방 프로그램

예방 프로그램의 이러한 측면에 대해 매우 상세하게 언급했다. 그럼에도 불구 하고, 프로그램의 목록에서 벗어났다는 것은 부주의했기 때문이다.

참고 문헌

Giles, T.D. "When Disasters Happen, Who Can We Blame?" Security Technology & Design Magazine, June 2008. With permission.
IBM Burlington Closeup Internal Magazine, May-July 1984(Figure 8.2).

9

임원 및 보안 관리자 인터뷰

그들의 관심사와 문제점을 이해하기 위한 인터뷰

이것은 경영진의 개입 및 프로세스 매입을 위한 프로세스의 핵심 부분이다. 컨설턴트로서 조직의 최고 경영진과 인터뷰하는 것은 매우 중요하다. 그러나 중간 관리자층과도 면담해야 한다. 중간 관리자층의 지원이 없다면 예산 편성과정에서 프로그램의 효과가 사라질 수 있기 때문이다. 적절히 수행된다면, 이 인터뷰 프로세스는 관리면에서 교육적인 가치가 있을 수 있다. 테러리즘, 직장 폭력, 절도, 방해 공작, 컴퓨터 및 네트워크 침투, 비즈니스의 평판 보호와 같은 다양한 문제에 대한 우려를 경영진에게 묻는다면 조직이 직면한 문제에 대한 인식 수준을 효과적으로 높일 수 있다. 이러한 질문은 그들이 비관론자가 되지 않도록 고안되어야 한다. 예를 들어, "귀사는 오늘날의 테러 문제에 대한 모든 언론 보도들과 관련해서 우려 할 사항이 있습니까?"와 같이 질문할 수 있다. 앞에서 언급했듯이 이 과정에서 경영진과 협의해야 할 많은 우려부분이 있으며, 향후 5년 및 10년 동안 예상되는 성장률을 결정할 필요가 있을 것이다.

접근

가장 좋은 방법은 먼저 책(매뉴얼)을 읽은 후에 다시 되돌아가 다른 분야에 대한 메모를 작성한 후 경영진에게 질문하는 것이다. 이런 질문의 대부분은 프로세스를 시작하기 전에 제공된 정보에 따라 달라진다. 그러므로 그 부분에 대해서 깊이 있게 설명할 수는 없다. 인터뷰 계획 시에 이 검토와 관련해 질문할 몇 가지 구체적인 질문을 개발하고 적어두어야 한다.

항상 질문해야 할 한 가지 영역은 임원이 현재의 보안 프로그램과 직원에 대해 어떻게 느끼는지에 관한 것이다. 이 프로세스를 시작할 때 경영진의 시각으로 현재 최고보안책임자(CSO) 또는 보안책임자에 대해 얼마나 많은 신뢰를 갖고 있는지를 파악하는 것은 매우 중요하다. 다시 말하자면, 그런 신뢰가 없는 프로세스를 사내 보안담당자가 수행하는 경우에는 효과를 발휘할 수가 없다. 그것은 또한 그들이 관련 분야에서 어떻게 평가하고 있는지에 대한 좋은 지표가 될 것이다. 그렇기 때문에 최고보안책임자(CSO)나 보안책임자가 이 인터뷰에 참여할 수 있는지에 관해 묻는다면, 사람들이 온전히 오픈 마인드할 수 있도록 혼자 참여하는 것이 더 낫다. 주요 질문 중 하나는 경영진이 현재 프로그램과 직원에 대해 어떻게 생각하고 있는가이다. 이 질문들에 대해서는 전적으로 솔직히 답해야 하기 때문에 만약 컨설턴트가 그들에 대해 부정적인 태도를 취한다면 안 된다. 또한 컨설턴트가 현재의 프로그램 및 직원에 대해 물어볼 것이라는 것을 알게 되면, 경영진은 최근에 일어난 부정적인 행동에 대해 자진해서 정보를 주는 경향이 있다.

최고보안책임자(CSO) 또는 보안책임자가 아닌 다른 회사의 직원이 이 작업을 수행하기 위해 고용 된 경우, 다음과 관련된 문제에 집중해야 한다. 첫째, 최고보안책임자(CSO) 또는 보안책임자가 컨설턴트의 존재를 지지하지 않을 수 있다. 그들은 이것을 자신의 '영역'에 대한 침범으로 간주할 수 있기 때문이다. 이 과정을 효과적으로 진행하려면 먼저 시간을 들여 그들과의 관계를 구축해야 한다. 컨설턴트의 의도가 그들과 함께 일하고 이 과정은 그들을 돕는 것이라고 믿게 하여야 한다. 물론 개인적, 직업적으로 청렴도를 유지해야 하므로 통제권을 유지하면서 제공 할 수 있는 것보다 더 많은 것을 약속해서는 안 된다. 그들이 컨설턴트가 하고 있는 일을 고의로 훼손할 것이라고 말하는 것은 아니다. 하지만, 효과적인 프로젝트로 만들기 위해서는 그들에게 열린 마음을 가지고 대해야 한다(그림 9.1 참조).

그림 9.1 인터뷰의 개방성과 정직성은 현재의 보안 환경을 평가하고, 변경 사항과 개선 사항을 결정할 수 있는 가장 좋은 방법이다.

임원이 컨설턴트를 고용한 사람이 보안부서가 아닌 것을 알았다면, 그들은 이미 고용한 임원이 사내 보안조직의 성과에 만족하지 않을 수도 있다고 의심스러워 할 것이며 이것은 인터뷰에 영향을 미칠 것이다.

이것은 "보안부서가 어떻게 하고 있다고 생각하십니까?"와 같은 질문에 대한 응답을 변질시킬 수 있다. 따라서 보안부서의 평판이나 유효성을 손상시키지 않도록 최선을 다해야 한다. 가장 좋은 방법은 최고보안책임자(CSO) 또는 보안책임자에게 프로젝트를 공개적으로 지원하도록 설득하는 것이다. 그들은 인터뷰하려는 임원진에게 서면으로 조직과 협력하여 시큐리티 마스터 플랜을 수립하기 위해 고용되었음을 알리고, 프로세스의 일부로 여러 가지 주제에 대한 인터뷰를 진행하기 위해 회의 일정을 잡을 것이다. 만약 이것이 적절하게 이루어진다면, 컨설턴트는 함께 일하고 있음을 보여줄 수 있으며, "보안책임자나 보안조직의 성과를 점검 할 것"이라는 생각을 없앨 수도 있다.

인터뷰 답변에 대한 해석

임원들이 보안프로그램이나 보안요원에 대해 좋지 않은 감정을 가지고 있을 가능성이 있다고 해서 반드시 그들이 전반적으로 일을 잘못하고 있다는 것은 아니다. 특정 임원과의 관계 문제일 수도 있다. 조직에 어떤 성과가 보여져도 보안에 대해 부정적일 수 있다. 때로는 수년 전에 발생한 사건으로부터 생긴 부정적인 생각을 전환하는 것이 매우 어려울 수도 있다. 그럼에도 불구하고 프로그램이나 경력에 영향을 줄 수 있는 사람이 어느 위치에 있는지를 정확하게 파악하는 것은 항상 중요하다. 만약 컨설턴트가 이 상황에 직면한다면 기밀유지를 의무화하지 않는 한, 알게된 사실을 최고보안책임자(CSO) 또는 보안책임자에게 알리는 것이 중요하다. 그러나 그것은 어디까지나 컨설턴트로서 관여하는 정도가 되어야 한다. 관계 문제를 해결할 수 있을 만큼 충분히 오래 머물지 않을 것이기 때문에 그것은 컨설턴트의 책임이 아니다. 하지만, 도움을 줄 수 있는 기회가 주어진다면, 그것을 무시해서는 안 된다. 최고보안책임자(CSO) 또는 보안책임자가 그들의 관계를 구축하기 위해 멀리 돌아갈 수 있는 문제를 해결하도록 도와야 한다.

인터뷰 도중에는 메모할 필요가 있으므로 허락을 구하는 것이 중요하다. 이는 메모를 하면서 들어야 한다는 압박감을 더 할 수 있으므로 그 대화를 기억할 수 있을 정도로 가능한 적은 단어로 글을 쓰는 것이 가장 효과적이다. 많은 것을 쓸 필요가 있다고 느끼면, 글을 쓸 시간을 달라고 요청할 수 있다. 이 인터뷰 동안 녹음기를 사용하는 것에 대해 물어 볼 수도 있다. 메모를 하는 것보다 훨씬 쉬울 것이라는데 동의할지라도, 대부분의 사람들은 녹음을 할 때 남의 시선을 의식하게 되고, 필연적으로 정보의 흐름과 세션의 개방성을 약화시킬 것이다.

듣기의 중요성

이러한 인터뷰를 진행할 때 임원이 제기하는 이슈를 파악할 수 있도록 경청할 자세가 되어 있는지 확인해야 한다. 앞서 말했듯이 사람은 두 개의 귀와 하나의 입을 가진 것은 이유가 있다는 것을 기억해야 한다. 그리고 다음 물어볼 질문에 집중하다가 제기된 중요한 관심이슈를 놓치지 않도록 주의해야 한다.

임원이 주제에 대해 우려를 표명 할 때, 그들이 무엇을 걱정하는지 정확하게 조사해야 한다. 예를 들어, 임원진이 "나는 모든 테러리즘 이슈에 대해 매우 우려하고 있다."라고 말한다면, 그들이 그 사업이 테러의 목표물이나 그 비슷한 것이 될 수 있다는 것을 걱정하고 있다는 의미로 해석 할 수 있다. 그러나 "정확히 어떻게 걱정하고 있나요?"와 같은 간단한 질문을 덧붙이면, 그 대답은 "나는 우리에게 직접 영향을 미치지 않는 문제에 대해 자원을 낭비하지는 않을까 우려한다."처럼 전혀 다른 뜻일 수도 있다. 의사소통을 할 때 우리는 말한 것이 아닌 우리가 생각하는 것을 듣는 경향이 있다. 다시 말하면, 그들이 말한 것을 듣고 있을 때 표현된 것들을 조사하는 것이 매우 중요하다. 인터뷰를 끝내고 임원진과의 의견 일치를 확실히 하기 위해 "괜찮으시다면, 저는 당신의 우려사항을 명확하게 정리하기 위해 우리의 대화를 요약하고자 합니다."라고 말해라. 그런 다음 메모한 내용을 임원들에게 다시 반복해서 물어보고 "제가 당신의 말을 올바르게 이해했습니까? 이 프로젝트를 진행하는 동안 집중해야 할 것이 있습니까?"라고 물어야 한다.

이 책의 서문에서 언급된 바와 같이 대부분의 정보는 미리 전달하는 것이 가장 효과적이다. 만약 그렇게 했다면 이 정보를 활용하여 임원 인터뷰에 대한 질문을 수정할 수 있다. 인터뷰할 사람들에 대한 최고보안책임자(CSO) 또는 보안책임자의 관점을 물어보는 것도 도움이 될 수 있다. 그러나 어느 정도 신중할 필요가 있다. 최고보안책임자(CSO) 또는 보안책임자와 특정 임원 사이에 문제가 있을 때, 그들의 문제가 컨설턴트의 생각과 인터뷰에 전제 조건이 될 수 있기 때문이다. 또한 보안 담당자가 특정인과 인터뷰하는 것을 원하지 않는 경우도 있는데, 그들은 "보안프로그램을 그냥 사용"하기 원하기 때문일 것이다.

하지만 문제를 해결하고 프로그램을 발전시키기 위해서는 이들과도 대화할 필요가 있다. 그것은 "적을 알아야 한다."라는 옛 속담과 같다.

각 임원진과의 인터뷰를 완료하면, 평가를 실시하고 새로운 문제가 발생할 경우 몇 가지 질문을 더해야 할 필요가 있음을 알려줌으로써 다시 임할 수 있는 기회를 만들어라. 만약 그들이 제공한 정보가 부정확하다는 것을 알게 되면 이것은 매우 유리하게 작용할 수 있다. 인터뷰 전으로 다시 돌아가 그 부분에 대한 그들의 잘못된 이해를 바로 잡을 수 있는 기회를 주기 때문이다.

프로세스의 시작 지점

보통의 경우 가능한 최고경영진과 인터뷰하면서 프로세스를 시작해야 한다. 그리고 조직도에 따라 내려가며 수행해야 한다. 물론 모든 관리자와 인터뷰 할 필요는 없지만 회사의 모든 부서 사람과 이야기하는 것은 중요하다.

이 방법을 사용하면 다양한 관점을 얻을 수 있다. 법무, 시설관리, IT, 재무, 인사, 제조 및 연구개발과 같이 보안조직과 가장 많이 상호작용하는 부서를 통해 경영진과 대화하는 것이 중요하다. 사내 보안담당자 또는 컨설턴트를 고용한 사람은 그들이 누구인지 판단하는데 도움을 줄 수 있다. 조직의 중간 관리직에 도달하면 상위 수준에서 보았던 것보다 더 많은 직원들의 반발심과 마주칠 수 있다. 이런 일이 발생하는 데에는 많은 이유가 있지만, 일반적으로 사적인 감정은 아니며, 더욱이 컨설턴트를 향한 것은 아니다. 단지 그들 앞에 있는 한 사람일 뿐이다. 적대감이나 협력의 결여가 사적인 감정이 아니라는 것을 이해하고, 회의를 통제하고 임무를 완수하는 것이 중요하다. 가끔 그들로 인해 인터뷰의 상황이 나빠질 수 있는데, 그럴 때는 보통 "지금은 분명 당신에게 좋은 시간이 아니니 괜찮다면 다시 인터뷰 일정을 잡겠습니다."라고 말해야 한다. 그렇게 해서 그들이 다시 집중해서 대화를 계속할 수 있도록 해야 한다.

"이름 들먹이기(name dropping)" 기법을 사용해 볼 수도 있다. 만약 고위 임원 중 한 명과 인터뷰 할 당시, 컨설턴트와 문제가 있는 중간 관리자에게 영향을 미칠 수 있는 우려에 대해 언급했다면 "Mr. Big과 인터뷰 할 때 그는 생물학적 테러리즘에 관심이 있다고 말했고, 제가 이것을 당신과 협의한 후 그것에 대한 당신의 관점을 알려주길 원했습니다."라고 말하라. 대부분의 경우에 이 방법은 그들의 관심을 끌지만, 개인적으로 다른 방법으로는 협력할 수 없는 심각한 경우를 제외하고는 이 방법을 사용하는 것은 좋지 않다.

인터뷰의 시작

저자의 경우 인터뷰 대상자와 처음으로 인터뷰를 시작할 때, 사전에 여러 사항을 준비한다. 먼저 대상자에게 본인을 소개하면서 배경설명을 간략히 한다.

IBM에서 은퇴했으며, 은퇴 당시 IBM 북미 보안담당 책임자였고, 3년 동안 아시아 지역에서 업무를 했으며, 2년 동안은 IBM 라틴아메리카의 보안 이사 경험도 있다고 이야기 한다(본인의 경력을 내세우는 것이 아니라, 그들에게 내가 가진 폭넓은 지식이 경험을 통해 나온 것임을 알려주기 위함임을 이해해야 한다). 조금 더 나아가서는 은퇴한 1998년 이후 컨설팅 분야에 종사해 왔으며, 이 때 여러 산업 분야의 많은 다양한 회사들과 함께 일을 해 왔다고 이야기 한다(IBM과 기술 산업 이외의 많은 산업 분야에서도 경험을 쌓았다는 것을 보여줘야 한다. 이런 종류의 이야기는 최대한 빠르고 간략하게 전달하여 본인을 내세우는 느낌을 주지 않도록 한다). 그 다음 몇 분 동안 본인이 여기서 무슨 일을 하는지에 대해 설명한다. 향후 수년 또는 다가올 미래에 그들의 보안체계와 전반적인 비즈니스가 맞물려 돌아갈 수 있도록 그들의 회사와 함께 시큐리티 마스터 플랜을 수립하고 있다는 것을 설명한다. 이 프로세스가 그들의 사업을 위해서 완화할 필요가 있는 보안계획 리스크를 특정 리스크 요인과 연결시켜 줄 것이며, 이는 추후 효율적이고 통제 가능한, 비용절감 효과까지 줄 수 있는 미래 보안기술로 전환할 수 있도록 보장할 것이라고 설명한다. 이 계획을 시행하기 위해서는, 그들의 비즈니스 위치가 현재 어디인지, 어디를 향해 가고 있는지, 그리고 어떤 리스크 요인들이 그들의 비즈니스 또는 그들 자신에게 일어날 수 있는지에 대한 정보들을 수집해야 한다고 이야기 한다.

이와 같은 소개가 끝나고 나면, 첫 질문을 던지는데, 거의 대부분 "당신이 우려하고 있는 것과 관련해서 제게 말하고 싶은 것은 무엇입니까?"라고 묻는다. 이는 정해진 답이 없는 질문으로 당시 그들에게 컨설턴트라는 사람이 하고 있는 일에 대하여 어떤 생각을 가지고 있는지를 캐내는데 목적이 있다. 이는 부정적일 수도, 긍정적일 수도 있지만, 어느 것이든 괜찮다. 그것을 밖으로 꺼내는 것이 목적이기 때문이다. 이 사항을 다루었다면 준비된 질문으로 이동할 수 있다.

가지고 있는 경험이 무엇이든 간에, 항상 올바른 방향으로 그것을 제시할 필요가 있다고 이해하는 것이 중요하다. 즉, 비즈니스에 대한 시큐리티 마스터 플랜을 개발하는 프로세스 구현과정에서 컨설턴트의 경험과 노하우가 무엇이든 그들의 회사에 얼마나 유용한지 알려주는데 의미가 있다. 물론 클라이언트별로 강조하는 포인트는 차이가 있을 수 있다.

경영진을 설득하고 그들이 결정을 확정하는데 필요한 요인

인터뷰의 목적은 회사와 경영진의 우려사항을 파악하는 것뿐만 아니라, 임원들에게 비즈니스와 관련된 보안 문제를 인지하게 하는 것이다. 만약 컨설턴트로서 도난이나 직장폭력 또는 다른 문제가 있다는 것을 미리 알았다면, 꼭 그 사건에 대해 물어보고 의견을 듣도록 해라. 또한 현재 표출되지 않은 다른 리스크 문제에 대해서도 확인해야 한다. 그러한 협의를 하는 것은 미래에 직면할 수 있는 문제들을 그들에게 교육시키기 위함이다.

특정 주제를 논하는 협의에서 "이 분야의 보안 문제를 개선하는 데 얼마의 비용이 듭니까?"와 같은 질문을 받을 수 있다. 즉석에서 추측성 답변으로 대응해서는 안 된다. 이런 때는 보통 "이 문제에 대해서는 시큐리티 마스터 플랜을 수립할 때 심도 있게 확인한 후, 이에 대한 결론이 났을 때 답변을 하겠다."라고 해야 한다. 그리고 여기에 대한 부가설명으로, 그들에게 이러한 상황이 벌어졌을 때, 시설에 어떤 영향을 끼칠지를 되물어 볼 수 있다. 아울러 그들에게 리스크가 발생했을 때 보다 그 발생을 막기 위한 더 큰 비용을 사용하는 것을 권장하지 않는다는 것을 설명할 수 있다. 이는 그들에게 더 많은 비용을 쓰라고만 강요하는 것이 아니라 리스크를 줄이기 위해 비용 효율이 높은 방법을 모색하고 있다는 것을 보여주는 것이다. 비록 이것이 그들에게 현실적인 문제가 아니라고 판명될지라도 이것이 최종 프레젠테이션의 아이템이 될 필요가 있다는 점을 잊지 말아야 한다. 보장할 수 있는 것은, 그 문제를 제기한 임원진은 컨설턴트가 해결할 것이라는 것을 결코 잊지 않을 것이라는 점이다. 이것과 관련하여서 당부할 점은 이 프로세스 과정에서 이러한 유형의 약속을 너무 많이 해서는 안 되며, 그럴 경우 결과적으로는 최종 프레젠테이션을 약화시키게 된다는 것이다.

보안관리팀의 우려와 문제점을 파악하기 위한 인터뷰

보안관리팀 인터뷰의 주제는 광범위하게 다루어 져야 한다. 이것은 다양한 검토 및 인터뷰들의 전반, 중반, 후반으로 나누어져 계속적인 프로세스로 진행되어야 한다. 핵심 분야는 다음과 같지만 이에 국한되지는 않는다.

- 관리팀과의 보안관리 상호작용
- 외부 기관과의 보안관리 상호작용
- 현재의 보안 철학과 전략
- 정규직 또는 계약직 보안요원
- 보안요원 및 관리자를 위한 교육 및 교육 기록
- 그들이 관리하는 계약
- 그들의 감사 대상이지만 관리는 하지 않는 계약
- 보안 장비 및 기술
- 관행 조사 및 범죄 고발
- 사건 데이터 및 추세 분석
- 물리적 보안 표준
- 정보 보호프로그램
- 방문객 및 계약자 통제 프로세스
- 높은 보안 영역
- 고 가치 자산
- 열쇠 및 잠금장치 컨트롤
- 고유한 보안 요구사항
- 보안 교육 및 인식 프로그램
- 신입 사원 교육
- 기타 보안 관련 프로그램 : 직장 폭력 예방, 위기관리 프로그램, 비상 계획 및 대응 프로그램

소개부분에서 명시된 필요 데이터를 기반으로 이 정보의 다양한 측면에 대한 통찰력을 얻을 수 있겠지만, 보안관리팀과 직접 대면하는 것이 가치 있는 일이라는 것을 알게 될 것이다. 이는 어떤 계획이 방치되어 있는지, 아니면 실제로 행하여지고 있는지를 알 수 있게 도와 줄 것이다. 검토 과정 중 이런 부분은 세션을 설정할 때 최고보안책임자(CSO)나 보안책임자를 일대 일로 만나 진행하게 되면 가장 효과적이나, 어떤 특정 영역을 집중적으로 검토하려면 해당 프로그램을 실행하는 사람을 호출하여 세부적인 질문에 대답하도록 하는 것이 좋다. 이 세션을

통해서 특정분야 담당자, 그리고 최고보안책임자(CSO) 또는 보안책임자의 지식 수준에 대해 알 수 있다. 알아야 할 점은 최고보안책임자(CSO)나 보안책임자가 모든 분야에 있어 정통할 필요는 없으나, 프로그램을 효과적으로 관리 할 수 있을 정도의 지식은 필요하다는 것이다. 또한 현재 프로그램이 적극적으로 진행되는 지, 보고된 것보다 더 심도 있는 프로그램인지 등을 파악할 수 있다. 만약 작업을 끝낼 정도의 충분한 자료를 가지고 있다면 구체적으로 묻지 않아도 사람들로부터 프로그램이 중요한지 아닌지에 대해 전해들을 것이다.

이 작업을 완료하고 다른 측면의 정보수집 프로세스로 넘어가면 보안조직의 누군가를 항상 대동해야 한다. 가능한 최고보안책임자(CSO) 또는 보안 책임자여 야 하지만 그들의 모든 시간을 독점할 수는 없으므로 만날 수 없는 경우에는 검토 중인 내용에 대한 책임이 있는 개별 보안 담당자를 만나야 한다. 또 한 가지 대부분의 경우 컨설턴트는 그들의 현장에서 장기간 근무하게 될 것이기 때문에 현장에 있는 동안 그들의 사무실을 제공받을 수 있다면 도움이 될 것이다.

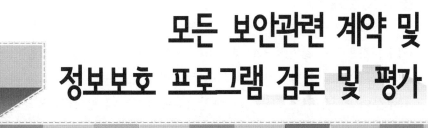

모든 보안관련 계약 및 정보보호 프로그램 검토 및 평가

10

가장 중요한 것은 계약이 제대로 체결되었는지 확인하는 것이다. 추가로 경쟁 입찰 프로세스 또는 유효한 지명입찰을 확보하기 위한 올바른 조달 프로세스가 수립되었는지 여부를 결정해야 한다. 또한 계약이 효과적으로 관리되고 있는지 여부를 확인해야 한다. 보안팀이 요구사항을 충족하는지 주기적으로 감사하고, 충족되지 않은 경우 수행한 작업은 무엇인가? 등의 사항이 그 예이다.

일반적인 보안 계약에는 다음이 포함된다.

- ‣ 계약 보안 요원
- ‣ 시스템 유지 보수 및 예비 부품
- ‣ 기밀 정보의 파기
- ‣ 열쇠담당자(lock smith) 및 열쇠 및 잠금장치 유지 관리

보안 비즈니스 계약

오늘날 많은 기업과 기관에서는 보안이 계약에 따라 수행된다. 외주경비 및 외주유지관리는 일반적으로 보안조직 예산의 주요 부분을 차지한다. 물론, 그 기업에 정규직 보안 담당자가 있으면 그들의 급여, 수당 및 기타 항목들이 예산의 대부분이 될 것이다. 그러므로 보안사업에서 효과적인 관리자가 되기 위해서는 계약에 대한 지식이 풍부해야 한다. 계약을 효과적으로 관리하는 첫 번째 방안은 좋은 계약을 맺는 것이다. 한 예로 연간 100만 달러에 달하는 경비용역 계약이 연간 근무 시간과 청구서 요금 외에 서비스에 관한 세부 사항 없이 단 2페이지 분량의 법률 서류뿐인 사업체도 있다. 부록 D, 'RFP 문서'를 검토하게 되면, 일단 계약이 체결되는 경우 계약의 일부가 될 수 있는 매우 상세한 문서를 볼 수 있다. 이 문서는 보안 관리자에게 다음과 같은 요구사항을 포함한 계약의 모든 측면에 대한 감사를 수행할 권한을 부여한다.

업무 범위
- 업무성과
- 업무의 책임
- 계약자의 인력

업무 기준
- 일반 표준
- 건강 및 안전
- 관리지원

채용 및 채용 프로세스
- 인사 표준
- 인사 심사 요건
- 약물, 주류 및 기타 밀수입 정책
- 정책 위반에 대한 처벌

교육

- 오리엔테이션 및 초기 교육
- 지속적인 교육
- 응급 대응 교육
- 전문 교육

주요 직무 및 직무 요구사항(post orders)

시간 외 감독(After-hours supervision)

근무복

계약을 감사할 권리

이러한 감사를 수행할 수 있는 계약상의 권리는 첫 번째 단계에 불과하다. 다음 단계로 그들은 실제로 작업을 수행해야 한다. 감사를 수행 시, 검토된 내용과 그 결과 발견된 내용을 요약하여 계약 업체에 보낼 수 있도록 완전히 문서화해야 한다. 규정을 준수하지 않는 부분이 발견되면 해당 부분에 강조 표시하고, 합리적인 기간 내에 문제를 해결하기 위한 조치계획을 요청해야 한다. 수행 계획이 실행되면, 회사는 해당기록을 다시 감사하여 현재 준수하고 있는지 확인해야 한다. 이러한 모든 기록은 소송 중에 소환될 수 있으므로 적어도 7년 동안 전문적이고 적절하게 보관되어야 함을 명심해야 한다.

외주경비 계약에서 감사가 필요한 가장 중요한 두 가지 영역은 신원 확인과 교육 부분이다. 이들은 현장에서 일하는 품질 관리자의 존재 여부를 알려주며, 또한 문제가 소송으로 발전할 경우 최대한 보호를 받을 수 있게 해주는 두 가지 영역이다.

"계약 관리"와 "계약자 관리" 차이점을 이해하는 것이 중요하다. 정규직 보안 관리와 계약직 보안관리 그리고 직원들 사이에서 그들이 계약직이라고 말하지 않았다면 직원이라고 생각하는 상황이 매우 빈번하게 일어난다. 계약을 관리 할 때, 계약자가 계약의 모든 요구사항을 충족하는지의 기록을 주기적이고 무작위로 감사해야 한다. 계약 후, 구두 수정이 발생했다면 수정사항을 계약 개정안으로 문서화해야 한다. 예를 들어, 원래의 계약은 "모든 현장 직원은 현장에 오기 전에 40 시간의 교육을 받아야만 현장에서 24시간의 현장 교육을 시작할 수 있다."라고 했지만, 관리직과 계약자의 낮은 회전율로 인해 현장에 오기 전에 24시간의 교육 만 받을 것이라는 점에 동의할 수도 있다. 이는 문제를 해결하기 위한 적절한 결 정이었을지 모르지만, 영구적으로 변경이 될 경우 계약을 수정해야 한다. 일시적 인 변경이든 영구적 변경이든 문서화해야 한다. 후속 조치를 취하지 않고 구두로 계약을 수정하는 것은 결코 적절치 않다.

계약 입찰 프로세스

계약 관리의 다음 측면은 경쟁 입찰을 진행하고 경쟁사들이 무엇을 제공하는 지 정기적으로 확인하는 것이다. 많은 기업들이 이 부분을 제대로 확인하지 않는 다. 적어도 3년마다 새로 입찰하는 것이 중요하다. 그렇다고 해서 꼭 다른 회사와 계약을 체결해야 한다는 것을 의미하는 것은 아니다. 예를 들어, 입찰과정을 통해 다른 입찰업체들이 제안한 것으로 변경하려 한 것이 아니고 단지 그들이 제안한 것을 보고 싶을 수 있다. 이럴 경우 반년이나 1년에 한 번 꼴로 현 업체와 문제가 생기면, 이미 상위 입찰자가 누구인지 알고 있기에, 단 기간에 업체 변경이 가능 하다. 또한 경쟁력 있는 가격대의 서비스를 제공하는 회사로부터 입찰을 받을 수 있으며, 결국 변화를 시도 할 수도 있다. 회사가 비경쟁 계약을 맺는 것을 금지하 는 계약에 대한 서명을 항상 포함시키는 것이 좋다. 새로운 계약회사가 기존의 몇몇 사람들을 이용할지도 모르기 때문이다.

다음으로 시스템 유지보수 및 예비 부품 계약을 평가해야 한다. 이러한 계약 은 일반적으로 정상 근무시간 및 근무 외의 시간에 대한 명시로 직결된다. 그들은 대개 예방적 유지(PM) 점검이 이루어질 것인지를 명시하고 있다. 공급업체는 합 리적인 시간 내에 수리를 보장하기 위해 예비 부품의 충분한 공급을 유지해야 한 다는 요구사항을 포함시켜야 한다. 또한 그 수리기간에 대해서도 어느 정도 상세 하게 설명해야 한다. 예를 들어, 오작동하는 단일 카메라를 수리하거나 교체 할 때 24시간 내에 처리해야 하지만, 작동하지 않는 디지털 비디오 영상저장장치는 훨씬 빠른 교체가 필요할 것이다. 따라서 계약에는 고객이 장기간 운영할 수 있도록 공급 업체가 대여 장비를 계속 보유하도록 요구해야 한다. 출입통제 시스템도 마찬가지이다. 비정상적인 시스템의 수리는 매우 신속히 처리해야 하지만, 단일 출입문 문제 또는 하나의 오작동 경보기 수리를 위해서 24시간을 기다려야 할 수도 있다. 이러한 시스템 중 일부는 클라이언트가 일부 예비 부품을 보관할 수도 있다. 만약 그렇다면, 부품이 제대로 관리되고 있는지 실제로 필요한지 확인해야 한다.

보안 관련 계약 감사

계약 관리의 다른 측면은 보안부서가 직접 관리하지 않는 계약을 처리하는 것이다. 잠금장치 및 열쇠관련 계약, 또는 기밀파괴 계약은 시설관리 부서에서 관리하는 것이 일반적이다. 보안관리자는 올바른 보안 및 비즈니스 관리 요구사항을 포함할 수 있도록 계약서를 먼저 검토해야 한다. 이러한 계약에는 요구사항 준수 여부를 확인하기 위해 언제든지 예고되지 않은 감사를 수행 할 권리가 있다는 내용도 있어야 한다. 이러한 감사는 보안 전문가가 수행해야 한다. 그러나 만약 보안부서에서 그 일을 수행할 자원이 없다면, 최소한 그 계약을 소유하고 있는 부서가 감사를 해야 한다.

앞서 언급했듯이, 열쇠담당자(lock smith)는 적어도 모든 마스터키와 서브마스터키 관리를 연례 기준으로 감사할 필요가 있으므로 이 감사가 수행되고 있는지 확인하고 적절한 조치가 취해지고 있다는 것을 확실히 확인해야 한다. 또한 사용된 모든 열쇠를 확인할 수 있도록 해야 한다. 기밀파괴 계약의 경우 다른 직원이 정보를 완전히 읽을 수 없도록 안전하게 폐기해야 한다. 이 프로세스의 일반적인 허점은 정보가 파기될 때까지 폐기정보가 공급 업체의 현장에서 어떻게 보안을 유지되는가 하는 것이다. 클라이언트는 계약 범위 내에서 이를 고려하고 준수 하는지의 여부를 확인하기 위해 공급 업체의 현장를 감사해야 한다.

정보 보호프로그램 검토

앞의 제6장에서 정보 보호프로그램의 기본 구성요인을 설명했기 때문에 합당한 프로그램이 있는지 여부를 판단할 수 있을 것이다. 이제 이 프로그램이 의도한대로 구현되었는지 확인하고, 실제로 프로그램이 정보자산을 보호하는지 확인하기 위한 검토를 수행해야 한다. 프로그램의 효과를 검토하는 방법에 대한 세부사항은 정확히 어떤 프로그램을 사용하는지에 달려 있다. 따라서 최소한 어떤 것을 정보자산으로 간주하는지에 대해 명확하게 식별했는지 여부를 확인해야 한다.

예를 들어, 고객이나 다른 사람들이 가지고 있는 신용카드 정보와 같은 개인데이터 또는 제품 개발정보가 있는가? 이 데이터는 민감한 것으로 간주되는가? 하는 것이다.

첫 번째 단계는 항상 정보자산을 식별했는지 확인하는 것이다. 두 번째 단계는 그들이 자산의 중요성을 어떻게 전달하는지 알아보는 것이다. 그들이 시스템분류 체계나 다른 공식적인 방법으로 직원들에게 보호해야 할 대상과 방법을 알려주는 방법을 구현했는가? 하는 것을 알아보아야 한다

시간 외 점검

다음으로 시간 외 점검을 실시하여 민감한 데이터를 다른 사람들이 볼 수 없도록 되어 있는지 확인해야 한다. 이러한 유형의 데이터가 안전하게 통제된 출입문 안쪽에 있다 하더라도 이 지역에 합법적으로 출입할 수 있는 모든 사람에 대해 점검을 해야 한다. 특히 해당 데이터에 대한 출입권한이 없다면 더욱 그렇다. 많은 사람들이 출입할 수 있는 중앙 프린터 실에서 민감한 정보 또는 기밀 데이터의 인쇄물을 방치하고 있는가? 그들이 개인적으로 종이 파쇄기를 가지고 있다면, 파쇄할 문서들은 처리하기에 충분한가? 그렇지 않은 경우에는 파쇄기 사용을 기다리는 대신 정보를 쓰레기통에 버리게 될 것이다. 민감한 데이터가 버려졌는지 확인하기 위해 그 영역에 있는 몇 개의 쓰레기통을 조사해야 한다. 많은 민간 수사관들과 다른 사람들이 기밀정보를 습득할 수 있는 기회 중 하나가 회사의 뒷문 밖에 있는 쓰레기통이다. 다시 말하면 프로그램 세부정보를 평가 한 후, 프로그램이 효과적으로 구현되고 진정으로 정보 자산을 보호하는지 테스트해야 한다.

IT 정보 보호

하드카피데이터 검사를 완료하면 소프트카피 및 전자문거 분야로 이동해야 한다. 제6장에서 15가지 항목의 '직원을 위한 보안 및 컴퓨터 사용 표준'에 대해 설명했다. 해당 프로그램의 섹션은 다음과 같다.

1. 개인 워크스테이션의 보안
2. 사무실이나 직장을 떠날 때
3. 사무실이나 직장에서 멀리 떨어져 일하거나 여행할 때
4. 휴대용 기기
5. 컴퓨터바이러스 및 기타 악성코드
6. 보안방화벽
7. 파일공유
8. 저작권 및 지적재산권
9. 공개사이트에 개인(XYZ)정보 노출
10. 개인(XYZ)정보 보호
11. 일정표
12. 개인(XYZ)비밀정보보호
13. 전화 및 팩스기 사용
14. 전화회의시스템 사용
15. 내부 개인정보 네트워크

따라서 다음은 컨설턴트와 이런 프로그램을 책임지고 있는 담당자와 같이 앉아서 그들이 현재 하고 있는 내용을 검토하도록 하는 것이다.

우선 저자가 제시한 프로그램과 담당자가 개략적으로 정리한 프로그램을 비교한 다음 그 프로그램이 전반적으로 적절한 영역을 모두 다루고 있는지 살펴봐야 한다. 프로그램에서 적절히 다뤄졌으면 그 다음에는 직원들이 프로그램 요구사항을 실제 잘 준수하는지 검토해야 한다. 대부분의 검토과정은 일부 직원에게 프로그램을 인식하고 실행방법을 알고 있는지 파악하기 위해 프로그램 구성요인

173

에 대해 간단히 질문하는 것을 요구한다. 일부 과정은 그저 관찰하거나 간단히 테스트만 할 수도 있다. 예를 들어, 위 항목 1번은 제6장에서 제시된 패스워드 요구사항을 직원들에게 물어볼 수 있다. 항목 2번은 관련 직원의 컴퓨터를 켜놓은 채 내버려두면 화면보호기 암호가 설정돼 있는지 그 컴퓨터에 가서 바로 확인해 볼 수 있다. 따라서 직원들에게 물어보고 실제 테스트할 목록을 취합해야 한다. 실제로 IT 프로그램이 효과적으로 실행되는지 아닌지를 검증하기 위한 테스트 시간을 갖지 못 할 수도 있다. 하지만 소규모 샘플을 통해 이를 확인할 수 있다. 만일 뭔가 문제가 있다고 느낄 경우 IT 프로그램은 보다 자주 직원들을 대상으로 강화되어야 할 필요가 있으며 준법사항(Compliance)를 정기적으로 테스트해야 한다는 권고조치를 취할 수 있다.

재해 복구프로그램 검토

제6장에 제시된 바처럼, 시스템 재난 복구프로그램은 별도 장소에 백업 데이터 저장소와 외부업체 혹은 재난발생 후 IT기능 회복을 위한 이중 백업 사이트를 포함하고 있어야 한다. 이 프로그램을 다루는 사람들이 무슨 일을 하는지 알고, 그들이 아래와 같은 항목을 진행하도록 해야 한다. 주요 사항은 아래와 같다.

• 별도 장소의 백업 데이터가 얼마나 자주 업데이트되며 왜 그래야 하는가?
  많은 회사들이 주간 단위 업데이트로 충분하다고 생각하지만, 핵심 요인은 그들이 사용하는 시간단위(time frame)에 근거해야 한다는 점이다.

• 별도의 저장 시설은 백업서비스 제공을 위해 사내에 있어야 하는가?
  클라이언트 소유의 별도 사무실에 백업되어서는 안 되며 Iron Mountain이나 안전한 백업 서비스를 제공하는 유사한 수준의 회사여야만 한다.

• 회사의 시스템이 파괴될 경우, 컴퓨터 네트워크 서비스를 제공할 회사와 용역 계약을 발주해야 하는가?

• 그 회사는 지리적으로 동일 지역 내 소재해야 하는가? 다른 말로 하면, 시스템을 다운시킨 대형재난사태가 동일지역을 덮쳐서 백업작업에 문제가 생길 가능성이 있지는 않은가?

- 그들이 가능하다고 말한 기능이 제대로 실행되는지 확인하기 위한 실시간 테스트를 실시한 적이 있는가? 실시간 테스트란 고객사가 실제로 아주 단시간 동안 모든 중요한 업무기능이 적절히 작동하는지를 시험하기 위해 백업회사를 통해 업무기능을 작동시키는 것을 의미한다.
- 가장 최근 테스트는 언제였는가? 학습 교훈을 포함한 결과가 기록되었는가? 일년 이내였는가?

대응 계획의 범위는 그 회사의 일상 업무수행이 IT업무기능에 대한 의존도에 달려 있다. 고객사 시스템 다운 시, 일일 업무 손실 정도와 백업기능 수행 시, 비용 수준과 상호 균형이 이루어져야 한다.

모든 리스크 관리 계획과 마찬가지로 잠재적 손실보다 더 많은 사후 조치 비용을 써서는 안 된다. 하지만, 백업 능력을 자체적으로 갖추기로 결정한 회사들도 있을 수 있다. 이는 그 비용을 감당할 수 있는 회사에는 가능한 대안이기도 하다. 그렇기 때문에 자체적으로 백업시스템을 갖출 경우 서비스를 제공할 공급업체에서 시스템을 설치할 경우와 동일한 테스트 요청사항을 모두 확인해야 한다.

정보보안 인지교육

이는 정보 보호프로그램에서 부족함이 많은 측면이면서 검토과정에서 당신이 진정한 가치를 제공할 수 있는 부분이기도 하다. 많은 IT부서는 시스템 공지를 통해 정보보안 인지교육을 실시하기도 한다. 불행히도 대부분의 사람들이 그런 공지사항을 실제로 시간을 내서 읽지 않는다. 그래서 그 대안으로 최소한 1년에 한번은 사람들이 모두 요구조건을 이해하고 있다는 것을 증명하기 위해 대면 설명회를 실시해서 그들이 이해하고 있지 못한 규칙에 대해 질의할 기회를 줄 것을 추천한다.

많은 회사들이 1년에 한번 직원들과 시스템 사용자들에게 준법서약서를 서면 또는 전자 문서로 작성하게끔 하는 프로세스를 운영하고 있다.

시스템 자산을 남용하는 직원들을 교육시키기 위해서라도 이 프로세스는 중요하지만 단순 주의 교육으로만 여겨져서는 안 된다. 이 프로세스는 모든 회사가 갖추어야 하는 중요한 절차이며, 그저 교육과정으로 받아들여져서는 안 된다. 그렇기 때문에 교육자료를 가지고 시스템 사용자 중 일부에게 다양한 보안규정을 잘 이해하고 있는지 물어봐야 한다.

이런 샘플테스트에는 IT담당 직원도 포함시키는 것이 도움이 된다. 규정을 이해하는지 물어본 후 그들에게 이러한 규정이 일상 업무의 생산성에 영향을 준다고 생각하는지, 규정을 무시할 필요가 있다고 생각하는지 물어볼 수 있다. 다시 말하지만 의미 있는 데이터가 될 만큼 충분한 상대적 샘플을 얻을 시간이 없을 것이며, 단지 이 프로그램이 제대로 운영되는지 파악해내는 목적이기 때문이다. 경영진에게 몇 가지 권고사항을 제시할 때 그런 정보를 강조하는 게 중요하다.

정보탐문 요구사항

제6장에서 협의한 것처럼 컴퓨터 및 정보통신 오용, 도난 또는 정보자산의 보안침입, 서비스 장애중단 등 제반 사고에 대한 탐문조사 요구사항을 결정할 필요가 있다. 이를 실행하기 위해 우선 이런 탐문조사의 어느 유형이 보안부서에 의해 기록되고 있는지 확인한다. 확인 후에는 이런 조사유형 중 무엇을 기록하고 있는지 알아보기 위해 IT책임자와 인터뷰를 실시한다.

두 가지 인터뷰 보고서를 비교하면서 보안 실무부서와 IT 책임자간 서로 상이한 의견을 보일 것이라는 생각을 가지고 접근한다. 상이점이 없다면 다른 회사들보다 앞서있는 것이다. 왜냐하면 대부분의 경우 IT부서가 보안부서에 조사 및 파악한 결과를 모두 알려주지 않기 때문이다.

다음으로 IT담당자 및 보안담당자들과 탐문조사에 대해 서로 협력할 부분과 협력하기 어려운 부분을 결정하기 위해 상호 간에 솔직한 대화를 하도록 제안한다. 이는 우호적인 토론이 되지 않을 수 있다. 그러면 이런 정보를 살펴보고 이와 관련해서 그들의 절차에 대해 동의하는지 정할 필요가 있다.

일반적으로 HR이 관련 되는 경우 정보오용 조사에 관여하지 않는 것이 보안상 문제를 야기하지 않는다. 하지만 대부분의 IT부문 조사는 사례 관리자로 보안교육을 받은 조사담당자를 관여시키도록 한다.

다음으로 조사담당자가 컴퓨터 조사를 위한 과학수사(forensic investigation)

기법 교육을 받았는지 용역계약 상 별도의 컨설턴트를 두고 있는지 확인해야 한다. 그들은 지금까지 발생했던 사고 사례 경험에 근거해서 그럴 필요가 없다고 생각할 수도 있지만, 단순 실수 사건 사례로 여겨서 조사를 착수했다가 결국 횡령 사건이 실제로 발생했음을 알게 될 수도 있다. 그 시점에는 공범을 찾기에는 너무 늦을 수 있으며, 부적절하게 대처한 경우 형사사건 수사나 민사배상 조차도 제대로 하기 힘들 수 있다. 필요한 경우 유능한 컴퓨터 과학수사관을 활용하는 용역계약을 맺는 데는 그다지 많은 비용이 들지 않을 것이며, 장기적으로 수많은 실패, 좌절 및 비용 손실을 미연에 예방하게 될 것이다.

퇴사자 면담 절차의 검토

클라이언트는 회사를 떠나려고 하는 모든 핵심인력을 면담하는 절차를 마련해야 한다. 이를 실행하기 위해 퇴직절차에 포함되어야 할 핵심인력이 누구인지를 정하는데 별도의 시간과 노력을 기울여야 한다. 비즈니스 유형에 따라 다르지만 주로 회사 임원층, 수석 엔지니어, 또는 제조·관리 책임자 등이 이에 해당된다. 만일 소프트웨어 회사라면 소프트웨어 엔지니어가 될 것이다. 프로세스 중에는 이들 핵심인력이 입사 시 보안누출방지각서(CDA)에 서명하도록 해야 하며, 회사 정보가 보안을 요하는 것이라면 퇴사 전 충분한 시간적 여유를 두어야 한다.

핵심인력은 퇴사 이전에 별도 면담을 해야 하며 이 과정에는 관리 및 인사부서의 법무팀도 참여해야 한다. 중점사항은 그 직원이 재직 중 자신이 알고 있거나 접근권을 가지고 있던 독점정보 자산은 무엇이든 간에 보호되어야 한다는 것이다. 최소한 이런 면담 과정을 통해 해당 직원에게 계약 요건을 상기시켜 주게 된다. 연구개발(R&D)기능을 수행하는 많은 회사들은 여기서 한걸음 더 나아가 퇴사자가 비밀유지각서를 다시 한번 작성하게끔 한다.

일부 사례에서는 퇴사자가 현직 회사와 경쟁업체에 재입사하는 것에 대한 우려가 생기기도 한다. 이런 부분은 경영진과 법률 고문에 의해서도 고려되어야 하며 퇴직 면담 시에 서면으로 기록을 해둬야 한다.

정보자산보안 검토

정보자산 보안은 많은 기업들에게 경쟁우위를 제공하고 미래의 성공 기반을 제공해 주는 핵심자산 보호를 위한 매우 중요한 프로그램이다.

클라이언트가 이런 프로그램을 제대로 갖추고 있는지 미리 알아두어야 하고, 그렇게 했다면 이제 프로그램이 효과적으로 실행되고 있는지 확인해야 한다.

다음 내용은 제6장에서 설명했던 정보자산 프로그램의 9가지 주요 기본 요인이다. 하지만 클라이언트는 약간 상이할 수도 있는 자사의 내부 프로그램을 두고 있을 수도 있다. 만일 그렇다면 검토 시 그 프로그램을 효과적으로 실행하고 있는지 여부를 확인하는데 초점을 맞추어야 한다. 만약 클라이언트의 프로그램이 언급했던 제반 측면을 포함하지 않고 있다면, 그에 대한 질문을 해야만 한다.

1. 정보자산을 결정하라.
2. 정보자산의 책임자를 선정하라.
3. 정보자산의 사용을 승인하라.
4. 직원의 책임사항을 교육시켜라.
5. 통제 권한의 효율적 사용을 보장하라.
6. 법규 준수를 확실히 하기 위해 자기평가를 실행하라.
7. 리스크를 평가하고 받아들여라.
8. 정보자산의 누출, 오용 또는 손실에 대해 단호하게 대응하라.
9. 관리 책임 및 권한 위임대상을 선정하라.

이 시점에서 파악하게 된 내용이 합리적이고 만족스럽다면 검토를 마칠 수 있다. 그렇지 못하다면, 한 단계 더 나아가 직원들의 책임소재를 분명히 하고 프로그램을 충분히 이해하는지 살펴보기 위해 프로그램을 준수할 책임을 지닌 직원과 인터뷰해야 한다.

시큐리티 마스터 플랜 문서 구성하기

수집된 정보의 취합, 구성 및 평가

정보수집을 완료한 후에는 비즈니스 리스크, 현장 보안 평가, 보안 조직 평가 등의 결과를 취합해야 한다. 편집 작업은 매우 중요하며 완성에 다소 시간이 소요된다. 보통 간략한 메모들만 정리할 수도 있다. 하지만 매일 저녁 현장에서 작업을 마친 후 노트를 펼쳐 가능한 완벽하게 정리해야 한다. 그리고 매일 밤 노트를 펼칠 때, 후속 조치를 취해야 하는 미결 항목들을 식별할 수 있어야 한다. 일반적으로 노트북에서 작업하며 가능한 메모들을 구분하여 나눈다. 프로세스 중 그 단계에 도달했을 때 도움이 된다. 전체 프로세스를 진행하는 동안 우수한 구성 기술을 활용하는 것은 현재 상황을 단순화 시킬 수 있다는 점에서 매우 가치 있는 행위이다.

모든 정보를 검토하고, 검토 결과를 바탕으로 시큐리티 마스터 플랜의 대략적인 초안을 구성해야 한다. 그러나 이 프로세스의 중요한 측면은 정보를 체계화할 때 분석하고 평가할 필요가 있다는 것이다. 언젠가 정보 보호 프로세스를 검토하는 과정에서 잠금장치 및 열쇠와 같은 다른 영역의 문제점을 발견할 수 있다. 그러면 해당 정보를 잠금장치와 열쇠 항목으로 분류해야 한다. 예를 들면, 하역장(dock area)에서 물리 보안부문을 조사하던 중 파쇄되지 않은 기밀문서를 쓰레기통에서 발견할 수 있다. 그 정보를 정보보호 부서에 통보하는 것 외에도 해당 문제가 즉시 시정될 수 있도록 동행한 사내 보안담당자에게 이를 인지시켜야 한다. 예를 들어, 사내 보안담당자와 컨설턴트가 발견한 정보가 프레젠테이션 마무리 단계에서 폭탄선언이 됐고, 이 문제를 즉시 보고하지 않았기 때문에 임원이 그들에게 매우 화를 냈던 경우가 있었다. 임원은 컨설턴트가 의도적으로 그들의 잘못이 드러나도록 한 것처럼 느끼게 될 것이다.

그러므로 수집한 모든 정보를 검토해야 하며, 상충되는 정보 또는 미해결 문제들에 관하여 노트를 만들어야 한다. 만약 종결이 필요한 미결 항목들이 없다면 매우 놀라운 일이다. 이 정도 규모의 검토를 실시할 때는 대부분 반드시 존재하기 때문이다. 일단 데이터 검토를 완료하면, 프로세스의 다음 단계로 진행하기 전에 미해결 질문이나 모순된 사항을 해결해야 한다. 프로세스의 이 부분에서는 구성 및 분석 기술을 테스트 하며, 모든 이슈가 식별되고 해결되었음을 확신하기 전까지 여러 차례 데이터를 검토해야 할지도 모른다.

권고사항 개발

이제는 수집한 데이터를 토대로 권고사항으로 발전시키는 작업을 시작해야 한다. 이 시점에서 보안철학, 전략 또는 목표 분야는 다루지 않는다. 이러한 영역은 이 프로세스의 후반부에서 다루어 질 것이다. 지금은 완벽한 권고사항 리스트를 만들어야 한다. 또한 해당영역에 대한 구성은 잘 구현된 영역에 관한 목록으로 작성해야 한다. 이는 프레젠테이션에서 중요한 부분인데 대부분의 컨설턴트는 기존 프로그램이 부정적인 인상을 주기를 원하지 않기 때문이다. 기존 프로그램에서 긍정적인 부분을 강조하기 어려울 때가 있지만 이를 부각시키는 것은 가치 있는 일이라고 확신한다. 물론 항상 정직하고 전문적인 평가를 해야 하지만, 칭찬할 만한 어떤 것도 찾을 수 없다면 어쩔 수 없다.

그 다음 권고사항의 우선순위를 결정하여 경영진의 관심을 끌 필요가 있는 항목과 보안관리자에게 전달할 항목으로 구분해야 한다. 경영진과의 미팅 시에는 경미한 이슈들에 관한 보고로 시간을 낭비하지 않는 것이 중요하다. 보통 보안관리부서에서 다루어야 할 사소한 이슈들은 한 줄로 프레젠테이션 한다. 그러나 누군가로부터의 질의에 대비하여 해당 정보를 가지고 있어야 한다. 가능하다면 경영진에게 프레젠테이션하기 전에 최고보안책임자(CSO) 또는 보안책임자에게 사소한 변경사항을 적용하도록 유도하고, 경영진에게 이 항목들이 이미 언급되어 해당 영역에서 변경되고 있다고 말하는 것이다.

컨설턴트로서 이렇게 하는 것은 프로세스에서 나오는 가치의 또 다른 설명이다. 사내 보안팀과 협력할수록 그 프로세스는 더 쉬워지고 컨설턴트인 당신과 다시 협업하고자 하는 의사가 강해질 것이다. 만약 이 프로세스를 구현하는 사내 보안담당자인 경우, 주요 권고사항 외에도 이 프로세스를 통해 배운 다른 사소한 수정사항을 경영진에게 보고하여 그들이 업무 전체를 이해할 수 있도록 해야 한다.

보안관리와 초안 검토

일단 대략적인 초안을 작성한 후 보안 관리팀과 함께 데이터와 권고사항을 검토하여 그들이 이해하고 동의하는지 확인해야 한다. 보통 최고보안책임자(CSO) 또는 보안책임자와 양자 협의(one-on-one session)로 시작한다. 인력수준 및 기술에 이슈가 있는 경우 몇몇 권고사항은 상당히 개인적일 수 있다. 최고보안책임자(CSO)나 보안책임자와 함께 검토하지 않는 유일한 권고사항은 기존의 최고보안책임자(CSO) 또는 보안책임자 자체를 교체해야 할 때뿐이다. 그 권고안을 관리자와 검토하고 그들이 향후 권고안을 어떻게 수용할 것인지 또는 스스로 해결하기를 원하는 것인지를 파악해야 한다. 그러나 그 담당자를 대체해야 할 필요성을 강하게 느끼지만 관리자가 동의하지 않는 경우에는 경영진에게 권고해야 하며, 최고보안책임자(CSO) 또는 보안책임자에게 그 의도를 알려야 한다. 이런 종류의 이슈를 제외하고 최고보안책임자(CSO) 또는 보안책임자와 검토를 마친 후 그 의견에 따라 필요한 변경사항이 있는지를 결정해야 한다. 최고보안책임자(CSO) 또는 보안책임자와 함께 검토를 시작할 때, 이것이 그들과 관련된 이슈로 협의하는 처음임을 이해시켜야 한다. 이슈가 발견되었을 때 사내 보안 담당자는 그 문제를 설명할 수 있을 만큼 충분히 이해가 된 상태가 아닐 수도 있다. 그러나 최고보안책임자(CSO) 또는 보안책임자와 그 문제를 검토할 때, 문제를 해결할 수 있도록 만족스럽게 설명할 수 있도록 해야 한다.

다음으로, 최고보안책임자(CSO) 또는 보안책임자가 필요하다고 판단되면, 다른 보안 팀원들을 포함시켜 그들의 의견을 구할 수 있다. 보통 한 번에 두 명과 함께 특정 전문 분야만을 협의한다. 여기에서 해당 프로세스를 이해하는 것이 중요하다. 권고사항에 무엇이 포함되어야 하는지 포함되지 말아야 하는지를 알려줘서는 안 된다. 개인적으로나 전문적으로 그러한 권고안들을 당연히 가지고 있어야 한다. 그들과 함께 검토하는 목적은 그 문제에 대해 어떤 것도 간과하지 않았다는 것이고, 권고사항과 이유에 대해 단순히 그들의 견해를 얻으려는 것이다. 그들이 처음 권고사항을 이끌어 낸 현재 상황의 당사자임을 기억해야 한다. 일부 권고사항이 보안예산 부족 때문인 경우, 그들은 위의 증액을 위해 컨설턴트의 권고를 확실히 지지할 것이다. 그들은 이전에 그러한 위의 권고를 제시하고 있는 다른 분야에서 예산을 요청했었다는 것을 확실히 알 것이다. 그러나 최고보안책임자(CSO)나 보안책임자의 예산 획득 능력 부족이나 조직의 보고 체계가 예산 부족 상황을 초래해 왔을 가능성이 있다.

해결책에 대한 권고사항

이러한 권고사항은 기술이나 지식이 부족하거나 사내 부서의 부족의 문제 때문에 발생할 수 있다. 이러한 부분들을 보안팀 입장에서는 듣기 싫을 수 있으나 컨설턴트로서 문제점과 해결책을 확실히 이해하도록 만드는 것이 중요하다. 권고사항이 탄탄한 근거에 기반한 합리적인 것이라면 대부분의 전문가들은 권고사항에 동의하고 그들이 저지른 약간의 실수를 인정할 것이다. 가능할 때마다 권고사항을 통해 설명하는 것이 중요한데, 다음과 같은 원인을 포함 한다.

- ▸ 자원 부족
- ▸ 자금 부족

‣ 조직의 후 순위 배정

‣ 조직 내의 기초 기술 부족

‣ 경영 지원의 부족

하지만 권고를 할 때 그 누구에게도 변명의 여지가 없도록 확실하게 주장해야
한다. 절대적인 증거를 가지고 있지 않을 경우에는 "내 의견으로는"이라는 문구
를 추가하는 것이 좋다. 그러나 확실한 이유가 있다면, 임원진이 문제를 해결하기
위해 무엇을 해야 하는지에 대해 이해시키는 것이 중요하다. 예를 들어, 보안팀은
회사의 정보자산에 대한 보안을 책임지지만 이 분야에 대해 교육을 받은 직원이
없을 수 있다. 따라서 보안팀 내의 기술 부족으로 이 프로그램의 단점을 지적한
경우 해당 분야의 지식을 가진 사람을 고용하거나, 팀원 일부를 교육받도록 투자
하거나, 팀원의 교육기간 동안 비정규직 채용을 권고사항에 추가할 수 있다. 물론
이 해결책은 향후 5년 단위 계획 중 12개월 이내에 달성할 수 있도록 시큐리티
마스터 플랜에 반영되어야 한다. 발견한 문제에 대해 합리적인 해결책을 제시 할
수 있도록 항상 준비하고 있어야 한다.

보안철학, 전략 그리고 목표 개발 및 개선

클라이언트를 위한 사내 보안팀이 있다고 가정하자. 만약 클라이언트가 보안
조직(security force)에 대한 계약만 맺었다면 이 섹션의 마지막에 그들이 해야 할
것에 대해 다룰 것이다.

이제 해결해야 할 세부 권고사항을 가지고 있고, 보안팀(security team)과 보안
철학, 전략, 인력, 기술, 프로세스, 절차 및 계약 부분의 장기목표를 개발하고 개
선하기 위한 작업을 시작해야 한다. 이것은 팀을 얻기 위한 매우 좋은 활동이다.

클라이언트라면 아마 이미 정보수집 프로세스의 결과로 이 분야에 무엇을 포
함시킬지에 대한 아이디어를 가지고 있을 것이다. 하지만 효과적이기 위해서는
그 팀이 자체적으로 이런 아이디어를 소유하고 있어야 한다. 명심해야 한다. 컨설
턴트는 이 일이 끝나고 돌아가지만, 그들은 그일들을 해마다 해야 할 필요가 있
다. 이를 위한 최선의 방법은 주요 책임자들이 모여서 함께 브레인 스토밍을 진행

하는 것이다. 만약 그들이 이미 서면 또는 실제로 이 분야에 대한 일부를 다루어 보았다면, 거기서부터 시작해서 현재는 어떻게 변해야 하고, 시간이 지남에 따라 어떻게 변해야 하는지에 대해 협의해야 한다. 컨설턴트는 협의되는 주제에 따른 장단점을 설명함으로써 그들이 목표하는 곳에 잘 도달하도록 도와야 한다. 이 과정을 위해서는 열린 마음을 유지해야 한다. 어느 누구도 항상 모든 답을 가지고 있지 않으며, 이 과정은 이전에 떠올리지 못한 몇 가지 생각들을 끌어낼 수도 있다.

저자는 모든 사람들을 교실 같은 환경에 모이게 한 뒤 보드에 아이디어를 쓰고 토론할 수 있게 하는 작업을 선호하는데 그들 중 한 명에게 좀 더 주인의식을 가지고 참여하기를 바라는 목적에서 '서기' 역할을 하도록 요청한다. 보드에는 토론의 다른 분야로 나누고 각 부분에 제목을 붙인다. 다시 말하지만, 시작하기 가장 좋은 순서는 그들이 이미 가지고 있는 부분이므로 보드에 먼저 적도록 하는 것이 좋다. 그 다음에 실무에서 이미 실행하고 있으나 문서화되지 않은 분야는 보드에 메모한다. 이때 이 과정은 그들이 이미 성취한 분야이기 때문에 참여하는 것에 약간의 열정을 보일 것이다. 그런 다음에 보안 철학, 전략, 인력, 기술, 프로세스, 절차 및 계약 부분에서 장기 목표로 확장해야 한다고 생각되는 분야의 토론으로 넘어가야 한다. 이 과정을 마칠 수 있는 시간은 제한적이므로 토론의 방향과 목적을 헤매지 않도록 하는 것이 중요하다. 그들의 생각을 억압하지 않으면서 제한된 시간 내에 합리적인 결론을 이끌어낼 수 있어야 한다.

만약 클라이언트가 보안요원과 계약을 맺었다면, 컨설턴트는 보안요원이나 계약관리를 전담하는 클라이언트 관리자와 함께 일할 최선의 방법을 결정해야 한다. 먼저 클라이언트 관리자와 협력하고 개발해서 문서화해야 할 부분에 대해 살피는 것이 좋다.

대부분의 경우 클라이언트들은 그들이 무엇을 시행해야 하는지에 대해 권고해 주기를 기대한다. 그 후에 컨설턴트와 매니저는 계약 관리팀과 만나 해당 분야에서 시행해야 할 항목에 대해 협의할 수 있다. 물론 중소기업 클라이언트의 요구사항이 모든 물리적 보안시설을 갖는 것이라면 이 부분은 불필요 할 수 있다. 이 과정을 시작할 때 클라이언트가 필요하다고 생각되는 모든 상황에 대해 파악 하지만, 마지막 단계에서 그들은 훨씬 더 많은 것이 필요하다는 것을 알게 된다. 대부분의 경우, 클라이언트에게 프로그램과 계약을 관리하기 위한 사내 보안관리자를 채용할 것을 권고하며 대부분 이에 동의한다. 만약 그들이 채용을 계획하고 있다면, 컨설턴트는 보안 관리자가 배치될 때까지 중점 분야의 개발 연기를 제안해야 한다. 보안책임자가 선임된 후에 그들이 주인의식을 가질 수 있도록 보안책임자와 함께 중점 분야 확장 작업을 함께 마무리 하도록 해야 한다.

이해관계자의 참여

과정이 한번 완료 되면 이전에 구성되었던 이해관계자 부서와 미팅을 가져야 한다. 이 부서와 함께 보안 철학, 전략, 인력, 프로세스, 절차 및 계약과 관련된 권장사항과 목표를 검토하여 다양한 분야에 대한 우려사항이나 문제점 또는 지원에 대한 피드백을 얻을 수 있다. 아직 아무것도 마무리된 것이 없으므로 부서 외부에서 세부 사항에 대해 협의하지 않아야 한다. 하지만 그렇게 하는 사람들은 항상 있다는 것을 알아야 하며, 함께 검토할 때 이점을 유의해야 한다. 예를 들어, 인사관련 이슈 또는 임원진 보호 프로그램과 같은 사항에 대해서는 어떠한 것도 협의하지 말아야 한다. 주로 이해관계자와 그 조직에 직접적인 영향을 미치는 분야에 초점을 맞춰야 한다. 이 부분은 기술 변화와 절차상의 변화일 가능성이 높다. 또한 이는 보안 담당자의 직급 변경과 같은 사안이 포함될 수도 있다. 컨설턴트가 내부 부서와 몇몇의 계약 업체가 혼재된 조직을 다룰 경우, 보안 협력업체를 변경해야 하는 것과 같은 사항이 해당될 수 있다. 분명 협력업체에 전해질 수 있기 때문에 해당 부서에게 언급하지 않아야 한다.

사내 보안팀과 계약팀과의 사적인 관계로 인해 사내 보안팀과의 협의만으로도 정보가 유출될 수 있다. 임원들에게 그것을 가져가기 전에 다른 사람들과 상의할 수 있는 것이 어려울 수 있지만, 마지막에 하기를 원하는 일이 적대적인 환경을 만들 수도 있기 때문에 매우 주의해야 한다. 그들은 그들의 문제점을 야기할 때 아무리 올바른 아이디어를 제시하여도 받아드리지 않으려는 경향이 있다.

종합 계획의 문서화

다음으로 보안관리를 수행하는 시큐리티 마스터 플랜의 모든 정보는 문서화해야 한다. 매우 상세한 문서로 최종형식이 나오기까지는 시간이 걸릴 것이다. 현장이 아닌 사무실에서 이 작업을 해야 하며, 최고보안책임자(CSO) 또는 보안책임자와 전화통화 및 이메일을 주고받을 때 이 문서를 함께 제출한다. 문서를 구성할 때 최종문서는 이해관계가 있는 다른 부서에 해당 문서가 공유될 수 있음을 기억해야 한다. 항상 염려해야 하는 것은 임원진 보호라는 주제다. 반드시 알 필요가 있는 사람을 제외하고는 그 누구도 그 계획의 세부 사항을 보게 해서는 안된다. 따라서 그 섹션의 내용을 일람표로 만들고, 이 정보를 알 필요가 있는 사람은 누구나 최고보안책임자(CSO) 또는 보안책임자에게 상세한 내용을 문의해야 한다는 사항만 제공한다. 이 계획은 담당 임원 등 열람하는데 적합하다고 여겨지는 이들에게만 제공되어야 한다.

광범위한 배포를 원하지 않는 다른 부분은 보안요원의 변경이나 계약된 보안협력업체의 잠재적 교체사항이다. 다시 말하지만, 이 섹션에서 해당정보를 알고싶은 사람에게는 "상세사항을 알기 위해서는 최고보안책임자(CSO) 또는 보안책임자에게 문의해야 한다."라고 해야 한다. 계획을 수립 할 때 컨설턴트는 클라이언트의 구조와 보호해야 할 중요 요인에 따라 민감한 분야를 식별해야 한다.

권장사항 프레젠테이션

시큐리티 마스터 플랜을 완료하고 나면, 조직에 필요한 변경사항을 강조하고 중간 및 임원에게 제시할 권고사항에 대한 프레젠테이션을 준비해야 한다. 중간 관리자에게 제시하는 내용에는 임원에게 보고될 모든 내용이 포함되어 있지 않을 수도 있다.

임원 프레젠테이션을 계속 진행하면서 마스터 플랜의 전체 양상을 담고 있는지 확인해야 한다. 보안팀이 수행한 모든 훌륭한 성과를 부각시켜야 한다. 최고보안책임자(CSO) 또는 보안책임자는 이전에 그들이 만들었던 권고사항을 임원보다 컨설턴트인 당신에게 우선 알려줄 가능성이 높다. 이 내용을 듣고 보통 최고보안책임자(CSO) 또는 보안책임자의 권고사항은 무엇이고, 언제 누구에게 권고할 것인지 정확히 보여줄 수 있는 문서를 요청해야 한다. 만약 그들 권고사항과 같은 내용의 권고사항이라면 임원 앞에서 최고보안책임자(CSO) 또는 보안책임자가 당혹스럽게 느끼지 않도록 프레젠테이션에서 이를 언급해야 한다. 대부분의 임원은 자존심이 높기 때문에 보안팀의 말에 귀를 기울이고 실행해야 한다고 말한다면 매우 당황해할 것임을 기억해야 한다. 그들을 당황하게 하는 것이 권고사항을 지지하는 최선의 방법은 아니다. 그렇지만 그들이 정당한 이유를 제시하고, 내부 보안팀이 이전에 이를 권고했다는 점을 알리는 것이 중요하다고 믿는다. 임원의 체면을 세우고 유지하는 것 사이에서 적절한 균형을 유지해야 한다.

이 시점에서 저자의 짧은 경험을 공유하고자 한다. 사람을 대하는 일이 자기 직무의 일부가 아니라고 여기는 보안전문가가 있었다. 하지만 보안전문가 업무는 직언하는 것이다. 그의 임무는 사람, 재산 및 자산의 보호를 개선하기 위해 변화를 만들어내는 것이다. 이 또한 업무수단의 일부로서 사교적이지 않다면 성공보다 더 많이 실패할 것이라 확신한다. 누군가를 지지하고 어떤 것을 제시하는 방법을 이해하는 것은 그들을 당황하게 하는 방법보다 훨씬 더 많은 이점을 얻을 수 있다. 다른 말로 표현하자면, "은혜를 원수로 갚지 말라(Don't bite the hand that feeds you the money)"(그림 11.1 참조)란 말과 같다.

그림 11.1 임원에게 권고사항을 제시하는 것은 긍정적인 변화를 가져오기 위해 지원과 구매를 촉진하는 방식으로 이루어져야 한다.

그러나 최고보안책임자(CSO) 또는 보안책임자가 이전에 임원에게 한 보고는 다른 권고사항을 뒷받침하는데 큰 도움이 될 수 있다. 예를 들어, 보안팀을 시설

관리 담당 임원 산하에서 다른 임원의 조직으로 옮길 것을 권고할 수 있다. 만약 기존 임원에게 권고안이 거절당한 사례가 있다면, 같은 권고안을 제시할 경우 그 정보가 재조정 되어야 한다는 것을 입증하는데 매우 유용할 수 있다. 최고보안책임자(CSO) 또는 보안책임자는 기존 조직의 임원과의 관계에 악영향을 줄 수 있기 때문에 이를 선호하지 않거나 이행하지 않을 수도 있지만, 비록 컨설턴트가 추천한다 할지라도 얼마나 중요한지를 토대로 클라이언트가 결정해야 한다. 가능하다면 공식발표 전에 일대일 모임에서 이 변경사항을 이행할 결정권을 가진 임원과 이런 유형의 협의를 시도해야 한다. 변경사항이 실현되지 않았더라도, 추후 의사결정권을 가진 임원과 협의했기 때문에 당혹스러워 할 필요가 없기 때문이다.

이 프리젠테이션의 목적은 임원의 승인이 필요한 수준의 권고안을 승낙 받는 것이다. 프리젠테이션은 간결해야 하고 핵심이 담겨 있어야 한다. 최고보안책임자(CSO) 또는 보안책임자가 승인할 수 있는 모든 권고사항은 간략히 언급되어야 하며, 세부사항을 요구할 경우를 대비하여 해당 권고사항에 대한 상세정보를 갖고 있어야 한다. 논란의 여지가 있는 사항은 시간 내에 해결할 수 있도록 초기에 언급되어야 한다. 프리젠테이션을 진행하기 위해 임원들과 일정을 잡을 때, 해당 항목에 대한 협의를 할 수 있는 충분한 시간을 요청해야 한다. 앞서 언급한대로 보안조직을 다른 팀의 임원 아래로 소속시키거나 최고보안책임자(CSO) 혹은 보안책임자 교체와 같이 민감한 사항을 협의하기 위해서는 다른 고위 임원과 일대일로 시간을 가질 수 있는지 알아보는 것이 적절할 수 있다. 만약 상대방이 이 내용에 대해 동의하는 경우, 프리젠테이션 전에 실행될 수 있는지를 확인한 뒤에 마스터 플랜 상에서 변경사항을 보여줄 수 있다. 임원과 일대일 미팅을 가진다면 권고사항을 입증하는 모든 세부정보를 가지고 있으므로 즉시 해결 가능하다. 임원과 함께 해당정보에 대한 문서의 사본을 남겨두어야 그의 직원들이 필요할 수 있는 추후 협의에서 사용할 수 있다. 또한 프레젠테이션 참석자들과 프레젠테이션 자료 및 시큐리티 마스터 플랜 초안의 사본을 준비하고, 직원들이 자료를 검토하기 원할 경우를 대비해 본문에서 민감한 섹션은 제외한 일부분을 별도로 분리해 제공해야 한다.

비용효과 산출

즉각적인 처리가 필요하거나 카메라 추가설치 및 새로운 출입관리 기술의 도입과 관련된 비용이 발생하는 부분에서는 비용 견적이 필요하다. 견적을 얻기 위해 외부 공급자와 접촉해야 할 수도 있다. 최선의 방법은 승인 받고자 하는 일에 대한 예산을 준비하고 내년 또는 그 이후에 수행한다고 알리는 것이다. 컨설턴트는 외부 공급자들로부터 약간의 조언을 얻고 싶어 할 것이다. 대부분의 공급업체나 통합사업자는 큰 노력을 기울이지 않고 개략적인 견적을 제공할 것이다. 사업을 승인 받지 못한 시점에서 상세 견적을 요구하는 것은 적절하지 못하다. 클라이언트가 시스템 통합 업체를 이미 사용하고 있다면, 비용 견적에 직접적인 영향을 미치는 시스템 구성을 통합 업체가 알고 있으므로 추정치를 계산하는데 적합하다. 단, 추정치는 시스템 확장이나 추가를 승인 받기 위해서만 사용되며 사업이 승인된다면 입찰로 진행될 것임을 명확히 해야 한다. 업체가 견적을 요청 받았다는 이유로 차기 사업의 낙찰자로 내정되었다고 오해하는 일은 없어야 한다. 예산 반영시기도 고려해야 한다. 3~5년 사이에 진행되지 않을지도 모르는 일에 대한 견적을 현시점에서 작업할 경우에는 물가 상승률과 다른 예측 불가능한 인상요인을 고려하여 10~15% 증가시킬 필요가 있다.

필요한 경우 이 추정치에 접근할 수 있는 또 다른 정보의 출처가 있다. RS Means사는 북미지역의 건설 프로젝트에 대한 정확하고 최신화된 정보를 제공한다. 물론 이것은 단지 추정치이고 대부분의 경우 일반적이지는 않으나 전체 시스템 설치가 필요한 경우에 사용한다. 더불어 비용 추정치는 단순히 장비가격만이 아닌 인건비, 배선비용, 기타 요인이 포함되어 있다.

프로젝트 관리 기술

만약 컨설턴트가 권고해야 할 또 다른 요인은, 현재 사내 직원들이 주요 시스템 업그레이드를 관리할 수 있는 기술과 시간적 여유를 갖추고 있냐는 점이다. 프로젝트 관리는 주요 업그레이드를 원활하게 진행할 수 있는 기술이다. 만약 그 기술을 갖추고 있지 못하다면 클라이언트는 비용 초과와 각종 문제에 직면하게 될 것이다. 단순히 누군가가 보안시스템에 대한 지식을 갖추었다는 것이 핵심 프로젝트를 관리할 수 있는 기술을 보유하였다는 것을 의미하지 않는다. 프로젝트 관리의 주된 측면에서 요구되는 특징은 다음과 같다.

- ‣ 체계적인 정리
- ‣ 프로세스 지향
- ‣ 멀티태스킹 능력
- ‣ 다양한 follow-up 기술
- ‣ 논리적 사고 과정
- ‣ 문제해결능력
- ‣ 분석능력
- ‣ **훌륭한 예산 관리자**
- ‣ 자제력

주요 프로젝트를 관리하는 측면은 이전에 프로젝트를 다뤄 본적이 없는 사람은 대응하기 힘들다고 느끼게 할 수 있다. 따라서 컨설턴트는 클라이언트에게 중요한 시스템 프로젝트를 감독하기 위해 최소한 비정규직이라도 채용할 것을 권고해야 한다. 또한 컨설턴트가 해당기술을 가지고 있지 않다면 그 업무에 추천할 만한 사람을 찾아야 한다. 모르는 영역의 업무를 수행하기 위해 계약하는 어리석음을 범하지 말아야 한다.

12

시큐리티 마스터 플랜 표준항목

많은 사람들이 시큐리티 마스터 플랜 샘플을 요구한다. 그러나 클라이언트마다 플랜이 다를 수 있으며, 기밀을 요하는 자료이므로 샘플 플랜을 수립하기 어렵고, 잘못된 지침을 줄 수 있다. 그러므로 이 장에서는 전형적인 마스터 플랜의 개요 및 항목별 설명과 근거를 제공한다. 클라이언트 또는 컨설턴트만을 위해서 마스터 플랜을 작성하는 경우 몇 개의 항은 적절하지 못할 수 있으며, 여기에 기재되지 않은 일부 항목을 추가해야 할 수도 있다.

목차 및 조직

- ‣ 목적
- ‣ 소개
- ‣ 핵심 요약

‣ 중점분야
  · 보안철학, 전략 및 목표
  · 보안 조직의 보고 및 구조
    - 보안 기술 책임자 및 연락처
    - 보안 조직의 기술 매트릭스
    - 보안 조직의 인력 배치 및 충원
    - 계약 보안요원 채용
    - 무장, 비무장 보안요원
  · 보안 기술 계획
    - 보안관제센터
    - 출입통제시스템
    - 폐쇄 회로 텔레비전(CCTV)시스템
    - 디지털 기록 및 지능형 소프트웨어
    - 무선 시스템
    - 자동화 경비 순찰시스템
    - 시스템 유지·보수 계획

‣ 물리적 보안 기준
  · 외부
    - 시설물 표식
    - 출입통제 위치
    - 외곽 펜스, 장벽, 출입문
    - 환경 설계를 통한 범죄 예방(CPTED)
    - 조명
    - CCTV시스템
    - 경보
    - 조경
    - 건물 주변
    - 출입통제시스템 사용
  · 방문객 및 계약 업체 관리 프로세스

- · 내부 보안
  - 공통 영역 및 내부 관리
  - 높은 수준의 위험 지역
  - CCTV시스템
  - 경보
  - 출입통제시스템
  - 열쇠 및 잠금장치 컨트롤
  - 기타 잠금장치

▸ 조사
- · 범죄자 체포
- · 법 집행 기관

▸ 위기 관리 계획
- · 비상 계획 및 대응
- · 외부 공공 기관
- · 테러리즘과 생화학테러
- · 재해 복구프로그램

▸ 보안 인식 프로그램
- · 신입 직원 오리엔테이션

▸ 리스크 평가 프로그램

▸ 정보 보호 프로그램
- · 정보 자산 보안

▸ 직장폭력 예방프로그램

▸ 사전 채용 심사

▸ 퇴사 인터뷰 실시

▸ 임원진 보호프로그램

▸ 자체 보안 요구 사항

구조적 중점사항

목적

"목적" 부분은 시큐리티 마스터 플랜 의도에 대한 간단한 설명이다.

> 마스터 플랜의 목적은 직원과 클라이언트, 방문객들에게 미치는 위험을 완화하여 안전한 작업환경을 제공하기 위해 시행되어야 하는 우수한 보안 프로그램의 구성요인을 개략적으로 설명하는 것이다.
>
> 필요에 따라 마스터 플랜은 기술 목표 지원을 포함한 보안 프로그램의 미래 방향을 정의할 것이다. 또한 적절한 계획, 원활한 조정, 순조로운 전환을 통해 클라이언트의 전반적인 미래지향적 목표와 일치하도록 지원한다.

소개

"소개" 부분은 주요 관심분야에 대한 시큐리티 마스터 플랜의 목적을 정의 한다. 아래의 예에서 주요 중점사항은 클라이언트의 평판을 보호하는 것인데, 특정 클라이언트가 비즈니스를 유지하기 위해 기부금을 받는 것에 의존하고 있기 때문이다. 그 내용은 다음과 같다.

> 시큐리티 마스터 플랜의 주요 목적은 (클라이언트의) 직원, 방문객, 시설 및 자산의 안전과 보안을 지원하는 것이다. 또한 고객이나 기부자의 의사결정 과정에서 중요한 요인이 될 수 있는 클라이언트의 평판을 보호하는 것이 중요하다. 이 목표를 달성하기 위해 우리는 현재와 미래의 보안 분야에서 우리의 전략을 설명하기 위한 관리도구로서 이 계획을 개발했다. 이 문서는 환경 및 정책 변화를 반영하기 위해 매년 검토 및 업데이트될 예정이다.

종합 개요

"종합 개요" 부분은 관심이 집중된 영역과 변경사항을 강조한다.

비록 개요이지만, 일반적으로 시큐리티 마스터 플랜이 매우 방대한 내용을 담고 있기 때문에 다른 문서보다 더 긴 섹션이다. 이 섹션의 길이는 클라이언트와의 작업결과로 이루어진 변경사항에 따라 달라진다. 일부 임원들이 유일하게 읽는 문서의 일부일 수 있으므로 이전의 정보를 반복해서 전달하기를 원할 것이다. 그 예는 다음과 같다.

시큐리티 마스터 플랜의 주요 목적은 (클라이언트의) 임직원, 방문객, 시설 및 자산의 안전과 보안을 지원하는 것이다. 위협을 "저지"와 "제거"로 구분하는 것은 매우 중요하다. 얼마나 정교하냐에 상관없이 어떠한 보안수단도 모든 위협으로부터 완벽히 보호할 수는 없다. 폭로, 파손 또는 억류에 대한 리스크는 가해자로부터 발생하며 성공 가능성이 높다. 이를 방지하기 위해서는 위험요인을 제거 및 통제할 수 있는 보안프로그램을 제공한다.

(클라이언트는) 임직원과 방문객에게 편안한 수준의 보안과 식별된 위험의 완화를 위한 균형 잡힌 보안프로그램을 제공한다.

(클라이언트는) 잘 교육된 비무장 보안요원을 고용하게 된다. 비무장 보안요원의 운용은 산업표준과 안전한 환경을 제공하기 위한 효과적인 정책에 의해 결정된다. 숙련된 비무장 보안요원을 고용함으로써 방문객과 임직원들의 편안함이 증대될 것이다.

보안 순찰 시스템은 근무시간 이후 순찰기능이 제대로 실행되고 있는지 확인하는데 도움이 될 것이다. 이는 가끔 보안요원이 사라지는 잠재적인 고충을 줄여 주며, 순찰 자체에 대한 분석 자료를 제공한다.

이 계획은 모든 방문객들이 주차장이나 로비에 들어가는 어떤 경우에든 (시스템 또는 보안요원에 의해) 감시 받을 것을 요구한다. 로비 안내원의 행동과 출입구 표지판은 자연스러운 경계를 제공하지만, 불청객에게는 불편함을 느끼게 한다.

하루 중 특정 시간대에 시설의 물품 출입구, 외부 출입문, 계단실 및 기타 시설의 잠금은 승인되지 않은 개인의 움직임을 제어하는데 도움이 될 것이다. 이것은 임직원들에게 업무공간에서 낯선 사람들을 대처하는 방법을 가르쳐 주는 보안 교육프로그램과 결합되어 운영될 것이다.

시설에 대한 출입지점이 감소되면 들어오는 사람들에 대한 일반적인 관찰이 증가하게 된다. 적절한 조명이 유지되면 사용자는 편안함을 더 느낄 수 있다. 환경설계를 통한 범죄예방(CPTED ; crime prevention through environmental design)을 기반으로 출입지점을 감소시키고, 적절한 조명을 제공하면 불청객은 더욱더 CCTV 시스템이나 보안요원의 감시 하에 있다고 느낄 것이고, 이런 지역을 피해서 수상한 행동을 취하려 할 것이다. 동시에, (클라이언트의) 임직원들은 보안요원의 감시와 정기적인 보안프로그램의 교육을 통해 보안프로그램이 보다 더 적절하게 활용되고 있다고 생각할 것이다.

보안 규정에는 다음이 포함된다.

- 보안요원은 체계적으로 잘 교육받고 업무범위를 철저히 이해하고 있어야 한다. 프로그램에는 담당자가 자신의 역할을 이해하고 있는지 확인하는 테스트를 포함해야 한다. 경영진은 직무체계 및 교육프로그램 개발에 대한 책임을 져야 하므로 보안요원의 책임과 지식에 대한 의구심을 가지지 않아야 한다. 보안회사를 계약하거나 새로운 담당자가 부임할 경우 신속하게 업무를 수행할 수 있도록 보안요원의 시스템 가동 중단시간(downtime)은 최소화해야 한다.

- 보안시스템은 자격을 갖춘 직원이 정기적으로 검사하고 유지·보수해야 한다. 보안시스템의 일부가 다운되는 경우를 대비하여 시스템의 중단시간이 제한되도록 프로그램을 개발해야 한다. 예를 들어, 주차장에 "고장"이라는 표시가 있는 비상전화는 최고의 편의를 제공하지 못한다. 보안요원은 이러한 보안 및 안전시스템을 정기적으로 점검해야 하며, 수리는 24시간 이내에 이루어져야 한다.

- (클라이언트)의 보안팀은 보안책임자가 작성한 보고서를 통해 보안부서는 도시의 인근 지역과 솔루션의 문제점을 인지하도록 경찰의 범죄예방 부서 및 기타 지역 보안책임자와 지속적인 관계를 유지해야 한다.

- 경영진의 검토 및 토의결과에 따라 보안조직의 보고체계를 변경한다. 이전에는 시설 엔지니어링 조직에 보고하였으나 보안조직이 법률적 목적으로 보고하는 것이 더 적절하다고 판단되어, 이제는 (클라이언트의) 일반 변호사에게 보고 한다.

- 잠재적인 문제 및 해결방법에 대한 정보를 제공하는 "기능 보안 담당자(functional security reps)"인 여러 부서의 대표자를 위해 지속적인 보안 교육프로그램을 진행할 것이다. 이 프로그램은 보안조직과 임직원 및 관리자 간에 의사소통을 유지하여 보안 요구사항에 대해 전반적인 팀 대응의 일부라고 느낄 수 있도록 도와준다.

- 취약한 지역에 보안감시, 비상벨 및 출입통제 등 다양한 전자 보안시스템 사용을 추가로 적용하는 것은 24시간 동안 필요한 보안 요원의 수를 최소화하는데 도움이 되며 우수한 조사 정보를 제공한다. 이러한 시스템의 지속적인 사용과 확장은 기존 보안요원의 효율성을 최적화하고 추가 보안요원의 필요성을 최소화한다. 생체인식 출입통제 및 지능형 소프트웨어 CCTV와 같은 첨단 기술이 추가될 것으로 예상됨에 따라 가까운 미래에는 이러한 시스템의 효율성이 더욱 향상될 것이다.

중점 분야

이 부분에서는 계획에 대한 세부사항에 대해 나열한다.

- ‣ 보안철학, 전략 및 목표
- ‣ 보안조직의 보고 및 구조
- ‣ 보안 기술 책임자 및 연락처
- ‣ 보안조직의 기술 매트릭스
- ‣ 보안조직의 인력 배치 및 충원
- ‣ 계약 보안요원 채용
- ‣ 무장, 비무장 보안요원

"중점 분야" 다음에는 각 식별된 부분에 대한 리스트를 작성해야 한다. 여기에서는 이러한 영역을 문서화하고 작업의 일부로 변경 또는 추가된 사항을 강조한다. 중요한 변경사항이 있는 경우 보안조직의 보고체계를 변경한 경우처럼 개요 부분에서 강조해야 할 수도 있다. 이 문서는 조직 내 다수의 사람들에게 배포될 것임을 명심해야 한다. 따라서 특정 개인에게 적용되는 사항들에 대해서는 신중을 기해야 한다. 예를 들어, 일부 직원 및 최고보안책임자(CSO) 또는 보안책임자가 특정 분야에 대한 추가 훈련과 교육을 받을 필요가 있다고 생각되는 경우, 직원들은 보안기술과 생체인식, IT 연구인증, 보안평가교육 등 자신의 경력기회와 전문성을 높이기 위해 다음과 같은 분야에서 교육을 받을 것이다.

- ‣ 리스크 평가 프로그램
  - • 기업의 평판이나 기여 손실에 미치는 잠재적 영향
  - • 정보 자산의 잠재적 손실
  - • 현장에서 발생할 수 있는 잠재적 폭행 사고

각 부분의 세부사항을 종합해 보면 식별된 리스크를 문서화할 뿐만 아니라 위험을 완화하는 방법에 대한 세부사항을 기록하는 것도 중요하다. 일부 보안프로그램 강화는 각각의 위험 완화 계획과 관련되어 있기 때문에 예산문제가 있을 경우 추후 클라이언트에게 중요한 문제가 될 수 있다. 예를 들어, 일부 외부 카메라의 추가는 임직원의 안전과 자산보호에 대한 위험을 완화하는데 연관될 수 있다.

‣ 보안 기술 계획
  • 보안관제센터
  • 출입통제시스템
  • 폐쇄회로 텔레비전(CCTV) 시스템
  • 디지털 기록 및 지능형 소프트웨어
  • 무선 시스템
  • 자동화 경비 순찰 시스템
  • 시스템 유지·보수 계획

다시 말해 현재 각 부분에 존재하는 내용의 세부사항을 문서화해야 하며, 언제 어떻게 비용이 투입될 것인지 예측할 수 있는 변화와 관련된 중요한 사항을 강조해야 한다. 계획에 나열된 모든 부분에 대해 이 형식을 계속 사용해야 한다. 또한 비무장 보안요원의 활용에 관한 정책문서 등 계획에 중요한 문서가 있는 경우, 해당 부분의 문서를 참조하여 계획의 끝에 부록으로 첨부해야 한다.

예산 편성 중점사항

시큐리티 마스터 플랜을 개발하는 주된 목적 중 하나는 보안프로그램의 성공을 보장하기 위해 적절한 자금을 확보하고 있는지 확인하는 것이다. "소개" 부분에서 언급했듯이 시큐리티 마스터 플랜은 컨설턴트 또는 클라이언트 프로그램의 목표에 따라 경영 관리팀에게 구매를 지원하기 위한 필요한 예산을 개략적으로 제시한다. 이런 방법은 관리팀이 그들과 비즈니스 및 기관에 존재하는 리스크를 교육하고, 완화하는데 필요한 지출의 필요성을 명확하게 이해할 수 있도록 도와줄 것이다(참고로 보통 구두 및 서면으로의 위험 완화는 리스크를 어떻게 관리하고 줄이는지에 대해 강조하지만, 그것이 리스크를 제거하지 않는다).

다음으로, 신규 지출 예산을 5년에 걸쳐 분산되도록 계획을 체계화해야 한다. 예를 들어, 단순히 카메라를 추가하거나 디지털 녹화가 가능한 IP 카메라를 사용하려면 CCTV시스템을 크게 업그레이드해야 할 수도 있다. 지능형 소프트웨어 기능을 활용하면 시스템의 생산성을 높이고 보안관제센터 운영자에 대한 의존도를 줄일 수 있다. 추가 카메라, 디지털 녹화시스템과 소프트웨어의 총 구입 및 설치

비용은 50만 달러가 될 수 있다. 첫 해에 20만 달러를 지출해야 리스크를 크게 줄일 수 있고 향후 4년 동안 나머지 30만 달러를 분산하여 지출할 수 있다. 그러나 이것은 단순히 "비용을 5로 나누는 것"이 아니다. 현재의 프로그램에 수정해야 하는 주요 내용이 있는 경우 많은 돈을 지출해야 한다. 첫 해의 비용은 그 허점에 큰 비중을 두어 리스크를 합리적인 수준으로 줄여야 한다. 이를 달성하는 데 2~3년을 소비할 수 없으며, 임원도 그렇게 하기를 권유하지 않을 것이다.

아마도 현재 설정은 산업 표준인 30일 분량의 녹화를 유지할 수 있을 만큼 디지털 녹화시스템의 용량이 충분하지 않을 수 있으며, 시설 주변의 모든 출입구와 위험도가 높은 구역을 완벽하게 커버할 수 있을 만큼 카메라가 충분하지 않을 수 있다. 첫 해의 지출은 주변의 모든 입구를 커버할 수 있도록 카메라를 추가하고, 디지털 녹화 용량을 확보해야 한다. 향후 2년간은 필요한 나머지 카메라와 디지털 녹화시스템을 추가할 수 있으며 4년 안에 지능형 소프트웨어를 추가하여 시스템을 훨씬 더 효율적으로 만들고, 5년째에는 최종 장비 요구사항을 추가한다. 따라서 다음과 같이 비용이 분산될 수 있다.

- 1 년차 = 200,000 달러
- 2 년차 = 100,000 달러
- 3 년차 = 75,000 달러
- 4 년차 = 75,000 달러
- 5 년차 = 50,000 달러
- 합 계 = 500,000 달러

투자수익(ROI) 확립

위에 언급된 비용은 대부분의 비즈니스에서 자본지출로 간주된다. 이는 주로 일회성 비용이며 시설 자체에 대한 개선책이다. 또한 지출 예산 증액도 언급해야 한다. 예산항목은 유지·보수 비용 또는 보안요원을 추가하는 비용 등과 같은 비용이다. 이상적으로, 자본지출이 많은 경우에는 보안요원의 수를 줄여 비용예산을 줄일 수 있다. 그것이 가능하다면 자본비용을 상쇄할 수 있는 투자수익(ROI)을 얻을 수 있다. 일반적으로 대부분의 기업은 2.5년 이하의 투자수익(ROI)을 달성하고 있으며, 이는 2.5년 동안의 비용절감 효과가 자본지출과 동일하다는 것을 의미한다. 하지만 이 수준의 절감 효과를 달성하지 못하더라도 장기적으로 투자회수를 보여줄 수 있다면 회수하지 않는 것이 더 낫다. 이는 보안지출 승인을 위해 투자수익(ROI)을 확보하는 것이 반드시 필요하다는 것을 의미하는 것은 아니다. 실제 투자수익(ROI) 없이 위험 완화에 기초하여 승인된 많은 프로젝트가 존재한다. 그것이 클라이언트의 상황인 경우, 리스크가 실제로 발생할 수 있다는 설득력 있는 사례를 만드는 것이 매우 중요하다. 또한 리스크가 현실화되는 상황에서 비용 절감을 보여줄 수 있다면 매우 유용하다. 이 책 앞부분의 "리스크 분석" 부분에서 설명한 바와 같이 리스크 발생으로 생기는 손실보다 위험완화에 더 많은 비용을 지출하는 것은 의미가 없다. 따라서 가능한 리스크에 대한 잠재적인 비용 영향을 정량화해야 하며 비용 산정 시에는 반드시 타당한 이유가 있어야 한다. 투자수익(ROI) 원칙에 익숙하지 않은 경우에는 스스로 그 원칙에 익숙해지도록 노력해야 한다. 예를 들어, 비용절감에 근거해서 투자수익(ROI)을 요구해서는 안 되며, 현재 지출만 제거하면 된다.

마지막으로 이 책의 앞부분에서 언급했듯이 승인된 예산이 있지만 실제로 승인되는 시점에 클라이언트가 그 돈을 모두 얻게 된다는 뜻은 아니다. 그러나 관리팀과 합의된 5년간의 계획을 통해 자금을 손에 넣을 기회가 훨씬 많아졌으며, 원했던 해에 모든 것을 얻지 못할지라도 완전히 없어지는 것이 아니라 내년으로 미뤄진 것을 의미한다. 또한 특정 리스크 완화를 위해 연간 지출과 연계시켜 놓으면, 잠재적 리스크의 비용 영향을 상기시킬 수 있고 그 해에 발생할 수 있는 예산 변경이 쉬워질 것이다. 예를 들어, 위 내용에서 2년차에 200,000 달러를 손에 넣었다. 그 해에 예산문제가 발생하면 클라이언트는 비즈니스를 합리적인 리스크 상태로 전환하기 위해 2년차에 150,000 달러를 지출해야 한다는 리스크 데이터를 확보해야 하고, 나머지 50,000 달러 상당의 작업은 3년차로 이월될 수 있다. 다시 말하지만 특정 리스크를 완화하는 데 필요한 구체적인 자금을 개략적으로 설명할 수 있다면 이러한 예산 문제를 더 쉽게 해결할 수 있다.

시큐리티 마스터 플랜 프로세스 종결

권고사항 프레젠테이션

이제 조직에 필요한 변경사항을 관리자 및 임원을 대상으로 권고사항 프레젠테이션을 제공할 시점이다. 이 프레젠테이션을 할 때에는 최종 권고사항으로 이어지는 모든 사실을 잘 알고 있는 것이 중요하다. 모든 내용을 자료에 넣을 필요는 없지만 참조 자료에서 발생하는 모든 질문에 대해 빠르게 답변할 수 있어야 한다. 또한 자료를 충분히 준비하고 자신감을 가질 수 있도록 많은 시간을 투자해야 한다. 보안업계에서 일부가 범하는 공통적인 오류는 모든 사람이 비즈니스의 기본사항을 충분히 이해하고 있다고 생각하는 것이다. 이것은 사실이 아니므로 프레젠테이션을 면밀히 검토하여 보안지식이 없는 청중에게 명확하게 전달되는지 세심하게 살펴야 한다.

예를 들어, 내년 안에 보안수준이 높은 지역에 생체인식 출입 리더기를 도입할 것을 권장한다고 가정해 보자. 그들을 설득하기 위해서는 몇 가지 사례를 보여

줄 필요가 있으며 추가로 생체인식 리더기를 설치할 때 기본 출입통제 시스템을 반드시 변경할 필요는 없지만, 경우에 따라 데이터를 저장하는데 메모리 기능이 추가될 수 있다고 설명해야 한다. 이것은 현재 설치되어 있는 시스템과 권장하는 생체인식의 유형에 따라 달라지고, 의견을 얻기 위해 장비 공급업체와 협의해야 한다. 또한 보안 인식프로그램을 구현할 때 추가 설명이 필요할 수도 있다. 프로그램과 관련지어 임직원의 이목을 활용하면 현장에서 일어나는 불미스러운 상황을 발견할 가능성이 높을 것이라고 클라이언트와 협의할 것이다. 또한 이것은 임직원의 생산성을 저하시키는 것이 아니라는 점도 설명해야 한다. 대부분의 경우에 모든 임직원을 프로그램에 참여시키면 작업환경을 더 자세하게 이해하고, 안전하다고 느끼기 때문에 직원들의 사기를 증가시키는 효과를 얻을 수 있다.

시작하기

일반적으로 중간관리자 수준에서 시작하여 동의를 얻어내는 것이 가장 좋다. 중간관리자들이 권고사항을 받아들이고 그들 모두에게 동의 받는 것은 중요하다. 모든 권고사항에 대해 전부 동의할 필요는 없지만, 가능하면 모든 의견 불일치를 해결하려고 시도하는 것이 바람직하다. 또는 고위 임원들에게 보고하기 전 예행연습을 하는 것은 가치 있는 기회이다. "무슨 뜻입니까?" 또는 "왜 그렇게 변경하려는 것입니까?"와 같은 질문을 많이 받는다면 다음 주제로 넘어가기 전에 프레젠테이션을 다시 작성해야 할 수도 있다. 중간관리자와 고위 임원들 사이에 너무 많은 시간을 가지지 않도록 하는 것이 중요하다. 컨설턴트는 프레젠테이션 전에 중간관리자와 고위 임원들이 그 프레젠테이션에 대해 논의하는 것을 원하지 않을 것이다. 보통 오후에 중간 관리자에게 프레젠테이션 하고, 다음날 아침에 임원들에게 발표하는 일정으로 진행하는 것이 좋다. 이렇게 하면 첫날 프레젠테이션에서 나온 수정사항을 반영할 시간을 가질 수는 있지만, 다음날 아침까지 그들이 논의할 시간을 줄일 수 있기 때문이다.

비용 추정은 즉시 이행해야 하는 변경영역에 대해 설명해야 하며, 향후 변경에 따른 비용영향에 대한 대략적인 추정치를 제시해야 한다. 일반적으로 중간관리자 그룹에서 예산이 어디서 나올지에 대해 몇 가지 협의하게 된다. 해답은 간단하다. 그것은 고위 임원들에 의해 결정될 것이기 때문이다. 또한 최고보안책임자(CSO) 및 보안 책임자의 의견을 바탕으로 중간관리자에게 여러 번의 프레젠테이션을 하는 경우, 상호작용에서 얻어진 이들 개인의 수준을 바탕으로 참석자와 어떤 순서로 발표할지 결정해야 한다. 핵심관리자를 제외하고 직접 인터뷰를 하지 못한 사람에게는 어떠한 경우에도 프레젠테이션을 해서는 안 된다.

프레젠테이션을 위해 시큐리티 마스터 플랜 문서를 가지고 있어야 하지만, 최종 문서는 임원과의 협의내용에 따라 달라지므로 초안사본에 명확하게 표시해야 한다. 만일 요청이 있을 때에도 초안사본을 제공해서는 안 된다. 검토과정을 수행하면서 추가로 수정할 수 있으며, 계획과 상충되는 사본이 있는 것은 적절하지 않다. 프레젠테이션 중에 마스터 플랜의 특정 측면에 대해 의견 차이가 있을 경우에는 계획을 완료하기 전에 의견조정을 해야 한다. 꼭 필요한 경우, 고위 임원을 위한 프레젠테이션 일정의 재조정을 할 수 있으나, 되도록 이 상황은 피하는 것이 좋다.

목표 설정

이제 고위 임원들에게 프레젠테이션 할 준비가 되었다. 이 회의와 관련된 목표가 무엇인지를 이해하고, 반드시 각각의 목표를 달성해야 한다. 일반적으로 목표는 다음의 내용을 포함할 것이다.

- 비즈니스 또는 기관의 주요 리스크를 정의한다.
- 해당 리스크를 완화하기 위한 적절한 조치를 보여준다.
- 보안프로그램에 필요한 변경사항이나 추가사항을 정의한다.
- 보안조직 및 직원에게 필요한 변경사항이나 추가사항을 정의한다.
- 변경사항에 대한 비용 변동을 명확하게 확인한다.
- 권장하는 모든 변경사항의 이점을 명확하게 확인한다.
- 권고사항에 대한 임원들의 지지를 얻는다.
- 향후 12개월간 클라이언트가 요구하는 변경사항 이행에 필요한 예산을 확보할 수 있도록 승인을 얻는다.

어려운 문제(Tough question)에 대한 질문

컨설턴트는 결국 임원들과의 최종 프레젠테이션 마지막 부분에 앞에서 제시한 계획을 완벽히 이행하는데 필요한 자금을 위한 "협상종결(close the deal)"하기를 원할 것이다. 종결을 위해 다음과 같은 직접적인 질문을 해야 할 필요가 있다.

- 완화할 필요성이 있다고 확인된 리스크에 동의하는가?
- 이러한 리스크와 관련하여 발생된 영향 비용 추정치(impact cost estimate)에 동의하는가?
- 자본지출(capital expenditure)에 대한 금액과 경비예산(expense budget)에 대한 자금 요청에 동의하는가?
- 수립된 미래 전략에 동의하는가?
- 수립된 마스터 플랜에 동의하는가?

해당 섹션에서 프레젠테이션이 끝날 때 리스크와 그 영향에 대한 질문을 해야 하겠지만 임원들이 자금에 대해 묻기 전에 왜 자금이 필요한지를 상기시키기 위한 질문을 하는 것이 더 낫다. 명심해야 할 점은 정중하게 묻고 다음 질문으로 넘어 가기 전에 대답을 들어야 한다는 것이다. 또한 질문에 대한 부정적 반응에 대비해야 한다. 모든 임원이 프레젠테이션에 전적으로 동의할 것이라 가정하지 말아야 한다. 각 질문별로 부정적인 대답을 하는 사람에게 어떻게 대응할 것인지 미리 준비해야 한다.

하지만 임원 중 한 사람이 컨설턴트의 계획에 전적으로 동의하고 있어 대신하여 답변할 수 있기 때문에 부정적 상황에 너무 빨리 대응하지 않아도 된다. 오히려 그게 훨씬 더 효과적일 것이다. 임원 중 한 사람이 변론을 대신 해준다면 큰 도움이 될 것이다. 물론 시간을 너무 오래 끌면 질문에 대한 준비가 되지 않았다고 보여질 수 있기 때문에 응답하기 전에 너무 오래 지연해서는 안 된다.

만약 상기의 질문에 동의한다고 가정하면, 한 가지 더 질의할 수 있다.

- 계획과 수행해야 할 행동에 전적으로 동의하고 있다. 실행을 위해 필요한 자금은 언제 제공되는지 알 수 있는가?

이상적인 것은 최고 경영진이 최고재무책임자(CFO)나 다른 임원 중 한 명에게 의지하여 자금이 어디서 나올 것인지, 언제 사용할 수 있을지를 결정할 책임을 맡기는 경우이다. 하지만 일반적으로 "현재 예산을 재검토하여 방법을 찾아야 한다."와 같은 대답이 나오는 것이 대부분이다. 어떤 대답을 듣던, 실제로 돈이 어디에서 오는지에 대해 생각해보면 자금조달은 이제 최고보안책임자(CSO) 또는 보안책임자에게 달려 있는 것이다. 만약 사내 보안담당자라면 컨설턴트의 최고보안책임자(CSO) 또는 보안책임자와 그 다음 단계를 결정해야 한다. 실제로 최고보안책임자(CSO) 또는 보안책임자가 자금에 대해 임원들에게 질문을 하도록 할 수도 있지만 적어도 그전에 최고보안책임자(CSO) 또는 보안책임자와 함께 전략에 대해 미리 협의해야 할 것이다.

직원 중에 사내 보안전문가가 없는 경우에는 시큐리티 마스터 플랜의 구현과 수행해야 할 작업을 누가 관리할 것인지에 대한 이슈를 빨리 해결해야 한다. 그것은 보통 보안계약을 관리하는 책임자에게 맡겨지지만 컨설턴트는 그렇게 가정해서는 안 된다. 물론 컨설턴트로서 이 업무를 수행할 것이라 제안 받을 수 있지만, 그 전에 서비스 비용에 대해 협의 할 준비가 되어 있어야 한다. 다음의 분야에서 지원 및 관련비용에 관한 협의를 준비해야 한다.

- 업그레이드가 필요한 장비를 위한 제안요청서 개발
- 작업을 수행하기 위한 시스템 통합 업체 선택 프로세스 관리
- 변경 또는 업그레이드의 실행 프로세스 관리
- 리스크 평가 및 위험완화 계획을 포함하는 시큐리티 마스터 플랜에 대한 정기 또는 연례검토 실시

사내의 다른 사람이 이 작업에 참여하기를 원할 수도 있기 때문에 여러 세그먼트(여러 작업단위)로 비용을 나누는 것이 중요하다. 만약 나누었다면 결정을 내리는 데 필요한 의견을 제시 할 준비가 될 것이다. 물론 "번들(bundled)"가격도 제공할 수 있다.

이 프레젠테이션에서 발생할 수 있는 다른 문제 중 하나는 사내보안 전문가를 고용해야 하는지 여부이다. 이것은 컨설턴트에게 약간의 이해충돌을 유발할 수 있다. 왜냐하면 사내보안 전문가를 고용하면 그들이 컨설턴트를 필요로 하지 않

을 것이기 때문이다. 그러나 무엇이 클라이언트에게 가장 적합한지를 바탕으로 이 권장사항을 제공해야 한다. 개인적으로 클라이언트가 사내에 자체 보안 전문가가 없어 편안함을 느끼는 경우는 거의 접하지 못했다. 그러나 자체 보안 전문가에게는 다양한 수준의 기술 및 비용이 소요된다. 많은 중소기업에서는 보안계약, 임원 및 장비공급 업체를 관리하는 사람이 필요하고 최고보안책임자(CSO) 또는 보안책임자를 보유할 필요가 없다. 오히려 더 높은 최고 레벨의 보안 운영자가 필요할 것이다.

저자는 계약한 회사에게 보안을 100 %이상 맡기는 것은 모든 사업 또는 기관이 스스로 화를 자초하는 어리석은 행동이라 생각한다. 이것이 계약으로 이루어지는 보안산업에 대한 비판을 의미하지는 않는다. 매우 유능한 보안서비스 제공업체가 많이 있지만, 보안기능을 관리하는 보안 전문가이면서 사업의 전반적인 보안대책 결과에 영향을 줄 수 있고, 사업의 여러 영역에 집중할 수 있는 사내 인력이 필요하기 때문이다. 계약한 보안회사에게 시설 조직의 잠금장치 계약 및 계약파기 등에 대한 감사를 맡길 수는 없다. 계약한 보안회사가 재난복구계획을 수립하고 구현하는 IT부서와 함께 일할 수는 없다. 또한 인적, 괴롭힘, 부정행위 및 폭력 위협과 같은 다양한 조사(investigation)가 있는데, 계약한 회사의 사람이 조사를 수행하기에는 그 대상이 너무 민감한 경우가 많다. 또한 많은 주(states)의 법규에서는 사내(in-house)가 아닌 면허가 있는 조사관을 요구한다. 그러나 대부분의 보안회사는 면허가 있는 조사관을 보유하고 있지 않으며 때로는 본사직원에게 맡기는 경우도 있다.

비즈니스 유형에 따라 사내 전문가는 많은 유형의 이슈를 염두에 둘 수는 있지만 계약한 회사는 그럴 수 없다. 또한 계약 보안서비스 업계의 많은 지도자들과의 관계를 기반으로 보았을 때, 그저 모든 것에 대해 알고 있다 생각하는 사람보다는 보안 업계에 대해 잘 알고 있는 사람을 상대하는 것이 더 낫다.

비즈니스 세계에서는 보안업계의 미묘한 차이를 이해하고, 수년간 보안과 보안공급자 사이의 어떤 수준의 상호작용을 했던 많은 사람들이 있다. 그들 중 많은 사람들은 그들이 모르고 있다는 점을 전혀 알지 못한다. 그리고 그들이 정말로 이해하지 못했던 보안사업 영역이 있다는 것을 알게 되었을 때, 지식부족의 결과로 발생한 주요 문제가 확대되어 돌아온다. 그들은 종종 계약한 보안 제공업체를 해고하거나 새로운 계약회사를 도입함으로써 이러한 문제를 해결한다.

이는 사내에 이러한 수준의 기술을 필요로 하는 문제가 있다는 것을 지적하지 않은 보안 컨설턴트를 포함한 모든 관련자에게 불만스러운 순간이 될 수 있다. 이것은 클라이언트가 의뢰한 작업이 많지 않을 때뿐만 아니라 항상 클라이언트에게 최선의 것이 무엇인지를 권고해야 한다고 믿었던 컨설턴트를 초심으로 돌아가게 한다.

최종 보안 마스터 계획 제출

의견 충돌, 협의 및 변경사항이 모두 확정되면 시큐리티 마스터 플랜 문서를 제출할 수 있다. 회의를 통해서 모든 것이 해결되지 않을 가능성은 항상 있으며, 최고 경영자(CEO)가 프로젝트 완료 전에 해결하기를 원해서 의견충돌이 일어나는 부분이 있을 수도 있다. 이 경우에는 낙심하지 말고 의견충돌 부분이 명확하게 정의되었는지 확인해라. 해결을 위해 목표일을 제안할 수 있으므로 프로세스를 너무 오래 끌어서는 안 된다. 마지막으로 이 문제의 결과에 대해 임원으로부터 그들에게 다시 보고해야 하는지 아니면 계획에 필요한 변경을 추가하고 이를 분배해야 하는지 관해 설명을 들어야 한다. 이 계획만큼이나 중요한 것은 임원이 얼마나 많은 통제력을 행사할 것인지 명확히 해야 한다는 점이다.

프로세스 진행 중 어느 시점에서 최종 문서의 수령인(recipient)은 확인되어야 한다. 그렇지 않은 경우 클라이언트와 협의하여 찾아야 한다. 최소한 수령인(recipient)은 인터뷰했던 이해당사자 부서 및 임원을 포함해야 한다. 마지막 주의 사항은 광범위하게 배포해서는 안 되는 섹션과 해당섹션이 포함된 계획의 복사본을 제거하고, 그 정보가 포함된 사본을 실제로 받은 사람에 대해 기록해 두어야 한다는 것이다.

14

비즈니스 관리에 대한 계획의 활용

정기적인 품질검사를 위한 계획 활용

이제 클라이언트는 완료된 시큐리티 마스터 플랜을 가지고 그것을 최신 상태로 유지하며 이 문서를 운영계획의 필수 부분으로 활용하는 것이 중요하다. 마스터 플랜의 여러 측면은 일상에 기반하여 고심하고 업데이트해야 한다. 대게 첫해에는 최소한 3개월마다 이 계획을 검토하여 변경이 필요한지 판단해야 한다고 클라이언트에게 권고해야 한다. 첫해가 지난 후에는 이 계획을 4개월 혹은 1년에 2회 정도로 재검토하여 계획이 여전히 정확한지 확인해야 하며, 더 중요한 것은 계획이 준수되고 있는지 확인하는 것이다. 중요한 변경사항이 있을 때마다 계획은 변경사항 및 그 이유를 강조하는 첨부문서(cover letter)와 함께 업데이트하고 원본 수신자에게 재배포 해야 한다. 각각의 새로운 사본에는 개정번호와 날짜를 표시하는 것이 중요하다.

이 계획의 사본은 되도록 없어야하기 때문에, 새로운 개정판을 직접 전달하고 이전 버전을 파기할 것을 제안한다. 이를 수행하는 한 가지 방법은 각각의 수령인과 개별적인 미팅계획을 수립해서 변경사항을 간략하게 설명하는 것이다. 최고보안책임자(CSO) 또는 보안 책임자가 문제가 있을 때를 제외하고 회사 경영진과 일대일로 일해야 하는 경우는 많지 않다. 그러나 이는 개선을 위한 긍정적인 환경에서 회의를 개최할 수 있는 좋은 방법이 될 수도 있다.

타이밍에 대한 모든 것

삶과 비즈니스의 대부분의 것들과 마찬가지로 "타이밍은 모든 것이다!". 클라이언트는 그들의 기업 내 연간 예산편성 시기에 확실한 초점을 두어야 한다. 해당 프로세스가 실행되기 바로 전에 계획을 업데이트하고 관리팀이 시큐리티 마스터 플랜을 지원하기 위한 보안조직의 자금지원 필요성을 상기시키도록 하는 것이 중요하다. 일반적으로 권장하는 접근법은 몇 년 안에 일부 아이템의 출시를 앞당기려는 경우, 회사의 리스크 완화 태도(posture)를 개선을 위해 클라이언트에게 매년 경영진과 검토를 시작하는 것을 제안한다. 비록 그들이 변화를 원하지 않더라도, 마스터 플랜을 통해 내년에 어떤 자금이 필요한지 왜 필요한지를 상기시키는 데 성공할 것이다. 물론 시기를 앞당긴 결정에 대한 리스크를 감수하겠지만 어쨌든 예산 프로세스 중에 필요한 단계이다. 이러한 재검토가 연간 예산 심사 과정 전에 이루어지면 예산을 유지할 수 있는 가능성이 훨씬 높아진다. 예산상의 문제가 발생할 경우, 리스크 완화 계획 및 관련비용 목록을 작성하여 경영진에게 전달하는 것을 추천하고, 임원이 예산상의 문제를 해결하기 위해 필요할 지침을 마련해 놓기를 추천한다.

정기 검토 프로세스 중에 다음과 같은 변경이 발생할 수 있다.

• 첫째, 계획 중 특정하게 변경할 필요가 있다고 확인된 다른 부분이 있을 수 있다. 이러한 변경사항은 사내직원, 계약직원, 보고체계, 자본 또는 비용지출, 절차 또는 정책변경과 관련되어 있을 수 있다. 이 항목들이 언급되면 현재의 상황이 계획에 적절히 반영되도록 계획을 업데이트 해야 한다. 처음 몇 개월 동안 변경해야 할 사항이 많은 경우, 클라이언트는 업데이트를 수행한 후 이전의 수령인에게 재배포가 완료될 때까지 기다려야 할 수도 있다.

- 다음으로 계획단계에서 확인된 타이밍에 관한 이슈가 있다. 이것은 새로운 장비를 설치하거나 다른 변경사항에 따라 보안담당자를 추가하거나 감축할 수 있다. 이러한 항목 중 일부 항목의 타이밍은 여러 가지 이유로 매년 변경될 수 있으며 변경사항이 확인될 때마다 업데이트해야 한다.

- 분명히 발생할 수 있는 또 다른 항목은 보안요원의 변경이다. 사람들이 회사를 떠나고 새로운 직원이 입사하는 등의 인력 변경 사항은 개발된 교육 계획에 반영되어야 한다. 또한 클라이언트가 직원 계획에 자격증 취득 목표를 포함하도록 권장해야 한다. 이는 회사의 경영진에게 전문보안 요원이 있음을 입증하는 훌륭한 방법이다. 자격증 취득은 개개인의 노력이 많이 필요하기 때문에 "자격증을 취득하면 해당 직원의 급여가 인상된다. 또는 내부시험을 성공적으로 마친 경우, 학습 및 자격증 취득과 관련된 비용을 환급 해준다."라고 직원들에게 이러한 자격증을 취득할 동기부여 할 수 있는 방법을 설명한다. 클라이언트는 또한 그 사람들에게 시장에서 더 경쟁력을 갖출 수 있는 훌륭한 방법이라고 강조할 수 있다.

ASIS International은 현재 세 가지 인증을 보유하고 있다.

- CPP 인증은 보안 관리 면허(Board-Certified in Security Management)이다. 시험에 응시자격을 얻기 위해 개인은 3년간의 관리업무를 포함하여 최소 7년 동안 보안 분야의 업무를 해야 한다.

- PCI 인증은 전문 공인 조사관 면허(Board-Certified Professional Certified Investigator)이다. 시험에 응시자격을 얻기 위해 개인은 최소 2년간의 사례 관리 경험과 5년의 조사 분야의 경험이 있어야 한다.

- PSP 인증은 물리적 보안 전문가 면허(Board-Certified Physical Security Professional)이다. 시험에 응시자격을 얻기 위해 개인은 물리적 보안 분야에서 최소 5년 이상의 경험을 보유하고 있어야 한다.

이 인증에 대한 자세한 정보는 ASIS International 웹 사이트 (www.asisonline.org) 를 참조하면 된다.

- 계획에서 확인된 모든 리스크는 매년 재검토되어야 한다. 이러한 리스크는 다른 요인들이 변함에 따라 줄어들거나 증가할 수도 있다. 예를 들어, 지역경제가 더 좋거나 나빠지게 되면 지역 범죄에 영향을 주게 되므로 지역 범죄 통계와 관련된 리스크를 완화하기 위해 무엇을 해야 하는지에도 영향을 미칠 것이다. 화학공장과 같이 그 회사만의 독특한 시설 보안 문제가 있는 경우에는 해당 작업을 아웃소싱하기로 결정 했을 수도 있고 그 특정 자산을 매각했을 수도 있다. 이것은 문제의 원인을 제거함으로써 리스크를 회피한 하나의 예이다. 또한 새로운 리스크를 줄이기 위한 계획을 변경할 필요가 있는지를 결정하기 위해 평가해야 할 확인된 또 다른 신규 리스크가 있을 수 있다. 이와 마찬가지로 이전에 확인된 리스크 중 일부는 사라졌을 수도 있다. 그렇다면, 누군가는 지금 당장 발현되면 안 되는 리스크와 관련된 특정한 완화 요인들이 있는지 판단할 필요가 있다. 리스크 평가는 그 계획이 실행 가능한 문서로 남아있다는 것을 보장하는 중요한 요인이다. 리스크 요인에 대한 이 검토 및 분석을 충분히 관리할 수 있는 사내 보안요원이 없는 경우, 컨설턴트가 이 검토를 수행하도록 클라이언트를 설득해야 한다. 클라이언트는 회사가 매년 사업 계획을 업데이트하고 수정하는 것처럼 항상 시큐리티 마스터 플랜의 적절성뿐만 아니라 업데이트가 필요한지를 이해하고 있어야 한다.

- 비즈니스 또는 기관이 변경되면 계획을 업데이트해야 하는지 여부를 결정하기 위해 이 변경사항에 대한 내용을 마스터 플랜에 반영시키는 것이 중요하다. 원래 계획이 준수되었을 때, 향후 몇 년 동안 비즈니스가 큰 변화를 겪지 않을 것이라는 결정을 내렸을 수 있다. 그러나 사업은 다양한 이유로 인해 규모가 확대되거나 축소될 수도 있다. 어느 경우든 시큐리티 마스터 플랜은 현재 환경에 맞게 조정해야 한다. 물론 비즈니스 상의 리스크를 줄일 필요가 있다면, 보안 전문가는 프로세스 중에 발생할 수 있는 폭력적인 행동을 사전에 검토할 수 있는 효과적인 계획이 있는지 확인해야 한다(클라이언트가 과거에 겪을 수 없었던 프로세스).

- 또한 "이해관계자(stakeholder)"라고 불리는 그룹과 함께 연례 검토할 것을 권장한다. 이것은 시큐리티 마스터 플랜에 의해 변경된 사항의 영향을 받은 모든 조직의 대표 그룹이다. 이 그룹을 연례 검토 프로세스에 참여시킴으로써 실행

프로세스가 어떻게 진행되는지에 대한 교차 기능적(cross-functional) 통찰력을 얻게 된다. 이러한 연례 검토는 보다 긍정적인 환경에서 우려와 불만을 토론하는 과정을 제공한다. 또한 그들의 우려가 왜 타당한지 또는 타당하지 않은지 설명하고, 필요한 수정방법을 결정하는데 도움을 줄 수 있는 기회를 제공한다. 이를 통해 이해관계자(stakeholder)들이 적극적으로 참여하는 프로그램을 성공으로 이끌 수 있다. 이를 충분히 관리할 수 있는 사내 보안요원이 없는 경우, 컨설턴트는 머무는 동안 수행하는 여러 활동 중 하나 일 수 있는 연례 검토를 수행해야 한다고 클라이언트를 설득해야 한다. 1년 또는 2년 내에 과감한 변경(drastic change)이 많이 계획되어있다면, 그 기간 동안 이해관계자 그룹과 더 자주 검토 할 것을 고려해야 한다. 항상 최고보안책임자(CSO) 또는 보안책임자를 두는 것이 좋으며 컨설턴트는 보안조직을 위해 감당하기 벅차거나 방어적인 분위기를 조성한 것에 좌절감을 느끼기보다 문제에 대해 그들에게 먼저 물어야 한다.

비즈니스 추세에 맞는 계획을 유지하라

클라이언트의 최고보안책임자(CSO) 또는 보안 책임자가 시큐리티 마스터 플랜과 관련하여 임원들과의 신뢰를 유지하는 것은 매우 중요하다. 이를 훌륭하게 수행할 수 있는 상황은 비즈니스가 침체를 겪은 상황이 전개 될 때이다. 이 때 클라이언트는 일부 비용을 계획의 뒷부분으로 이동하거나 아니면 아예 제거하는 것이 타당한지의 여부를 판단하기 위해 계획을 재검토해야 한다(이미 자금을 확보한 항목들에 대한 검토도 포함된다). 누군가 요청하는 것을 기다리는 대신 이 정보를 자진 권장함으로써, 전반적인 비즈니스 환경 내에서 그들의 비즈니스를 관리하는 것을 증명하고, 환경이 다시 개선되었을 때 앞서 제기한 것들의 시기를 맞추거나 줄일 수 있는 권한을 부여 받을 것이다. 이런 상황이 발생할 수 있도록 하기 위해 계획 변경에 대한 이유를 명확하게 문서화해야 하고 상황이 바뀌면 모든 사람이 쉽게 원래의 계획으로 돌아올 수 있도록 해야 한다. 비즈니스 변경에 대한 검토 및 분석을 충분히 관리할 수 있는 사내 보안요원이 없는 경우, 계약 맺은 클라이언트를 설득하여 컨설턴트로서 변경사항이 발생할 때 조언을 해주고 변경사항이 어떻게 계획에 영향을 미치는지 알아낼 수 있도록 도와주어야 한다. 이는 매년 또는 반년마다 방문을 통해 수행하는 서비스에 포함될 수도 있다.

최신 기술에 비추어 계획을 테스트하라

대부분의 계획 문서가 그러 하듯, 최종 마무리 시점부터 해당 계획은 구식이 되기 시작한다. 이것은 기술 분야에서 특히나 더 그렇다. 그러므로 사내 팀이나 컨설턴트 중 누군가가 적어도 반기마다 시큐리티 마스터 플랜을 검토하여, 그 기술 계획이 여전히 실행 가능하고 적절한지를 확인하는 것이 중요하다. 저자는 새로 출시된 가장 좋은 기기 또는 시스템을 가장 먼저 설치하는 사례는 기피하는 것이 좋다고 생각한다. 왜냐하면 기기들이 신속히 출시되고 사라지며 재정적으로 낭비하는 경우가 많기 때문이다. 그러나 반대사례 역시 매우 큰 낭비가 될 수도 있다. 만약 수명주기가 다가오고 있는 제품을 설치하면 차세대 제품으로 교체하기 전에 기술이점을 최대한 활용할 수 없기 때문이다.

핵심은 보안업계 잡지를 읽고 매년 적절한 제품 전시회에 가서 기술을 면밀히 모니터링 하는 것이다. 보통의 경우 여러 행사에 참석할 시간이 없기 때문에, 매년 ASIS 국제 세미나 및 전시회에 참석한다. 누구나 ISC East나 ISC West에 참가할 수 있다. 또한 이 일을 주력으로 하는 사람은 누구나 비전과 상상력이 있는 사람이어야 한다.

한 제조업체가 새 제품에 대한 올바른 응용프로그램을 "X"라고 판단했다고 해서, 완전히 다른 방식으로 더 나은 사용법을 찾아야 하는 것은 아니다. 예를 들어, 수년 동안 카메라와 함께 제공되는 수많은 DVR(디지털 영상저장 및 전송장비)를 사용했고, 대학 캠퍼스 주차공간에 합리적으로 커버리지(coverage)를 제공해야 했을 때 주차장을 넘어선 모든 경계를 감당하기에는 한계가 있었다. 지금은 Top Eye View(URL : www.topeyeview.com)라는 신제품이 시장에 나와 소형 드론에 카메라를 장착해 현장을 커버할 수 있게 되었다. 이 제품은 무선으로 통신하고 밤이나 낮이나 카메라 영상을 확보할 수 있다. 원하는 경우 여러 위치로 이동하거나, 또는 여러 군데에 설치하기만 하면 된다. 원래 비상상황 시 또는 현장에서 이벤트가 발생될 때 사용하기 위해 시판된 제품이지만, 외곽경계 보안문제에 대한 잠재력이 크다.

당장 앞으로 시장에 출시 될 새로운 솔루션을 모두 고려한 5년치의 계획을 세울 수 없다는 것이 기술의 한계점이다. 새로운 변화를 발견할 때마다 계획을 지속적으로 재평가하고 올바른 조정을 해야 한다.

벤치마킹 및 비즈니스 프로세스(매트릭스) 관리

벤치마킹

앞부분에서 언급했듯이 저자는 벤치마킹 프로세스를 수행한 경험이 있다. 다양한 다른 회사들과 함께 수행했으며 일부 지점은 독립적인 회사인 것처럼 참여했다. 비록 보안조직이 그들의 전문분야는 아니었지만 벤치마킹 경험이 풍부한 컨설팅 회사와 함께 벤치마킹하는 것을 추구했다. 내부구조를 재구성 한 후에 이 작업을 수행했기 때문에 상당한 비용절감을 이룰 수 있었다. 기본적으로 보안조직의 관리를 중앙에 집중화하고 보안 전문가를 직속관리 하에 배치하는 구조로 변경했다. 조직 재편성의 기본논리는 보안의 모든 측면을 검토하고 평가할 때 다음 네 가지 기본원칙을 따라야 한다.

- 보안정책 및 시행은 직면한 위협과 현실적으로 일치해야 한다. 정책을 수립하고 서비스를 제공하는 데 사용되는 프로세스는 위협이 커짐에 따라 변화를 용이하게 할 수 있도록 충분히 유연해야 한다.
- 보안정책 및 시행은 지리적 영역 전반에 걸쳐 일관성이 있어야 하고, 모든 관련 당사자들에게 비효율적인 요인을 줄이고 제한된 자원을 효율적으로 배분할 수 있어야 한다.
- 클라이언트의 요구사항(내부 및 외부)을 이해하고, 기업에 가치를 부가하며, 리스크 관리를 통해 향후 발생할 이슈에 대해 충분히 예상해야 한다.
- 정책, 실행 및 절차는 회사가 전문적인 보안관리 원칙과 함께 건전한 비즈니스 관행을 구현할 수 있는 비용을 제공할 수 있게 해야 한다.

재구성 이전에 대한 조사에 따르면 보안구조와 문화의 근본적인 약점은 서비스의 단편적인 전달이었다. 서로 다른 이해관계와 권위를 지닌 여러 그룹은 서로 독립적으로 일했고, 수평적 통합이 불충분하게 수행되었다. 노력은 중복되었고 조정은 어렵고 느리게 진행되었다. 이중 일부는 기업차원뿐 아니라 부서별로 너무 많은 역할지침이 제공되었기 때문에 발생했다. 기본적으로 이런 구조는 그 유용성이 오래 가지 못했다. 반면에 세로 개발한 조직 재구성 전략을 적용함으로써 조직구조가 보다 단순해지고 비용 효율성이 향상되었다.

보안은 리스크와 위협, 취약성 및 클라이언트 요구사항을 통합적으로 평가하여 서비스해야 한다. 개념적으로 그것은 매뉴얼의 규칙을 따르기보다는 사용자들이 그렇게 되어야 한다고 생각하는 방식이어야 한다. 따라서 보안은 규칙의 "글자"보다는 "정신"이, 문제해결 보다는 문제예방이, 그리고 외부감시 보다는 개인적인 책임을 중요시하는 식의 긍정적인 일이 되어야 한다.

그림 14.1 벤치마킹은 모범 사례를 수립하고 지속적으로 성과 및 비즈니스 가치를 향상시키면서 예산 내에서 운영하는 데 도움이 되는 중요한 도구다.

과거에는 어떤 보안에 대한 결정이 위협에 대한 가정과 관련되어 있었다. 때때로 최악의 시나리오를 보안계획의 기반으로 삼기도 했다. 오늘날의 위협은 다양하고 다각적이며 역동적이다. 대부분의 경우 과도한 비용을 들이지 않고도 손실, 손해의 리스크와 보호 비용 사이의 균형을 맞출 수 있다. 앞의 내용을 통해 보안 의사결정의 근본적인 관행인 리스크 관리를 통해 합리적이고 비용면에서 효율적이며 지속가능한 프레임 워크를 제공해야 한다는 결론을 얻었다. 또한 새롭게 재구성된 조직에서 더 효율적으로 이를 수행할 수 있었다. 벤치마킹 활동의 의도는 두 가지로 요약된다.

• 비용경쟁력 있는 방식으로 서비스를 제공하고 있는지 판단해야 할 필요가 있다.
• 보안 서비스를 제공하는 "가장 우수한" 방법이 무엇이었는지 확인할 필요가 있다.

여를 들어, 저자는 한 회사와 계약을 맺고 여러 회사가 서로 합류하도록 준비한 후, 첫 번째로 한 일은 보안에 대한 기본원칙을 밝히는 것이었다. 이전에 광범위한 벤치마킹 프로젝트를 수행한 보안 비즈니스 담당자들을 찾을 수 없었기 때문에 외부 파트너 회사와 보안 비즈니스를 둘러싼 여러 가지 요인 중 일부에 대해 반드시 짚고 넘어가기로 했다.

거기에는 다음과 같은 원칙이 있다.

• 보안은 일용품이 아니므로 그렇게 평가해서는 안 된다.
• 리스크 분석, 환경영향 및 비용절감을 고려해야 한다.
• 벤치마킹은 지속적인 학습과 적응의 운영 프로세스다.
• 프로세스 측정뿐만 아니라 작동방식을 고려해야 한다.

다음 중점사항은 제공한 보안 서비스의 전체목록을 확인하는 것이었다. 먼저 다음과 같은 서비스의 주요 카테고리를 확인했다.

• 물리적 보안
• 정보 보호
• 돌발 상황 관리
• 위기관리 및 비상계획
• 응급 상황 대응

그런 다음 다른 참여기업들의 서비스 세부목록을 개발하여 각 서비스와 얼마나 많은 비용이 관련되는지 정확하게 파악하고 모든 보안관련 비용을 확보하도록 했다. 어떤 회사든 모든 서비스를 다 제공하는 곳은 없었고, 일부는 다른 기능만 제공한다거나 아예 외부계약으로 수행한다거나 했기 때문에 "하나 하나 대응해 가며" 비교하기 위해 모든 것을 확인해야 했다.

그 목록은 다음과 같이 분류되었다.

- 자산 보호 : 무작위로 출입문 점검, 건물 출입 검사 등
- 출입통제 모니터링 : 접수 담당자, 계약자 출근 기록 등
- 출입통제시스템 관리
- 출입통제시스템에서 보고서 작성
- ID 또는 출입증 만들기
- 경보 및 CCTV 시스템 모니터링(24 시간 통제 센터)
- 무선 통신
- 경보 응답
- 기록 관리
- 열쇠 제작 및 발급
- 조사 수행
- 조사 데이터 분석
- 사고 평가 및 대응
- 위기관리 및 비상사태 계획
- 비상 시나리오 테스트 수행
- 물리적 보안 계획
- 정보 보호
- 제품 보안 계획
- 잠금 해제 문
- 응급의료 및 응급처치
- 기타 비상사태에 대응 : 화재, 화학 물질 유출, 사고
- 관리 보고서 준비 및 전달
- 외부 미팅에 대한 보안
- 현장 순찰
- 보안교육 및 훈련 제공
- 정보인식 및 교육 제공

- 하드카피 보호정책(clean desk)
- 분실물 및 발견된 물품 관리
- 임원 보호 제공
- 법 집행 기관과의 연락
- 공급업체 보안 검토 수행
- 클라이언트와의 상담 및 조언 제공
- 보안 서비스의 외부 마케팅
- 보안 컨설팅 서비스 제공
- 보안 장비의 성능 감사 및 유지·보수 점검 수행

일단 목록이 확인되면, 각 항목과 관련된 비용을 파악하여 회사의 전체 보안 비용을 확인하였다. 확인한 결과 모든 회사는 동일한 방식으로 예산을 구성하지는 않으며 모든 보안관련 비용은 반드시 보안조직의 예산 내에 포함되지는 않았다. 이 과정을 거치면서 회사의 각 장소마다 차이점이 있다는 것을 알게 되었다. 예를 들어, 어느 한 곳의 안내원은 경비원이었고 비용은 보안 예산에 포함되어 있었다. 다른 곳의 안내원은 관리기능의 일부였고, 그 비용은 보안예산에 포함되지 않았다. 또 다른 곳의 메인 안내원은 보안담당자이며, 보안예산에 포함되었지만, 다른 담당자는 그렇지 않았다. 세 곳의 안내원은 비록 다른 부차적인 임무수행을 했지만 같은 기본업무를 하고 있었다.

또한 모든 비상 대응요원과 관련된 비용을 포함시켜야 한다고 판단했다. 이것은 근본적으로 사무실 건물들이 있는 현장들의 주요 요인은 아니지만, 대부분의 제조현장, 특히 제조공정의 일환으로 화학물질과 가스를 사용하는 산업에서는 매우 큰 비중을 차지한다.

비용을 집계할 때 정규직원의 급여, 시설의 설치공간에 대한 비용, 계약된 서비스 전체 계약비용 등 숨겨진 비용을 모두 파악해야 했다. 프로세스 관리를 쉽게 하기 위해, 시스템 도입비용 등의 설비투자는 포함하지 않았다. 그러나 시스템 유지·보수에 대한 비용은 일반적으로 예산에 포함시켰다.

그런 다음 비용정보를 분석하는데 필요한 기본데이터를 결정해야 했다. 이 데이터는 임대 가능한 계약면적(NRSF, Net Rentable Square Feet), 총면적(GSF, Gross Square Feet), 현장 당 인구수, 현장 당 보안인원, 각 시설의 현장별 비상대응 인원으로 이루어져있다. 또한 일관성을 보장하기 위해, 계약 서비스를 인원수로 변환하는 표준 공식에 동의했다. 일단 데이터가 수집되면 다음을 결정할 수 있다.

- 임대 가능한 계약면적(NRSF)의 100평방 피트 당 보안 비용
- 총면적(GSF)의 100평방 피트 당 보안 비용
- 현장 인구 100명 당 보안 비용
- 임대 가능한 계약면적(NRSF)의 100평방 피트 당 보안인원과 비상인원
- 총면적(GSF)의 100평방 피트 당 보안인원과 비상인원
- 현장 인구 100명당 보안 및 비상 인원수

제조업과 제조업, "A" 등급의 오피스 빌딩과 "A"등급의 오피스 빌딩 등과 같이 각각의 현장구성을 기준으로 비교를 수행했다. 그런 다음에 어느 현장의 비용이 더 많이 들었는지를 보기 위한 평균 비용 라인을 설정하였다. 또한 내부의 현장 및 외부 기업과 병행한 현장에 걸쳐 중간 비용을 결정했고, 내부 현장뿐만 아니라 다른 제조 현장 그리고 또 다른 "A" 등급 빌딩의 중간 값을 결정했다. 이 작업이 완료되면 비용이 너무 많이 드는 곳을 쉽게 파악할 수 있었고, 비용이 가장 낮은 현장에 대해서는 추가 평가를 실시하기로 결정하였다. 이 데이터 분석을 함으로써, 과도한 비용을 사용한 많은 현장을 식별할 수 있었고 비용을 조직의 나머지 부분과 일치하도록 조정해야 하는 보호영역을 쉽게 결정할 수 있었다.

최상의 유형

이 작업에서 최상의 프로세스를 확인하기 위해, 저자는 각 참여기업들의 프로세스와 관련된 비용을 조사하는 것으로부터 시작했다. 다음으로 각 회사의 다양한 프로세스에 대한 전문가 팀을 구성하여 프로세스 수행방법을 자세히 알아보았다. 그들이 더 많은 협의를 할수록, 한 회사의 프로세스가 탁월한 성과를 내는 것과는 대조적으로 (몇 가지 경우의 상황이긴 하지만) 각 프로세스마다 최고의 프로세스가 있다는 것을 확인했다. 그 결과, 전문가 팀은 제공된 서비스를 개선하거나 서비스 비용을 절감할 수 있는 프로세스상의 변경사항을 확인할 수 있었다(또는 경우에 따라 둘 다 가능함). 이것은 이 모든 작업에서 얻은 실질적인 보상이다. 보안비용이

다른 것보다 낮다는 것을 증명할 수 있겠지만 기본적으로는 "우리가 확인한 프로세스가 있기 때문이다."라고 말할 수 있어야 한다. 실제로 이익을 얻기 위해서는 서비스 개선과 미래의 비용절감의 두 가지 방법을 특정할 수 있어야 한다.

비즈니스 프로세스(매트릭스) 관리

벤치마킹 프로세스를 완료 했을 때, 저자는 모든 현장에서 보안 비즈니스를 효과적으로 관리하고 있는지 확인하는 방법으로 활용할 수 있을 정도의 충분한 수준의 프로세스를 문서화시켰다고 믿었다. 이는 개인적으로 전년도에 비해 감소된 비용수준에서 운영되고 있다는 것을 알고 있었기 때문이었다. 저자가 조직 내 여러 보안요원들과의 대화를 해봤을 때, 그들은 몇 년 전 현장에 보안요원을 두 배 이상 배치했을 때는 보편적으로 프로세스의 모든 측면에 대한 검사를 수행할 수 없었다는 것을 우려하고 있었다.

이것을 "통제된 리스크 분석 프로그램(controlled risk analysis program)"이라고 불렀다. 그러나 요즘은 일반적으로 "매트릭스 관리(matrix management)"라고 한다. 그래서 우선적으로 저자는 물리적 보안, 비상 계획, 사고 관리, 정보 보호, 긴급 서비스 등의 각 하위 프로세스의 핵심 제어부 측정(key control management)을 결정했다. 그런 다음 이 모든 것을 다음과 같은 형식으로 문서화했다.

- 하위 프로세스 이름
- 측정 번호 및 이름
- 정의
- 목표
- 한계
- 산출
- 출처
- 참고문헌
- 보고부서
- 빈도수
- 프로세스 연락담당자

저자는 위와 같이 각각의 데이터를 모두 측정하고 채울 수 있는 다양한 작업 목록을 개발했다. 예를 들어, 물리적 보안의 하위 프로세스의 경우 측정값은 다음과 같다.

- 출입 통제 시스템 보고서
- 마스터 열쇠 감사(audit)
- 보안 경보 작동 테스트
- 패닉 경보 작동 테스트
- 계약 회사 : 업무 수행 보고서
- 별도의 청구서 검토
- 현장 검토 프로세스

저자는 위에 요약된 것처럼 각 하위 프로세스에 대한 목록을 가지고 있었고, 이것은 미국 전역의 모든 장소에서 활용할 수 있는 가능성 있는 제어 측정치의 풀(pool)이라 판단했다. 그러나 매달 이런 측정치에 대한 모든 장소별 보고는 너무 부담스럽고 관료적이었다. 저자가 사용한 실행 프로세스는 모든 현장이 일정 항목의 측정값에 대해 매월 보고해야 했다. 측정에서 결함이 발견되면, 그들은 연속으로 두 개의 보고가 완료될 때까지 보고 했을 것이다. 측정값이 양호한 것으로 보고되면 다음 달에 측정 풀에서 새로운 항목 세트가 선택됐다. 목표는 1년 안에 (또는 가능하면 빨리) 풀의 모든 관련 있는 측정값을 모든 사람에게 보고하는 것이었다. 그리고 사람들이 이 과정이 직무성과의 척도가 아니라는 점을 이해시켰다. 실제로, 저자는 이러한 측정을 통해 문제를 발견하고 수정해야 할 부분을 알 수 있다고 말했다. 만약 아무도 잘못된 것을 발견하지 못했다면, 100퍼센트 완벽한 일은 없기 때문에 프로세스를 테스트할 수 있는 새로운 방법을 찾아야 했다. 이러한 측정값 각각에 대해 나열된 마지막 항목인 프로세스 연락 담당자는 이 분야에서 가장 지명도가 높다고 평가된 사람들의 연락처의 목록 작업이었다. 이 측정에 문제가 있다면 누구에게 문제를 해결할 수 있는 방법에 대한 문의해야 하는지 그 담당자들의 정보를 알 수 있도록 했다.

또한 저자는 내부의 감사 부서와 협력하고 이해관계자와 양해문서를 작성하며 측정결과를 모니터링할 수 있도록 분기별로 결과를 보고함으로써 모든 프로세스를 한 단계 더 진척시켰다. 또한 그들은 기업이 적절한 방법으로 셀프 모니터링하고 있다고 느낀다면 예전처럼 자주 감사할 필요가 없어질 것이고 이로 인해 그들의 업무량은 줄어들 것이다.

2년 후, 그들은 두 곳의 보안 기능을 감사(audit) 받았고 모두 무난히 합격했다. 이를 통해 기업 감사에 대한 저자의 측정 프로세스를 검증했다.

직장 폭력 지침

머리말

이 절차는 직장 내 폭력사고 발생 시 대응절차에 대해 회사가 사용할 수 있도록 개발되었다. 이 절차를 시행하려면 관련된 회사의 구체적인 사항에 맞는 보안 전문가의 지침이 필요하다. 보안전문가의 관여는 프로그램의 지속적 유지 및 각 상황별 대응에 있어 중요한 역할을 하며 이러한 업무를 효과적으로 실행하려면 다음과 같은 절차를 따라야 한다.

- 경영진은 모든 직원에게 "위협은 용인되지 않는다."라는 회사 정책을 발표해야 한다.
- 모든 직원, 감독자 및 관리자는 위협이 발견되는 즉시 경영진 또는 보안 담당자에게 보고해야 한다는 사실을 공지해야 한다.
- 회사는 위협을 가하는 자에 대한 징계 조치를 확고하고 일관되게 수행해야 한다.
- 정규직 및 비정규직 또는 모든 신입사원은 채용 전 5년간 범죄 이력을 확인

받아야 하며 부정이력이 발견되면 보안 부서에 문의해야 한다.

직원 및 자산에 대한 위협과 폭력 행위

개요

직원 및 자산에 대한 위협이나 폭력 행위는 용인되지 않는다. 그러한 행동은 해고 및 형사고발 또는 의학적 분리(medical separation)의 형태를 포함하는 징계 조치로 이어질 것이다. 회사의 정책, 관행 및 절차가 위협의 이행, 행위의 발생 또는 생명을 위협하는 상황의 전개를 방지하기 위해 고안된 결정을 방해해서는 안 된다.

요구사항 요약

이러한 종류의 비상사태를 처리하기 위해 다음과 같은 조치를 취해야 한다.

- 제지 및 효과적인 대응을 위한 적절한 물리적 보안 조치
- 최신 버전의 비상사태 계획
- 위기관리 센터 및 적절하게 장비가 갖추어진 대체 센터
- 두 관리 센터(위기관리 센터, 대체 센터)에 모든 건물 평면도의 사본 보관
- 비상 시 확인할 수 있는 직원 사진 복사본 보관
- 필요한 경우 무장요원을 투입할 수 있는 법 집행기관들과의 연락체계
- 화재지원 및 응급의료서비스 절차
- 해당되는 경우 통화 추적을 위한 내선전화 교환 서비스(PBX) 기능의 이해
- 통신회사, 보안요원과의 연락 및 통화추적 기능에 대한 이해
- 지역적 위협 및 무단 침입죄

인명에 대한 위협이 보고된 경우 다음 조치를 취해야 한다.

- 위협을 확인하고 심각성을 평가한다.
- 안전이 확인되면 지역 내에서 심각한 위협요인을 제거한다.
- 적절하게 피해자 및 영향을 받은 다른 사람들을 보호한다.

- 해당하는 경우 경찰에게 연락한다.
- 해당하는 경우, 경험 있고 지원 가능한 회사보안부서에 모든 위협을 보고한다.
- 위협요인에 관한 유용한 개인정보를 확보한다.
- 위협에 대한 인사 및 기소 조치를 검토한다.

위협 가해자의 실제 폭력이 있을 경우 검찰기소를 고려하여 사건을 진압하는 데 필요한 조치를 취하고, 직원들과 다른 사람들의 개인적인 위협을 최소화하며 경찰서에 유치한다.

위협과 폭력적인 행동에 관한 추가정보는 첨부 A를 참조한다.

위협 가해자 평가에 대한 지침은 첨부 B를 참조한다.

첨부 A

직원과 자산에 대한 위협 및 폭력

서론

최근 몇 년간 사회에 내재된 폭력은 기업환경을 침범해왔고, 어떤 기업도 직원과 자산에 대한 위협과 폭력으로부터 자유롭지 못하다. 이러한 위협과 폭력 행위의 결과로 인해, 당사는 고용 프로세스와 이러한 유형의 사건에 대응하는 방법과 관련된 많은 정책 및 절차 변경방안을 보유하고 있다.

이 문서는 회사의 이익과 이러한 사건의 효과적인 관리 및 관련된 책임을 정의하기 위해 광범위하게 고안되었다. 이에 따라 모든 분야별 관리자의 책임에 대해 구체적으로 정의되었다.

이 문서는 관련 정책과 절차를 검토, 업데이트하고 위협과 폭력행위를 처리하는 책임자를 돕기 위해 작성되었다. 모든 문제의 해결책을 제시하지는 못하겠지만 가장 많이 사용되는 절차를 확인할 수 있다.

정책

직원의 안전과 보안보다 중요한 것은 없다. 따라서 직원이나 자산에 대한 위협이나 폭력 행위는 용인되지 않는다. 이 정책을 위반하면 해고, 체포, 기소 등의 징계조치가 취해진다.

회사 자산에 대해 위협 또는 폭력 행위를 가한 사람은 신속하게 기업 내에서 격리해야 한다. 직원에 의한 실제 위협이 있거나 폭력 행위가 발생했을 경우, 해당직원을 격리시키고, 즉각 해고하거나 어떤 형태의 신체적 장애가 발생했는지를 포함하여 적적한 조치에 대한 판단이 내려져야 한다. 의료적으로 다루어야 하는 직원의 계통관리상 결정은 가능한 모든 경우에 30일 이내에 신속히 이루어져야 한다.

일단 위험이 구체화되면, 회사는 그 직원에게 행동에 책임을 져야 한다는 것을 알리고 적절한 대응책을 마련해야 한다.

이러한 정책을 수행하는데 있어 모든 관리자는 현존하는 정책이 생명을 위협하는 상황, 폭력 사태, 관행 등의 절차를 위반하거나 폭력 행위로부터 발생하는 모든 위험을 방지하는 것은 아니라는 사실을 이해하는 것이 중요하다.

목표

다음은 직원과 자산의 안전 및 보안에 관한 회사의 주요 목표다.

- 사고를 예방한다.
- 각 위협과 폭력 행위를 사례별로 적절하게 처리한다.
- 직원, 계약자, 방문객 및 당사의 다른 사람들에게 해를 끼칠 수 있는 리스크를 최소화한다.
- 직원의 편안함을 향상시킨다.
- 직원들의 안전과 보안에 대해서 긍정적인 태도로 소통한다.

사전 대응조치법

다음은 직원과 재산에 대한 위협 및 폭력 행위에 대한 예방과 탐지, 대응에 대한 신중한 사전대응조치 목록으로 현장관리자는 가능한 빨리 이를 고려하고 이행해야 한다.

기획 및 조직

사전대응 계획 및 조직행동에는 다음이 포함되지만 이에 국한되지는 않는다.

- 위협 및 잠재적 위험 상황을 다루기 위해 비상계획을 적절하게 검토, 개정 및 업데이트한다.
- 비상사태에 대비하여 위기관리팀 또는 자문그룹을 지정한다. 팀 또는 그룹의 구성에는 최소한 인적자원, 통신, 보안 및 법적대리인을 포함한 선임현장관리자가 포함되어야 한다.

- 비상사태 시 필요한 핵심인력과 대체인력을 관리한다. 명단에는 최소한 이름, 주소, 전화번호 및 핵심인력이 대기 중인 날짜를 포함해야 한다. 주요 현장은 현장과 떨어진 장소에 있는 근무자 명단을 잘 보관해야 한다.
- 중앙 위기관리센터와 하나의 대체센터를 설립하고 운영요구사항에 맞게 적절하게 설치한다.
- 해당지역 내의 각 부지 및 시설물에 대한 모든 건물평면도 사본이 위기관리센터와 대체센터에 관리되도록 한다.
- 가능한 경우, 지역통제센터의 비상계획을 사용할 수 있도록 한다.
- 특정 장소에서의 위협과 폭력 행위를 효과적으로 처리할 수 있도록 모든 관리자에게 적절한 절차를 지시한다.
- 해당 위치에서 위협이나 폭력 행위가 발생할 경우에 대비하여 관리자와 보안요원이 수행할 작업에 대한 체크리스트를 작성한다.
- 모든 직원에게 다른 직원과 자산에 대한 위협 및 폭력 행위를 경영진이나 보안부서에 즉시 보고할 책임이 있음을 알린다.
- 직접적이거나 익명 또는 전화위협을 받을 수 있는 직원(접수담당자, 비서, 보안요원)이 사용할 수 있는 대응책을 개발한다.
- 새로운 출입증이 발급될 때마다 직원 사진의 사본을 복사하여 제출한다. 이 사진들은 비밀정보로 보호한다.
- 지역 법집행기관, 화재지원기관 및 응급의료서비스 기관과의 비상연락망을 갖춘다. 이 기관들의 역량과 대응능력을 조사하고, 부족한 부분을 파악하여 대체 또는 조정된 대응을 준비한다.
- 지역적 위협, 무단침입 관련법, 민·형사 고발절차, 감시, 체포, 의료 또는 정신시설에 대한 인도, 시민들의 체포, 전화위협의 감시 또는 녹음에 대해 조사한다.
- 내부 내선전화 교환 서비스(PBX) 또는 전화 시스템에 대한 지식을 익히고, 송수신 전화번호를 캡처할 수 있어야 한다.
- 통신회사 보안요원과의 연락체계를 갖추고, 직장 또는 가정에서 직원들에게 걸려오는 협박전화를 추적할 수 있어야 한다.
- 계약자 및 방문객 출입증 프로그램을 검토·개정하여 문제가 발생되기 전에 적

절히 신원을 확인하고, 구내에서 지속적으로 착용, 구내를 떠날 때에는 반드시 반환되도록 확인한다.

- 모든 직원에게 직원 출입증 패용의 중요성과 회사시설에 대한 무단출입을 방지하기 위한 직원의 역할에 대해 설명한다.

- 위협, 폭력과 관련하여 현장 계획, 정책, 절차 및 활동에 대한 중요한 변경사항을 적절한 보안, 인사, 법무, 커뮤니케이션 및 의료담당자에게 알리게 한다.

- 비상계획에 대해 다음과 같은 정기적인 검사를 실시한다.

  - 출입 통제 절차
  - 중요한 사건 대응 능력
  - 사전에 준비된 메시지를 사용하는 근무시간 동안의 경고방송 시스템

위협 검증 및 평가

모든 직원은 위협이나 폭력행위를 즉시 경영진이나 보안담당자에게 보고하도록 교육 받아야 한다. 사고와 관련된 모든 가용정보는 즉각적으로 확보되어야 하며 확인, 평가 및 적절한 대응조치를 취하기 위해 보안부서에 의해 문서화 되어야 한다. 정형화된 보고절차를 따라야 하며 보안부서는 최소한 다음의 정보를 수집해야 한다.

- 사건은 무엇이었나?
  - 폭력 행위가 있었다면, 그 행동은 어디에서 발생하였나? 신체적 접촉이나 부상이 있었나? 무기가 관련되었나?
  - 위협이 있었다면, 어떤 내용이고, 어떻게 전달되었는가? 직접적, 전화, 서면 또는 제3자에 의한 것인가?
- 모든 피해자와 증인의 이름
  - 이 사람은 직원인가 계약업체인가, 방문객인가 또는 다른 사람인가?
  - 회사와 집 주소, 전화번호를 확보한다.
- 위협을 가하거나 행동을 취하는 사람의 이름
  - 이 사람은 직원인가 계약업체인가, 방문객인가 또는 다른 사람인가?

- 사건을 관리부서 또는 보안부서에 보고하는 사람의 이름
  - 보고서의 날짜, 시간 및 방식(직접, 전화 또는 서면)
  - 이 사람은 피해자인가, 목격자인가, 아니면 다른 사람인가?
- 위협의 의도, 퍼지게 된 상황 및 위협이 발생한 위치의 환경과 관련된 기타 사용 가능한 데이터

적절한 대응책을 개발하려면 실제로 위협이 발생했는지 확인하고 이를 정확하게 문서화해야 한다. 이것은 시간에 민감한 상황이며 속도와 정확성이 모두 중요하다는 것을 기억해야 하고 감정과도 분리되어야 한다. 가능한 경우 피해자와 증인은 다음과 같은 사항을 결정하기 위해 개별적으로 인터뷰해야 한다.

- 위협을 당한 사람과 위협을 가한 사람은 누구인가? 이전에 피해자 또는 위협요인과 관련된 유사한 성격의 사건이 있었나?
- 위협요인은 무엇이었나? 어떤 상황에서의 위협요인이었나? 위협의 실제 의도는 무엇이고, 위협이 발생한 환경은 무엇이었나?
- 언제 위협이 가해졌으며, 언제 실행되었는가?
- 위협은 어떻게 발생했고, 어떻게 실행되었는가?
- 위협을 가한자는 특정 피해자를 왜 선택했는가?
- 그들은 서로 관련이 있는가, 그렇지 않으면 서로 알고 있던 사이였는가?

일단 위협이 확인되고 이해되면 위협의 심각성에 대한 예비평가가 이루어져 적절한 맞춤형 대응을 할 수 있다. 유효한 평가를 위해 적절하고 필요하다고 판단되면 조직상의 관리자와 협의하고, 위협을 가한자의 의도, 기능 및 정서적, 신체적 상태를 판단하기 위한 상황에 직면하게 될 수도 있다.

위협의 심각성을 충분히 평가하기 위해 다음과 같은 조치를 취할 수 있다.

- 문서화된 이전의 위협기록, 업무수행, 행정·징계조치 또는 의학적 문제에 대해 위협을 가한 자의 인사 및 의료기록을 검토한다.

- 위협을 가한 자의 동료직원 및 관리자와 인터뷰 한다.
- 위협을 가한 자의 주치의 및 지인에게 연락한다.
- 필요에 따라 정신과의사와 같은 전문가, 심리학자 또는 정신이상자에 대한 전문지식을 습득한다.
- 지역경찰에 통보하여 범죄기록 확인을 요청한다.
- 위협을 가한 자가 무기, 총 허가증 등에 접근할 수 있는지 확인한다.

보호 전략

모든 위협은 입증될 때까지 심각하게 간주되어야 하며, 모든 사람과 자산을 보호하기 위해 적절한 조치를 취해야 한다. 직접적으로 위협을 받는 개인에게는 특별한 주의를 기울여야 하며, 필요에 따라 직장과 가정에서의 보호를 제공해야 한다. 보호수단은 각 위협 상황에 따라 다르며, 다음을 포함하지만 이에 국한되지는 않는다.

- 피해자의 작업환경을 보호한다.
    - 필요하거나 적절하다고 판단되면 회사 보안요원, 비무장 계약직 경비원, 무장한 전직 경찰 또는 현직 경찰과 현장보안을 강화한다.
    - 외부보안순찰을 강화한다.
    - 시설출입통제 강화 : 직원 출입구를 최소한으로 줄이고, 모든 출입문을 관리하고, 하역장 입구를 잠근다.
    - 내부출입통제 강화 : 로비, 접수구역 및 하역장 뒤에 문을 잠그고 내부출입구를 관리한다.
    - 피해자의 작업영역에 대한 접근통제 : 작업공간에 있는 CCTV, 침입탐지장치, 작업구역 내 보안, 경비요원 또는 경찰관
    - 피해자 또는 피해자의 보호자가 사용할 비상경보장치를 설치한다.
- 피해자의 근무교대를 변경한다.
- 피해자를 그 지역의 다른 작업공간이나 건물 또는 위치로 이송한다.
- 피해자가 출·퇴근 시에 보호받도록 한다.

- 피해자를 지역 밖의 다른 시설로 일시적 또는 영구적으로 재배치한다.
- 피해자의 집을 보호한다.
  - 경찰에 신고 : 감시 또는 경찰의 배치를 요청한다.
  - 회사보안요원과 신속히 통신할 수 있는 장비를 설치한다.
  - 휴대용 침입탐지장치, 외부조명 및 잠금장치를 설치한다.
  - 집 안팎의 보호를 위해 무장하고 근무복을 입은 전직경찰을 고용한다.
- 피해자 피드백을 확인한다. 피해자 및 가족에 대한 위협이 더 이상 존재하지 않을 때까지 상황을 모니터링 한다.
- 작업환경, 다른 직원 및 자산에 대한 위협이 더 이상 존재하지 않을 때까지 높은 수준의 내·외부 현장 보안, 출입통제 및 모니터링을 유지한다.

위협적인 통제와 수용 전략

위협을 가한 자는 알고 있는 자일 수도 있고 익명의 누군가일 수도 있다. 위협은 직접적이거나 전화, 서면 또는 제3자를 통해 가해질 수 있다. 대부분의 위협과 폭력행위는 예측할 수 없지만, 일부 상황에서는 폭력 가능성이 경영진에 의해 예견되고 예측될 수 있다.

그러나 모든 경우에 기본정책은 동일하다. 안전한 범위 안에서 신속하게 위협을 억제하는 데 필요한 조치를 취하고, 모든 사람과 자산에 해를 끼칠 위험을 최소화하며, 위협요인을 통제하고 제거한다.

예측할 수 없는 위협과 폭력

예측할 수 없는 사건은 가해자로부터 주도권을 잡으려면, 사안별로 신속하게 처리해야하기 때문에 경영진과 보안부서 모두에게 가장 큰 도전이 된다. 공동으로 적용 가능한 즉각 대응에는 다음이 포함되지만 이에 국한되지는 않는다.

현장 사고

현장의 위협이나 폭력을 경영진이나 보안기관에 통보한 경우
- 사건을 검증하고, 입증된 경우 심각성을 평가한다.

- 안전이 허용되면 위협을 가한 자와 대면하고, 위협에 관한 회사정책을 조언하며, 즉시 기업 내에서 떠나도록 요청한다. 만약 관리자에게 위협이 될 경우 다음 수준의 관리자 또는 보안담당자가 위협요인에 대처해야 한다.
- 위협을 가한 자가 구내를 떠나기를 거부하거나 안전하게 제거할 수 없는 경우 위기관리팀에게 전달하고 경찰에 알린다.
- 사건을 본사에 보고한다.
- 위협을 가한 자를 포함하여 영향을 받는 지역을 봉쇄한다.
- 직원 및 다른 사람들의 안전을 위해 필요에 따라 해당지역이나 층, 건물 또는 부지에서 대피한다.
- 안전이 허용되는 범위에서 신속하게 위협을 가한자를 격리한다.
- 상황이 장기화되었을 때 필요한 경우 위기관리팀에게 경찰지원을 준비하도록 하고, 유언비어 통제 데스크나 센터를 설립한다.

전화 위협

- 가능한 오랫동안 위협을 가한 자와의 전화를 유지하도록 시도하고, 가능한 많은 정보를 획득한다.
- 가능한 정확하게 획득된 정보를 기록한다.
- 위협을 가한 자가 계속 전화를 걸고 있는 동안, 가능한 빨리 보안팀에 경고를 보낸다. 적절한 경우 보안팀이 지원을 위해 통신회사에 접촉할 것이다.
- 전화 위협을 가한 자가 건물에 있다면, 위협에 관한 회사정책을 알리고, 즉시 건물에서 떠나도록 요청한다. 전화 위협을 가한 자가 건물을 떠나지 않거나 안전하게 격리시킬 수 없는 경우, 위의 현장 사고 절차를 따른다.
- 전화 위협을 가한 자가 익명이거나 신원이 확인되었지만 외부에 있다면, 경찰에 알리고, 현장 보안과 접근 통제를 강화한다. 만약 전화 위협을 가한 자가 직원이라면, 그의 사진을 현장 보안요원에게 배포한다.

서면 위협

• 최소한의 처리에 따른 서면 자료를 증거로 확보한다.

• 위에서 설명한 대로 현장 보안 및 출입통제를 강화할 수 있도록 회사 보안 부서에 알린다.

• 서면으로 작성된 자료가 익명일 경우, 담당 전문가에게 문의한다.

  - 정신과 의사, 심리학자들은 위협의 심각성을 평가하고 전화 위협을 가한 자를 식별하려고 시도한다.

외부사건

직원이 외부에서 고용에 관계된 위협을 받았을 때 경찰, 통신회사 또는 기타 적절한 기관에 조치를 취하는 것은 피해자(회사가 아니라)의 단독 책임일 수 있다. 그러나 회사는 피해자의 활동을 지원하고 필요하고 적절하다고 판단될 경우 보호를 제공해야 한다.

예측 가능한 사건

폭력 가능성이 있는 예측 가능한 상황은 위협자나 기타 잠재적으로 난폭한 사람들과 함께하는 관리 부서와의 회의 및 의료 상담이 포함된다. 관리자나 보안요원이 폭력 사태가 발생할 가능성이 있는 상황을 인지하고 있을 때, 상세한 조치 계획을 미리 준비해야 한다. 잠재적인 폭력을 예상한 관리자는 가급적이면 직속 상사를 통해 관련된 개인과의 연락을 유지할 것을 권장한다. 만약 적절한 실행이 불가능한 경우, 동료 직원들, 가족 혹은 친구를 통해 직·간접적으로 연락하여 상황의 심각성을 지속적으로 평가할 수 있어야 한다.

예측 가능한 상황에서 자문 그룹 또는 위기관리 팀은 다음과 같은 조치를 수행하기 위해 소집되어야 한다.

• 행정, 교육, 의료 등의 선택과 그 결과를 검토 한다.

• 구속을 추진하거나, 의료 또는 정신병원에 입원하거나, 금지령을 내리는 것과 같은 법적 대안을 검토 한다.

• 다음을 포함한 상세한 조치 계획을 확립 한다.

- 회의의 조건, 상황 및 위치를 수립 한다.
- 보안부서, 법무과, 의료진, 인사과 등을 경영진 미팅에 추가로 참석하도록 한다.
- 회의 입구 및 인접한 장소 또는 필요하고 적절하다고 판단되는 회의에 현직 또는 전직 경찰을 현장 방문 또는 관리하도록 한다.
- 건물 내에서 개인의 출입 및 존재여부를 모니터링할 수 있도록 한다.
- 회의 장소에 비상벨 또는 기타 비상 장치를 설치할 필요성을 고려한다.
- 사고 발생 시 적절한 대책을 제공한다.

경영진이 개인과 직접 대면하는 회의가 안전에 너무 큰 리스크로 제기된다고 생각되는 경우에는 행정적 징계 또는 의학적 결정이 전화 또는 서면으로 통지된다.

사건이 발생하면 기본 정책은 동일하게 유지된다. 사고를 방지하고 직원 및 자산에 해를 끼칠 위험을 최소화하고, 사고 유발자를 제어하고, 안전이 허락하는 범위에서 그를 건물에서 신속하게 제거해야 한다. 취할 조치들은 이전에 예기치 않은 사고가 발생했을 때 설명한 것과 동일하다.

사후대응

적절한 경영, 행정, 법률 또는 의학적 결정에 대한 후속 조치를 취하려면 사후대응이 필요하다. 이러한 결정을 뒷받침할 필요가 있는 곳에 피해자와 증인의 협조를 얻는다. 그리고 사고 상황 전체를 심도있게 검토하여 모든 것이 완료되고 제대로 수행되었는지 확인한다.

후속조치

구체적인 위협이 발생하거나 직원이 폭력 행위를 저지를 경우, 일단 그 사람을 건물에서 내보낸 후 즉시 해고하거나 어떤 형태의 신체적 장애를 포함하여 적절한 조치가 무엇인지 판단해야 한다. 어떠한 경우에도 위협을 계속 제기하는 직원은 이전의 회사업무 상태로 돌아갈 수 없다.

위협을 가한 자를 대응하는데 고려해야 할 관리옵션은 다음과 같다.

- 교대 근무조를 변경하거나 다른 작업영역으로 이전 : 가장 사소한 경우에 고려한다.
- 임금 지급 정지 : 개인과 경영진 간의 회의가 처리될 때까지 고려되어야 한다.
- 의료진에게 의뢰한다.
- 상호 분리한다.
- 종료한다.

직원에게 의학적인 판단이 필요한 경우, 경영진의 결정은 가능한 신속하게 결정되어야 하며, 30일 내에 이루어져야 한다.

사건이 행정적 또는 의학적으로 처리되는지의 여부에 관계없이 사건문서의 충분한 보장을 위해 상황에 대한 지속적인 검토가 이루어져야 한다. 그리고 이용 가능한 민·형사법 구제 조치는 피해자와 회사 모두가 알고 이해할 수 있어야 한다.

다음과 같은 후속조치가 고려되고 적절하게 시행되어야 한다.

- 관할기관에 사건에 대한 관할권을 통보한다.
- 개인에 대한 관할권을 가진 보호관찰기관 또는 집행기관에 통보한다.
- 피해자에 대한 정보가 없으면, 컨설턴트는 다른 가족 구성원, 사회봉사기관, 피해자 가족의 성직자, 피해자 가족의 주치의와 접촉을 해야 한다.
- 법원명령 또는 기존의 집행유예 또는 가석방 조건으로 위협을 가한 자에 대한 무단침입금지 명령을 내린다.
- 위협을 가한 자에게 경고하기 위해 경찰이나 기타 법집행 기관의 개입을 요구한다.
- 공식적인 항의, 시민에 의한 범인 체포 또는 기타 절차를 지원한다.
- 재판 및 항소기간 동안 상황을 모니터링 한다.

보안이 필요한 피해자 및 증인보호 조치는 더 이상 인명과 자산에 대한 위협이 없어질 때까지 축소해서는 안 된다.

피해자와 증인의 협조

직원 또는 회사 자산에 가해지는 입증된 위협 또는 폭력적인 행위가 민·형사상 소송으로 이어질 경우, 경영진은 사건의 목격자나 심지어 피해자조차도 이러한 사법절차에 참여하기를 꺼려하는 것에 대비해야 한다. 연구에 따르면 재판지연, 소득상실, 부적합한 물리적 편의 및 협박 등 4 가지가 협조를 꺼려하는 이유로 가장 많이 언급 되었다.

이러한 문제에 대한 해결책은 주로 민·형사법 제도와 관련되어 있지만, 회사가 소송 당사자이든 아니건 간에, 회사의 소송당사자들은 피해자와 목격자의 우려를 경감시키기 위해 다음의 조치를 취해야 한다.

- 피해자와 목격자에게 임박한 법정 출두 날짜를 상기시켜야 하며, 일정이 정해진 공판 날짜 직전에 검사 또는 사무실에 연락하여 불필요한 법정 방문을 피할 수 있도록 해야 한다.

- 소환장이 발부된 직원 피해자 및 증인에게 유급 휴가를 제공하는 회사의 정책은 소득의 손실이 문제가 되는 것을 방지해야 하며, 영향을 받는 직원은 이 정책 및 기타 관련 기업정책을 상기시켜야 한다.

- 재판소 위치와 재판에 관련한 적절한 정보, 대중교통 이용가능, 주차시설, 식사 및 보육 서비스에 관한 정보를 제공함으로써 직원이 법원 출두에 대해 잘 준비하고 직원의 개인적인 우려를 최소화할 수 있다.

- 보복에 대한 두려움은 피해자와 목격자의 협조를 얻는 데 중요한 요인이다. 특히 피해자나 증인이 피고에 의해 알려지거나 피고와 관련이 있을 때 가장 예민하다. 여성 피해자와 증인은 남성보다 더 자주 보복에 대한 두려움을 나타낸다. 관리자는 피해자에 대한 잠재적인 장애와 목격자의 협조를 인지하고, 상황 전반에 적절한 조치를 취해야 한다. 가능한 빨리 피해자와 증인들은 인터뷰를 받은 후에 피고로부터 격리되어야 한다. 법 집행 기관은 알려진 피해자 및 증인의 증언을 받아야 하며, 앞에서 언급한 보호전략이 피해자 및 증인에게 필요하다고 판단될 때에는 모두 적용해야 한다. 이러한 보호조치는 피해자 또는 관

련된 증인에게 위협이 더 이상 존재하지 않을 때까지 효력을 유지해야 한다.

본질적으로 사법 절차 전반에 걸쳐 피해자와 목격자의 협조를 얻는 비결은 적절한 경영인식과 두려움, 불안, 우려에 대해 민감하게 반응하는 것이다.

검토 및 분석

사건의 최종 해결에 있어 선임관리자는 사건의 심각성에 따라 독립적인 검토를 요청하거나 위기관리 팀 또는 보안 관리자에게 회사의 대응, 후속조치를 포함하여 사건의 포괄적인 검토와 분석을 수행하도록 지시하여 다음과 같이 결정한다.

- 무슨 일이 일어났는가?
- 왜 일어났는가?
- 그것을 막기 위해 무엇을 할 수 있었는가?
- 무엇을 했는가?
- 무엇을 했어야 하는가?
- 더 나은 방법은 무엇이였는가?

이 검토 및 분석 결과는 기존의 현장대응계획, 정책 및 절차를 업데이트하기 위해 기업 보안부서에 제공되어야 한다.

문서 및 보고

문서

사건의 심각성에 대한 초기평가, 맞춤형 대응의 개발, 책임 및 민·형사 상의 결정, 그리고 사건의 종합적인 검토와 분석 개발에 대한 확고한 근거를 제공하는 것이 중요하다. 대응책, 제안된 양식, 사고 일지 및 직원 교육은 모든 상황의 정확한 필수요인을 가능한 정확하게 포착하고 문서화할 수 있는 능력을 향상시켜야 한다.

보고

직원이나 재산에 대한 모든 구체화된 위협이나 폭력적인 행위는 즉시 기업보안 팀에 보고된다.

본 문서의 어떠한 내용도 완전한 검증과 평가에 앞서 잠재적으로 발생할 수 있는 폭력적인 사건을 기업본사에 알리는 적절한 비공식 경고를 금지하지 않는다.

사후보고서

직원과 재산에 대한 모든 위협과 폭력적인 행위에 대해 공식적인 사후보고서를 작성하여 본사에 제공한다. 사후보고서의 형식은 다음과 같다.

- 배경 : 사건을 야기한 배경, 위협요인 식별(성명, 고용기간, 고용수준, 성취수준, 업무관련 문제의 이력, 의료 문제의 이력, 사전체포와 유죄판결 보류비용)
- 사건 : 사건에 대한 경위 즉, 누가, 누구에게, 어디서, 언제, 어떻게, 사건을 둘러싼 상황, 그리고 발생한 환경에 대한 완전한 설명
- 사건의 연대행적 : 회사의 대응, 날짜와 시간 별 사후조치를 포함한 상황의 모든 측면
- 문제 : 계획, 정책, 절차, 구조, 시스템, 장치, 온·오프 현장 지원 서비스
- 교훈 : 폭력적인 행위의 위협에 대처하는 모든 교훈
- 권장 사항 : 향후 당신의 위치 또는 회사의 다른 시설에서 폭력적인 행위에 대한 대응에 도움이 되는 모든 사항

첨부 B

리스크 지표

- 과거의 행동
- 약물 및 알코올 남용
- 무기에 대한 접근
- 분노 또는 분개
- 과거 사건에 대한 현혹
- 성과 저하
- 자살
- 스트레스 또는 우울증
- 정신적 타락

체크리스트

_____(날짜)의 직장 폭력

√ 관리 또는 보안부서에 대한 대응 체크리스트

1. 경찰에 신고하라(긴급한 위협일 경우 911). 당신의 개인 안전을 지켜라.
2. 상사와 보안팀에 알려라. 그런 다음 필요한 경우 HR/EAP, 법무팀 및 기타 다른 사람들에게 연락하라.
3. 대상 인원들을 보호하라(보안팀 또는 경찰과 협력).
4. 주변 통제를 늘려라(보안팀 또는 경찰과 협력).
5. 가능한 모든 법적 선택(예 : 경찰 보고서, 임시 구속 명령, 정신 시설에서 일시적인 수행, 당국과의 지속적인 대화)을 조사하라.
6. 위협과 예방조치에 대해 영향을 받는 직원에게 설명하라.

경고신호 관찰

업무 관련 경고 신호

1. 과도한 병가, 지각 또는 기타 출석 문제
2. 일관성 없는 작업 패턴
3. 사고 또는 부주의한 행동의 빈도 증가
4. 업무에 대한 과도한 권한 또는 오너십(ownership)

행동 경고 신호

1. 공격적 행동이나 위협의 빈도 증가
2. 약물이나 술에 의한 손상 징후
3. 가려진 위협, 위협적인 제스처(gesture) 사용
4. 동료들과의 관계 악화
5. 보건 및 위생의 부적절한 변화
6. 명백한 건망증 증가
7. 직장동료 및 친구들로부터의 소외 증가

구두 경고 신호

1. 미래를 생각하지 않는 비이성적인 견해
2. 직장 폭력에 대한 설명 및 지식
3. 다른 사람들에게 종교적 또는 정치적 합류에 대해 이야기하려는 노력
4. 무기와 다른 사람을 해칠 수 있는 무기의 능력에 대한 강한 흥미
5. 감정적인 폭발
6. 다른 사람들의 문제와 실패에 대한 비난
7. 망상 진술
8. 다른 직원에 대한 부정적인 이야기
9. 박해의 감정 표현
10. 분노와 적대적인 발언

문제 발생의 리스크를 증가시키는 상황

    1. 관계마찰 또는 실패

    2. 예상된 승진이나 급여 인상 실패

    3. 재무 상황 악화

    4. 동료들로부터 소외

    5. 지나치게 권위적이거나 부당한 관리

조언: 단순한 사례가 아닌 조합과 경향을 관찰한다. 위협을 무시하지 않는다. 의심스러운 경우 다른 사람에게 알린다. 경영진, HR/EAP 또는 지정된 보안담당자에게 이러한 징후의 심각성을 평가하는데 도움을 요청한다.

첨부 C

직장 폭력 정책 샘플

정책 : 무관용

XYZ사는 폭력적인 행위나 폭력 위협으로부터 자유로운 직장을 제공하기 위하여 동료, 방문객, 또는 직원들과 직무에 관련하여 접촉하는 다른 사람들에 대한 위협이나 폭력에 대해서 용인하지 않는다. 폭력적인 행위 또는 위협이 정책(당신의 회사 브랜드)을 위협한다.

정의

직장 폭력은 직장 내의 다른 사람을 통제하거나 해칠 수 있는 물리적 힘, 괴롭힘, 협박, 권력 남용의 위협으로 정의하며, 사업장의 모든 직원과 고용주를 대신하여 업무처리 하는 모든 직원에게 적용된다.

책임

모든 직원은 다른 사람들을 위협하거나 다치게 하지 않는 서무적인 방식으로 행동할 책임이 있다. 급박한 위험이 있는 경우, 먼저 위험을 인지한 직원이 긴급 지원을 받아야 한다. 그렇지 않으면 모든 직원들은 실제 또는 의심되는 직장 폭력을 1차 관리자에게 보고해야 하며, 필요한 경우 시설에 지정된 보안 담당자에게 보고해야 한다.

감독자들과 관리자들은 위의 내용 외에도, 위협당한 사람이나 직장 폭력 피해자를 보호하기 위해 즉각적인 조치를 취해야 할 책임과 급박한 위험이 있는 경우 응급 지원의 책임이 있다. 그렇지 않으면, 직원이나 구내에 있는 다른 사람을 위험에 빠뜨릴 수 있는 상황을 적시에 알려주고 도움을 구할 책임이 있다.

직장 폭력에 대해 보고하는 보안 담당자는 위협당한 사람을 보호하고 인사부서, 법률자문 및 기타 (회사명) 관리 직원에게 문제가 되는 직장 폭력 위협을 줄이기 위한 추가 조치를 취할 수 있는 조언을 제공해야 한다.

결과

이러한 정책을 준수하지 않거나, 직장 폭력 위협을 목격하고도 보고하지 않을 경우, 해고를 포함한 징계조치를 취할 수 있다.

경영진 및 직원 보호

대규모 또는 중요한 조직과 관련된 사람은 비이성적인 개인, 불만을 가진 직원 또는 극단주의자 집단에 의해 표적이 될 위험이 있다. 특히 대중의 시선을 받는 사람들과 논란의 여지가 있는 이슈에 대한 조직 및 직위를 대표하는 사람들에게는 특히 그렇다.

그러한 개인들의 행동에 대한 방어책은 설계하기가 어렵고, 완벽하게 만들 수는 없지만, 위험을 완화하기 위해 취할 수 있는 예방책이 있다. 취약성은 직장, 가정 및 여행 중에 존재하며 개인의 보안을 보장하기 위해 단순하지만, 신중한 조치의 사용을 통해 효과적으로 최소화할 수 있다. 이 프로그램의 핵심은 사람을 위협할 가능성이 있는 사람과 상황에 대한 접근성을 제한하여 가능한 표적으로 삼기 어렵게 하는 것이다.

이것은 직장에서 가장 쉽게 성취할 수 있다. 낯선 사람들의 접근을 효과적으로 제한하는 프로그램은 가장 강력한 방어수단이다. 이는 자동화된 출입통제 시스템과 임직원이 아닌 사람을 선별하고 유도하기 위한 일련의 절차를 통해 가장 잘 실행 될 수 있다.

직장 내 보안

직장에 있는 동안 당신, 당신의 비서 및 직원이 개인 안전을 향상시키기 위해 할 수 있는 몇 가지 사항이 있다.

- 주변에서 일어나는 모든 활동을 알고 숙지한다. 당신과 직원들은 업무영역에 포함된 사람들을 신속하게 식별할 수 있어야 하며, 이를 파악할 수 없을 경우 그 곳에 있는 이들의 사업상 필요성에 대한 설명을 요구해야 한다.
- 의심스럽거나 위협성이 있는 전화는 즉시 보안팀에 보고한다.
- 직장의 외부 문이 닫혀 있고, 잠겨있는지 확인한다.
- 사무실공간에 있는 의심스럽거나 부적절해 보이는 것을 보고한다.
- 어떤 위협도 무시하거나 가볍게 여기지 말라. 모든 위협은 즉시 보안팀에 보고해야 한다. 비록 그것이 중요하지 않다고 생각 되더라도 주저하지 말고 보고서를 작성하라. 모든 위협은 분석되고 평가될 때까지 심각하게 받아들여야 한다.

경영진은 다음과 같은 안전장치가 마련되어 있는지 확인해야 한다.

- 긴급상황 발생 시 안전하게 대피를 할 수 있도록 경영진에 맞춘 대피 절차.
- 잠재적으로 위험한 상황에 신속하게 대응할 수 있도록 보안을 강화하는 비상 경보시스템 설치.
- 비상연락처를 전화기 아래에 붙여놓고 사내 비상 전화번호를 기재하라.
- 전화통화 또는 누군지 모르는 사람과 얘기할 때에는 말하는 사람이 누구인지와 그 이유를 알아야 한다. 발신자가 본인임을 밝히고 연락처(callback number)를 제공하도록 요청한다. 집 주소나 가족에 대한 신상정보, 생년월일과 같은 개인 데이터를 절대로 제공해서는 안 된다. 또한 "내부 나 외부(in town or out of town)"상태에 대한 정보를 제공하는 것도 피한다. 출판물 및 동문연락처와 같은 간행물에 대한 정보 제공이 필요 할 때, 집주소와 전화번호, 신상정보 등

대한 자세한 내용은 포함하지 않는 것이 좋다.

• 미디어에 제공하는 정보에 주의해야 한다. 가능하면 개인정보 노출은 피한다.

• 업무 이외의 활동에 참여할 때는 주의를 기울여야 한다. 지역사회 활동, 비즈니스 협회, 자원봉사 활동 등은 개인의 보안을 해치는 상황에 잠재적으로 노출될 수 있다. 이러한 상황에서도 직장 내에서 적용되는 동일한 예방조치를 적용할 수 있다.

• 잘 알려져 있거나 제한적인 개별적인 주차 공간은 피한다.

편지 및 소포 수신

직장 내의 주요 장소는 의심스러운 패키지를 처리하는 프로세스가 있어야 한다. 단, 편지 및 소포와 관련해서는 다음 사항을 유의한다.

우편물이나 택배회사, 전문기관에 의해 배달되었다고 편지나 소포가 합법적이라고 생각하지 마라.

의심스러운 성격의 편지나 소포는 다음과 같은 특징을 하나 이상 나타낸다.

• 제목에 이름이 없음

• Mr. Jones, XYZ Company, New York과 같은 잘못되었거나 불완전한 비정상적인 주소

• 지나치게 무거움

• 제한적 배송 안내(예 : "개인" 또는 "수취인만 개봉")

• 과도한 포장(예 : 과도한 테이핑 또는 과도한 포장끈)

• 편지의 단단함과 뻣뻣함, 어느 정도 부피가 크거나 탄력이 있을 수 있음

• 느슨하거나 고르지 못하거나 균형을 잃었거나 테이프로 보강된 봉투

• 봉투 또는 포장재 보다 튀어나와 있는 와이어와 돌출된 모양

• 이상한 냄새, 기름기가 있거나 오염된 외관

• 와이어, 소형 배터리 또는 퓨즈가 표면에 튀어 나와 있음

의심스러운 편지와 소포 취급

모든 편지와 소포를 취급하는 것에 대한 인식은 의심스러운 화물에 대한 최선의 방어책을 제공한다. 의심스러운 소포나 편지를 받을 경우, 만지지 마라. 개봉하지 마라. 즉시 보안팀에 연락하라.

가정의 보안

효과적인 주거 보안프로그램은 많은 범죄행위에 대한 완충기능을 제공하며, 당신과 당신의 가족 모두를 위한 추가적인 보호요소를 추가할 것이다. 핵심은 준비, 계획 및 모든 가족 구성원의 참여이다.

주거보안 계획에 대한 실질적인 제안으로 다음 지침이 제시된다.

- 우편함은 주소로만 식별해야 한다. 우편물 또는 정기 배달함에는 이름을 표시하지 않는다.
- 자발적인 요청에 의한 경우가 아니거나 보낸 사람의 신원을 확인할 수 없고, 실제로 그 사람에 의해 발송되었는지를 확인할 수 없다면, 집에서 물품을 받는 것을 거절해야 한다. 그러한 소포가 도착하면 즉시 경비실에 연락하고 가족의 모든 구성원이 위에 설명된 의심스러운 편지 및 소포에 대한 특징을 인지하고 있는지 확인한다.
- 가능한 경우 거주지 및 거주지 주변에 조명이 잘 설치되어 있는지 확인한다.
- 문과 창문에 잠금장치를 설치하고 잠금상태를 유지한다. 필요한 경우 집안의 안전한 구역으로 대피할 수 있도록 현관 문, 뒷문 및 침실에 잠금장치를 설치한다.
- 화재 및 침입경보를 포함하는 통합 홈 보안시스템을 설치한다.
- 침실에 편리한 위치에 전화가 있는지 확인한다. 모든 가족 구성원들이 현지 경찰과 기타 긴급 전화번호를 알고 있는지 확인한다. 이 번호들은 각 전화기에도 게시되어져야 한다.
- 비공개 전화번호를 사용한다.

- 전화 자동 응답기를 사용하여 선별된 통화를 기록하고 가능한 전화내용을 녹음한다. 또한 통신회사로부터 발신자확인 서비스를 받는 것을 고려한다. 의심스럽거나 괴로움을 느낀 전화 통화는 경비실에 알린다.
- 가족 및 직원에게 정보를 제공하거나 외부인이 접근할 수 없도록 하고, 수리 작업자나 검열관으로 의심 가는 사람의 사진을 요청하여 신원을 확인하고, 불필요한 서비스를 거절한다.
- 지역 소속, 신문 및 기타 조직에 포괄적인 가족 정보를 제공하지 않는다.
- 거주지에 있는 의심스러운 사람이나 활동에 주의하고, 현지 경찰에 연락하여 그러한 활동을 알린다.
- 중요한 정보나 개인정보를 포함하는 청구서, 신용카드 명세서 및 은행 입출금 내역서를 폐기할 때는 주의해야 한다. 이러한 정보는 폐기하기 전에 읽을 수 없도록 만들어야 한다.
- 가능하면 모든 가족 차량이 잠금장치가 있는 차고 또는 안전한 장소에 주차되어 있는지 확인한다.
- 학교 관계자들과 학교 방과 후 방침을 협의하고, 자녀를 데리러 갈 권한이 있는 사람에 대해 설명한다.
- 비즈니스 및 개인 일정을 알 필요가 있는 사람을 제한한다.
- 예측 가능한 반복적 일정을 수립하지 않는다.
- 당신과 당신의 가족이 집을 비울 때는 친구에게 집을 봐달라고 하고, 우편서비스, 신문 배달, 우유 배달 등은 일시 중지해야 한다.
- 비싸지 않은 타이머의 사용만으로도 집의 조명을 조절할 수 있고 외출 시 사람이 있는 것처럼 보이게 할 수 있다.

여행중의 보안

비즈니스 여행과 관련된 리스크는 다음의 사항을 준수함으로써 최소화할 수 있다.

- 당신의 여행과 관련하여 사전에 알리지 않는다.

- 방문 할 장소가 당신의 의견이나 일정을 관리하는지 확인한다.

- 가능한 경우, 주최자가 모든 지역 교통편을 마련하도록 요청한다.

- 주최측의 주요 담당자가 업무 시간과 그 후에 당신의 소재지와 일정을 숙지하고 있는지 확인한다.

- 비교적 대규모인 호텔에 숙박한다. 인적인 뜸한 숙소는 피한다.

- 사회활동을 사용빈도가 높고 안전한 시설로 제안하고, 길을 벗어난 곳을 피한다. 또한 안전한 교통수단을 이용한다.

- 가능하면 호텔에서 제공하는 교통 서비스나 사전에 지정된 전용리무진 서비스를 이용한다.

- 안내원, 벨보이 등 호텔 직원에게 절대적으로 필요 이상의 정보를 제공하지 않는다.

- 수하물 태그에 명함을 사용하지 않는다.

- 많은 액수의 돈을 사용하거나 눈에 띄는 귀중품을 착용하지 않는다.

- 이 지역을 잘 아는 사람을 동반하지 않는 여행, 관광 또는 쇼핑을 피한다.

- 가능하면 공항 및 항공사 터미널에서 사람 많은 곳은 피하도록 한다.

- 감시의 흔적, 당신의 회사 또는 활동에 부당하거나 부적절한 관심을 표하는 사람을 경계한다.

- 주변 환경과 주변 상황에 주의한다.

- 특히 낯선 사람들에게 개인적인 도움을 제공함으로써 "선한 사마리아 인"의 역할을 하지 않는다. 유감스럽지만, 그러한 행동은 당신을 매우 곤란한 입장에 처하게 할 것이다. 오히려 도움이 필요한 사람을 보게 되면 가장 가까운 안전한 전화로 상황에 대한 정보를 현지 경찰에 알린다.

- 여행 환경이 확실하지 않은 경우 보안 담당자에게 충고와 조언을 구한다.

자동차를 사용할 때

- 특히 혼자 여행할 때 희미하게 불이 켜진 상업용 주차장과 차고를 피한다.
- 자동차 창문이나 문은 항상 닫힌 상태로 유지한다.
- 가능한 경우, 출·퇴근 경로와 도착시간 및 근무시간을 다양하게 변경한다.
- 외딴 곳이나 익숙하지 않은 곳에서 어두울 때 운전을 한다면, 고의적인 "사고"에 유의한다. 비교적 안전한 자동차 안에서 나오기보다는 창문을 통하여 서류 작업 및 운전자 정보를 교환한다. 피해상황을 점검하고 싶은 자연스러운 호기심을 피한다. 필요할 경우 개방형 서비스 센터나 편의점으로 가서 검사를 실시한다.
- 가능한 경우, 사용되는 차량에 휴대무선통신 기능이 있는지 확인한다.
- 당신의 신원, 직위 또는 회사를 식별할 수 있는 번호판을 피한다.
- 항상 주차권을 지참한다. 차에 두게 되면 누구든 제재없이 차를 가지고 주차장을 빠져 나갈 수 있게 된다.
- 항상 차의 문을 잠그고 모든 창을 닫은 다음 열쇠를 가지고 다닌다. 차에 접근할 때 가능하면 리모콘의 잠금/해제 기능을 사용한다. 들어가기 전에 자동차 내부 전체를 살펴본 다음 즉시 문을 잠근다.
- 다시 말하지만, "선한 사마리아 인"의 역할을 하지 않는다.
- 차에 타고 있기 때문에 괜찮을 거라는 안이한 생각에 빠지지 않는다. 대부분의 피해가 자신의 차를 타거나 내릴 때 발생한다. 다시 말하지만, 주변 환경과 주변 상황에 주의한다.

이벤트 또는 회의 계획

- 근무지가 아닌 다른 장소에서 주요 임원 회의를 계획하거나 회의 장소의 보안 또는 안전에 관한 우려가 있는 경우에는 보안 전문가에게 문의한다.

부록 C

보안 평가 또는
자체 평가 문서

소개

이 문서의 용도는 현장 또는 지역의 보안 상태를 결정하는 데 도움을 주기 위한 것이다. 보안은 비상계획, 사고관리, 정보보호 및 물리적 보안이라는 네 가지의 하위 단위로 분리된 과정이라고 생각한다. 따라서 체크리스트는 그러한 방식으로 구성된다.

이 문서는 보안 전문가가 현장의 보안 상태를 평가하는 데 도움을 주기 위해 개발되었다. 이 문서에 용도가 나와 있다고 해서 그것이 모든 상황에서 필요한 보호 요구사항이라는 것을 의미하지는 않는다. 각 지역마다 확인된 리스크에 따라 다르다. 따라서 이 문서는 보안 전문가에 의해서만 활용되도록 해야 한다.

현장 정보

아래의 정보를 제공한다.

현장 또는 지역 이름 _____

보안 관리자 _____

지역 관리자 _____

검토 날짜 _____

환경을 요약하고, 관련 비즈니스 정보를 강조하고, 자체 보안 문제나 특별한 관심사 또는 의존성을 기입하시오.

_____

_____

_____

_____

_____

_____

모든 거주 단체, 현장 인원 및 전체 현장의 비율을 나열한다. 다중 이용 시설에 모든 비정규직 직원을 포함시킨다.

ORGANIZATION 단체	POPULATION 인원	PERCENT OF TOTAL 총 비율
_____	_____	_____
_____	_____	_____
_____	_____	_____
_____	_____	_____

식별된 보안 리스크

이전에 확인된 모든 보안 리스크 요인을 나열하고 리스크를 완화하기 위한 계획을 첨부하십시오.

하위 프로세스	리스크
계획	
사고 관리	
정보 보호	
물리적인 보안	

비상계획

위기 관리팀

위기 관리팀의 현재 및 대체 구성원을 모두 직위(위기관리팀 직책 및 회사 직책)와 직무별로 나열한다.

이름	대체인력	위기관리팀 직책	회사 직책	직무
____	____	____	____	____
____	____	____	____	____
____	____	____	____	____
____	____	____	____	____
____	____	____	____	____

위기관리팀과 대체 인력의 역할과 책임에 대해 교육 받았습니까?

_____   _____
　　　예　　　　　　　　　　아니오

교육을 받았다면 지난 12개월 동안의 교육 날짜를 기재하십시오.

_____

위기관리실

	주 관리실	대체 관리실
위치 :	_____	_____
장비 :	_____	_____
	_____	_____
문서 :	_____	_____
	_____	_____
	_____	_____

비상계획 매뉴얼

비상 계획 매뉴얼 (EPM)에 다음 요인이 포함되어 있습니까?

	예	아니오
자연 재해 및 인위적 재해	_____	_____
허리케인과 태풍	_____	_____
홍수	_____	_____
화재	_____	_____
화학물질 유출	_____	_____
가스 폭발	_____	_____
지진	_____	_____
기타	_____	_____
위협 또는 폭력 행위	_____	_____
폭파물	_____	_____
인명피해	_____	_____
정치 또는 사회 소요 사태	_____	_____
시설물의 비상정지 및 대피	_____	_____
주요 및 대체 비상사태 지정 및 인원 배치	_____	_____
통제관리 본부	_____	_____
종합 응답 코디네이터 지정	_____	_____
위기관리팀 및 대체인력의 지정	_____	_____
관리 후임자 지정	_____	

다음 그룹과의 협조 프로세스 :	예	아니오
보건, 안전 및 환경 보호 요원		
인근 또는 인접 기업 시설		
건물주 또는 건물의 다른 입주자		
지역사회 긴급조치 및 법집행 서비스		
매체의 대응을 위한 회사 연락망		
인사부서		
법무부서		

다음 사항이 제공됩니까?	예	아니오
무장한 비번 경찰(off-duty officer)*		
시설 보호		
소방서 또는 소방대		
유해 물질 비상 대응(필요한 경우)		
필수 서비스 및 공급용품		
긴급 경보 시스템		
구조팀		
응급 처치팀		
응급 장비		
비상 교통수단		
의사소통 능력		
의료 인력 및 소모품		
응급 서비스 전화번호		
사무실 전화번호가 포함된 대응 계획 또는 매뉴얼		
현재 인사 목록		

---

* 미국에서는 비번인 경찰관이 겸직 가능함.

최신 두 비상계획 매뉴얼 업데이트 날짜 :

_____   _____

비상계획 매뉴얼 소지자를 나열하고, 하드카피인지 소프트카피인지 표시하시오.

　　소비자　　　　　　　하드카피　　　　　　소프트카피

_____   _____   _____

_____   _____   _____

_____   _____   _____

교육

지난 12개월 동안 발생한 모든 위기관리팀 교육 및 테스트 목록 : 위협 관리,
시위 및 천재지변

_____

_____

비상계획에 관한 최근 12개월 동안 관리자에게 제공된 모든 교육을 나열하시
오.

　　날짜　　　　　　　　교육유형　　　　　　평가의견

_____   _____   _____

_____   _____   _____

_____   _____   _____

지난 12 개월 동안 건물 관리자 또는 비상대응 요원에게 제공된 모든 교육 목록을 나열하시오.

날짜	교육유형	주제
_____	_____	응급처치
_____	_____	폭발물 탐색
_____	_____	대피
_____	_____	소 방
_____	_____	기 타 _____
_____	_____	
_____	_____	

다음에 대해 제공된 리스크 전파 교육을 나열하십시오.

	날짜	평가의견
접수담당자	_____	_____
통신 운영자	_____	_____
문서수발실 운영자	_____	_____
통제센터 운영자	_____	_____
기 타 _____	_____	_____
_____	_____	_____
_____	_____	_____

테스트

지난 24개월 동안 비상계획의 요인별로 위기관리팀에서 테스트된 내용을 작성하시오.

날짜	테스트종류	테스트된 요인
_____	_____	화재 _____
_____	_____	시위 _____
_____	_____	자연재해 _____
_____	_____	위협 : 폭탄 _____
_____	_____	위협 : 인명피해 _____

검사로 인한 결함을 해결하기 위한 모든 시정 조치를 나열하시오.

_____

_____

_____

지난 12개월 동안 비상계획의 요인별로 건물 관리자 또는 비상대응 팀과 테스트된 날짜를 나열하시오.

날짜	테스트종류	테스트된 요인
_____	_____	화재 _____
_____	_____	시위 _____
_____	_____	자연재해 _____
_____	_____	위협 : 폭탄 _____

검사로 인한 결함을 해결하기 위한 모든 시정 조치를 나열하시오

_____

_____

_____

사고관리

사고보고서

임직원은 보안팀에 사고를 보고하는 프로세스를 서술하시오.

_____

_____

_____

이 프로세스가 경영진 및 직원에게 전달 되었는가?

                        예   아니오

                        _____   _____

전달되었다면 전달 방법을 설명하시오.

_____

_____

_____

사고를 분류하는 프로세스가 있는가?

                        예   아니오

                        _____   _____

프로세스가 있다면 프로세스를 설명하시오.

_____

_____

_____

각 중요 사건이 철저히 조사되도록 하는 프로세스가 있는가?

	예	아니오
	___	___

그렇다면 프로세스를 설명하시오.

_____

_____

_____

심각한 사고의 경우 누가 조사를 수행하는가?

이름	직급

_____

_____

_____

비정규 직원(즉, 계약직 보안요원)이 경미한 사건을 조사할 수 있는가?

	예	아니오
	___	___

조사할 수 없다면 경미한 사건은 누구에 의해서 어떤식으로 조사되는지 설명하시오.

_____

_____

_____

조사할 수 있다면 기업의 직원이 조사에 대한 책임과 의무를 유지하는가?

예   아니오

_____   _____

그렇다면 프로세스를 설명하시오.

_____

_____

_____

주요 사건을 분석하여 근본 원인을 파악하고 있는가?

예   아니오

_____   _____

분석한다면 프로세스를 설명하시오

_____

_____

_____

지난 12개월 동안 발생한 중대한 사건의 재발을 방지하기 위해 적절한 조치와 관리를 실시했는가?

예   아니오

_____   _____

실시하고 있다면 해당 프로세스를 설명하시오

_____

_____

사건 보고서 및 파일은 어떻게 분류되고 보호되는가?

_____

_____

_____

관리통지

사건과 사건동향이 지역관리자에게 어떻게 통보되는가?

_____

_____

_____

정보보호

지난 12개월 동안 다음과 같은 사항이 경영진과 직원에게 전달 된 프로세스와 날짜를 나열하시오.

기본 보안교육

_____

_____

모든 직원에 대한 기본 분류 및 통제 요구사항

_____

_____

컴퓨터 시스템의 사용자에 대한 보안 요구사항

_____

_____

관리자에 대한 보안 요구사항

_____

_____

현장에 대한 보안 교육

_____

_____

신입사원 교육

_____

_____

신입 관리자 교육

_____

_____

현장에 대한 보안 교육 및 적절한 훈련을 보장하는 프로세스가 있는가?

예   아니오

_____   _____

'예'라고 답했다면 프로세스를 설명하시오

_____

_____

_____

보안부서는 기본 보안 교육 및 적절한 훈련을 보장하는 프로세스를 가지고 있는가?

예   아니오

_____   _____

'예'라고 답하였다면, 그 과정을 설명하시오.

_____

_____

_____

'아니오'라고 답하였다면 예외를 나열하시오.

_____

_____

_____

지난 12개월 동안 다음의 분야에서 정보 보호 관리에 대한 규정을 준수하였는
가?

	일자	의견	예	아니오
정보시스템	_____	_____
구매	_____	_____
통신	_____	_____

업무 시간 외 검토 프로그램

기밀 정보가 제대로 보호되는지 확인하기 위해 보안 및 관리 업무가 끝난 후
의 보안프로그램을 요약합니다. 이전 12개월 동안의 해당 데이터를 제공하시
오.

_____

_____

_____

직원 충원 및 현장 계약직 채용

신규 직원, 계약직 및 시간제 직원

지난 12개월 동안 신규직원과 시간제 직원에게 제공한 보안교육은 무엇인가?

_____

_____

지난 12개월 동안 현장 계약직원에게 제공된 보안교육은 무엇인가?

_____

_____

회사 기밀 정보 공유

공급업체에게 제공되는 모든 회사의 기밀정보가 인가 받은 관리자의 승인을 받고 전송 서류에 승인이 나타나도록 하는 프로세스가 존재하는가?

_____

_____

_____

다른 회사 기밀정보의 수신

다른 회사로부터 받은 기밀 정보가 인가 받은 관리자에 의해 승인되고 회사 내에서 적절하게 보호되도록 하기 위한 프로세스가 존재하는가?

_____

_____

_____

_____

공급 업체 보안

기밀 정보를 보유한 공급업체를 대상으로 지난 12개월 동안 보안관련 검토한 내역과 직구매한 내역을 나열하시오.

_____

_____

_____

_____

통신보안 : 내선전화 교환 서비스(PBX) 및 컴퓨터 교환기(CBX)

귀사는 통신 보안 지침을 갖고 있는가?

예   아니오

_____   _____

'아니오'라고 답변하였다면, 그 이유를 설명하시오.

_____

_____

_____

_____

전배 및 퇴사 시 퇴거 인터뷰

부서를 옮기거나, 퇴사 및 휴직한 직원에 대한 인터뷰를 실행하였는가?

예   아니오

_____   _____

담당 직원을 합법적으로 인터뷰하고 기밀 유지계약을 상기시켰는가?

예   아니오

_____   _____

작성된 보고서는 인사 부서에 제출하였는가?

예   아니오

_____   _____

'예'라고 답하였다면 어떻게 승인되는지 설명하시오.

_____

_____

물리 보안

잠금장치 및 열쇠 관리

그랜드 마스터 또는 빌딩 마스터 또는 코어 열쇠에 대해 매일 책임관리가 되고 있는가?

예   아니오

_____   _____

'아니오'라고 답하였다면 이유 또는 예외 사유를 설명하시오.

_____

_____

_____

_____

그랜드 또는 빌딩 마스터 그리고 코어 열쇠의 모든 소유자를 이름과 기능별로 나열하시오.

이름	직무	열쇠 유형
_____	_____	_____
_____	_____	_____
_____	_____	_____
_____	_____	_____

보안 관련 파일에 마스터키가 5개를 초과하는 기록이 있는가?

예   아니오

_____   _____

마스터키가 5개 이상이어야 하는 이유를 나열하시오

_____

_____

퇴사하는 직원으로부터 열쇠가 정상 회수되었음을 보여주는 문서가 있는가?

예   아니오

_____   _____

_____

_____

외부공간

비상 사태 또는 현장폐쇄 시 차량 접근을 통제하는 경계선이 있는가?

예   아니오

_____   _____

273

건물 주변에 울타리가 있는가?

	예	아니오
	_____	_____

'예'라고 답하였다면 수시로 검사를 실시하고 제대로 유지 관리하는가?

	예	아니오
	_____	_____

모든 건물의 경계문과 내부 제한구역 문에 Anti-shim 플레이트 또는 Anti-shim 볼트, 걸림쇠가 장착되어 있는가?

	예	아니오
	_____	_____

건물 또는 제한구역으로의 무단침입을 탐지·방지하기 위해 모든 출입문에 출입관리시스템 또는 경보시스템을 설치하고 모니터링하고 있는가?

	예	아니오
	_____	_____

'아니오'라고 답하였다면 이유 또는 예외를 나열하시오.

_____

_____

공공시설에 대한 파과행위나 건물로의 침입을 방지하기 위해 거물의 입구를 최소한으로 설계하였는가?

	예	아니오
안전망	_____	_____

	예	아니오
창살	_____	_____
맨홀 커버	_____	_____
건물 사이 통로	_____	_____
정비용 통로	_____	_____
옥탑 통풍구	_____	_____
기타	_____	_____

모든 빌딩 경계가 가로막히지 않는 라인을 갖추고 있는가? (관목, 식목재 등은 건물에서 적어도 4피트 떨어진 곳에 위치해야 함)

	예	아니오
	_____	_____

모든 표지가 쉽게 식별가능하며, 불특정 사항들도 적절히 표시되었는가?

	예	아니오
	_____	_____

중요한 시설(화학, 전기, 통신, 비상 전원 설비 등)에 울타리가 설치되어 있는가?

	예	아니오
	_____	_____

울타리가 제대로 설치되고 유지 관리되고 있는가?

	예	아니오
	_____	_____

다음 지역에 경우 감시카메라 또는 경보시스템이 설치되어 있는가?

	예	아니오
화학 저장지역	_____	_____
전기 변전소	_____	_____
통신 시설	_____	_____
비상 전원 시설	_____	_____
주차장 및 차고	_____	_____
건물 외곽	_____	_____
기타 _____	_____	_____

조명 밝기는 직원의 안전과 보안을 제공하는데 적절한가?

	예	아니오
차량 및 보행자 출입구	_____	_____
소유지 경계	_____	_____
보행자 전용 통로	_____	_____
건물 경계	_____	_____
건물 출입구	_____	_____
주차장 및 차고	_____	_____
위험 시설	_____	_____
은폐 공간	_____	_____

직원들의 안전과 보안을 위해 조명과 카메라를 방해하지 않도록 나무와 관목이 관리되고 있는가?

	예	아니오
건물 외곽	_____	_____
주차장 및 차고	_____	_____
중요 시설	_____	_____
은폐 공간	_____	_____

내부공간

다음과 같은 장소(고 위험시설과 구역에만 적용)의 외부창문에 비산 방지 유리 또는 안전필름을 설치하였는가?

	예	아니오
로비	_____	_____
회의실	_____	_____
카페테리아	_____	_____
개방형 오피스 조경	_____	_____
건물 연결 통로	_____	_____
기타 _____	_____	_____

조명 밝기가 인원 및 재산의 안전과 보안을 제공하기 위해 적절한가? 만약 아니라면 설명 하시오.

_____

_____

_____

_____

_____

폭탄물을 은닉할 수 있는 모든 구역을 제거 또는 봉쇄했는가?

	예	아니오
로비	_____	_____
화장실(비 보안구역 내)	_____	_____
물품 적재 플랫폼들	_____	_____
외부 은폐구역(신문판매기, 쓰레기통 등)	_____	_____
기타 _____	_____	_____

만약 아니라면 설명하시오.

_____

_____

얼마나 많은 구역이 "제한 구역"으로 분류되어 있는가?

_____

_____

"제한된 공간"에 대한 요구사항들을 문서화 해왔는가?

	예	아니오
	_____	_____

모든 식별된 "제한된 공간" 영역들이 문서화되어 있으며 수립한 통제사항을 100% 준수하고 있는가?

	예	아니오
	_____	_____

'아니오'라고 답하였다면 각 영역에 대한 이유 또는 예외 사유를 나열하시오.

_____

_____

문서수발실 통제

문서수발실에는 다음과 같은 통제대책이 있는가?(해당되는 경우)

	예	아니오
허가된 개인에게만 제한된 접근	_____	_____

X-Ray 장비 설치 　　　　_____　　_____

우편 폭탄 및 유해물질 　　_____　　_____

12개월마다 교육 　　　　_____　　_____

우편 수송 : 검사 가능한 프로세스 　_____　　_____

우편 잠금장치 대한 안전 　　_____　　_____

근무시간외의 메일

'아니오'라고 답하였다면 설명하시오. _____

_____

_____

_____

출납계 또는 ATM(현금자동입출금기)

출납계 또는 ATM 시설은 강도나 절도행위에 대해 제3자가 감시하고 있는가?

　　　　　　　　　　　　　예　　　　　아니오

　　　　　　　　　　　　_____　　_____

'아니오'라 답했다면, 설명하시오.

_____

_____

_____

_____

'예'라 답했다면, 제3자의 회신이 보안팀에 보고되는가?

　　　　　　　　　　　　　예　　　　　아니오

　　　　　　　　　　　　_____　　_____

그에 대한 서면 비상대응 절차가 있는가?

	예	아니오
	_____	_____

출납계 또는 현금지급기(ATM)에 동일한 경보시스템을 설치하였는가?

	예	아니오
	_____	_____

의료 시설들

회사에 의료 시설들이 있는가?

	예	아니오
	_____	_____

'예'라고 답하였다면, 의료시설 에서 아래항목과 같은 조치를 취하고 있는가?

	예	아니오
접수처와 의료시설 나머지 부분 사이에 출입관리시스템	_____	_____
접수처와 입구 바깥에 숨겨진 CCTV		
아래 장소의 비상 경보 :		
접수처 - 단방향 오디오 사용	_____	_____
의사 사무실	_____	_____
실험실	_____	_____
기타 _____	_____	_____
의료구역의 보조 출구	_____	_____
직접적 노출을 방지하기 위한 외부 창문 디자인	_____	_____
통제 물질 보관을 위한 별도의 잠금 시스템	_____	_____

중앙 고용관리부서

고용관리부서는 건물 로비에 인접해서 위치하고 있는가?

	예	아니오
	——	——

'아니오'라 답했다면, 설명하시오.

_____

_____

_____

직장 로비에 아래와 같은 것이 있는가?

	예	아니오
외부문 잠금/해제 이전에 신원을 확인하는 기능	——	——
직원 업무 공간으로부터 로비의 분리	——	——
비상 경보	——	——

면접실에는 아래와 같은 것이 있는가?

	예	아니오
주변을 볼 수 있는 유리문들	——	——
비상 경보	——	——

직원 업무공간에는 후문이 있는가?

	예	아니오
	——	——

보안에 대한 응급상황 대응 절차가 문서화되어 있는가?

	예	아니오
	——	——

모든 보안 장치의 테스트 주기는 어떻게 되는가?

_____

분류된 폐기물

해당 지역의 분류된 폐기물 처리 절차를 설명하시오.
처리업체에 의해 수집되기 전과 수집하는 동안 폐기물이 어떻게 보호되는지를 포함하시오.
폐기물 처리업체가 불시 보안 검사를 받아왔는가?

                                   예   아니오

                      _____   _____

'예'라 답하였다면, 날짜를 나열하시오.

_____
_____
_____

비상 경보기

모든 비상 경보기들은 오디오와 영상을 동시에 활성화하고, 지속적으로 모니터링되는 지역과 원격으로 연결되어 있는가?

                                   예   아니오

                      _____   _____

'아니오'라 답하였다면, 서술하시오.

_____
_____
_____

비상 경보의 사용에 대해 안내원(그리고 필요한 다른 사람)에게 교육이 제공되어진 날짜

_____

로비와 다른 장소의 비상경보 기기들은 얼마나 자주 테스트 하는가?

_____

로비

로비에는 다음 사항이 갖추어져 있는가?

	예	아니오
내/외부 문에 대한 잠금/해제의 원격 제어	_____	_____
전자장치에 의한 내부 공간 출입관리	_____	_____
오디오 및 영상 비상경보기	_____	_____
엘리베이터 제어(운행층 지정 가능)	_____	_____
위에 모든 항목이 하나의 장치에 의해 활성화 되거나 비활성화 되는가?	_____	_____

'아니오'라 답하였다면, 대체 통제를 서술하시오.

_____

_____

_____

로비는 사람이나 작은 짐의 은닉 가능성을 없애기 위해 설계되고 구성되어 있는가?

	예	아니오
	_____	_____

직원이 있는 로비에서 내부 및 외부 문을 잠그거나 해제하기 위한 원격 제어 기능이 있는가?

	예	아니오
	_____	_____

하역장

하역장에는 다음 항목이 포함되어 있는가?

	예	아니오
내/외부 문에 대한 잠금/해제의 원격 제어	_____	_____
출입통제 시스템에 의한 내무 공간 출입관리 (보조경계 : 외부펜스일 수 있음)	_____	_____
오디오 및 영상 비상경보보안	_____	_____
위에 모든 항목이 하나의 장치에 의해 활성화 되거나 비활성화 되는가?	_____	_____
상·하차, 쓰레기수거 작업장 구분	_____	_____
비상 절차의 문서화 여부	_____	_____

출입 관리 시스템 운영

출입증 제공 및 사진 사본 파일이 적적히 관리되고 있는가?

	예	아니오
	_____	_____

출입관리시스템은 회사직원외 인물이 허가된 근무 시간에만 출입할 수 있도록 통제하는가?

	예	아니오
	_____	_____

만약 아니라면, 설명하시오.

_____

모든 구역 관리자 및 계약자에게 60일마다 출입통제시스템 보고서가 배포되는가?(구역관리자 : 지역의 접근에 대한 승인 권한자)

                                        예   아니오

                                  _____   _____

계약자 및 "제한 지역"을 위한 출입통제시스템 보고서는 60일 마다 100% 보안 감사를 받는가?

                                          예   아니오

                                  _____   _____

출입통제시스템 백업 데이터는 주요 재해의 영향을 받지 않는 영역에 저장되는가?

                                        예   아니오

                                  _____   _____

저장 위치 리스트: _____

출입통제시스템 데이터베이스를 검사하는 데 사용되는 방법은 무엇입니까?

_____

데이터베이스의 유효성은 얼마나 자주 검사하는가?

_____

출입통제시스템 운영자 인증 수준을 나열 하시오.

수준

계약 경비원 _____

감독자 _____

계약 경비 관리 책임자 _____

회사 보안 _____

모든 출입통제시스템 경보는 해당 화면에 경보반응이 나타나는가?

예   아니오

_____   _____

관제 센터

관제센터의 모든 장비, 경보시스템, CCTV, ACS 등은 30일 마다 제대로 작동하는지 테스트 하는가?

예   아니오

_____   _____

관제센터 장비에는 배터리 백업 및 비상 백업 전원이 있는가?

예   아니오

_____   _____

주차

위치 별 주차 관리 시설을 나열 하시오

_____

_____

_____

주차 시설의 조명은 제대로 켜져 있는가?

	예	아니오
	_____	_____

주차 시설이 CCTV에 의해 감시되고 있는가?

	예	아니오
	_____	_____

주차시설에 비상 전화시설이 있는가?

	예	아니오
	_____	_____

계약 업체 관리

계약업체(직원)는 계약업체의 ID를 발주처의 출입증과 교환하는가?

	예	아니오
	_____	_____

모든 서비스 계약처를 나열하시오. 그들은 기밀누설 방지협약서(CDA)를 가지고 있는가?

	기밀누설방지협약	
계약업체 명	체결	비체결
_____	_____	_____
_____	_____	_____
_____	_____	_____
_____	_____	_____
_____	_____	_____
_____	_____	_____

계약업체(직원)에게 제공되는 보안교육은 무엇인가?

모든 서비스 계약에는 현장에서 약물, 알코올 또는 무기가 허용되지 않는다는
요구사항이 포함되어 있는가?

예   아니오

---   ---

계약업체는 이 조항을 준수하도록하기 위해 어떤 조치를 취하는가?

보안 계약

보안요원 계약에는 다음 내용이 포함되어 있는가?

	예	아니오
신원조사 요구사항	---	---
교육 요구사항	---	---
훈련 요구 사항	---	---
기술 및 경력 전제 조건	---	---

위의 계약 요구사항을 준수하는지 검증하기 위해 얼마나 자주 감사를 수행하
는가?

가장 최근에 실시한 2번의 감사 날짜와 결과를 나열하시오

날짜   결과

_____   _____

_____   _____

모든 직무에 현재의 직무체계가 있는가?

예   아니오

_____   _____

계약 보안요원들이 안내원으로서의 역할을 수행하는가? 만약 그렇다면, 어떤 구체적인 교육을 받았는가?

_____

_____

_____

청구서는 어떻게 조정되고 확인되는가?

_____

_____

초과 근무수당이 있는가? 만약 그렇다면 어떤 상황에 지급되는가?

_____

_____

_____

건물주가 제공하는 보안서비스가 있는가?

예   아니오

_____   _____

만약 있다면 설명하시오

_____

_____

_____

정규직 보안요원

지난 12개월 동안 보안요원에게 제공된 보안 교육을 나열하시오

날짜   교육 내용

_____   _____

_____   _____

_____   _____

_____   _____

_____   _____

_____   _____

_____   _____

_____   _____

정문 관리실

정문 관리실 운영시간이 얼마나 되는가?

_____

_____

계속적인 정문 관리실 운영의 필요성을 결정하는 요인은 무엇인가?

_____

_____

_____

교육 및 인식

교육 및 인식프로그램이 다음을 다룰수 있도록 되어있는가?

	예	아니오
약물 과 알코올	_____	_____
무기	_____	_____
카메라 및 사진	_____	_____
위협정책	_____	_____
신분증 표시	_____	_____
건물 출입 절차(따라들어가기 예방)	_____	_____

'아니오'라 답하였다면, 설명 하시오.

_____

_____

_____

보안요원 및 계약직 경비 근무지

세부항목	시간/일	인력(worker)/년	연간 소비비용
_____	_____	_____	_____
_____	_____	_____	_____
_____	_____	_____	_____
_____	_____	_____	_____
_____	_____	_____	_____
_____	_____	_____	_____
_____	_____	_____	_____
_____	_____	_____	_____
_____	_____	_____	_____

부록 D

리스크/보안관리 및 컨설팅

‣ 견본

‣ 제안 요청서

‣ 보안 서비스

‣ 도로명

‣ 주, 지역, 도시

‣ 날짜

이 문서 및 관련된 정보는 리스크/보안관리 및 컨설팅 기업의 기밀정보로 간주되며 정보를 제공할 필요가 없는 회사 내뿐만 아니라 회사 밖의 그 누구와도 공유해서는 안 된다.

제안 요청서

리스크/보안 관리 및 컨설팅 (R/SM & C)기업 : 클라이언트
R/SM & C 보안책임자 : Timothy D. Giles, CPP, PSP, PSP
계약자 : 보안 서비스 제공 업체

리스크/보안 관리 및 컨설팅(R/SM & C) 기업의 보안책임자는 주, 지역, 도시, 도로명에 위치한 귀사의 리스크/보안관리 및 컨설팅 부서에 보안서비스를 위한 제안서 제출을 요청한다. 이 제안에는 보안서비스 계약의 이행을 위한 사양서, 요구사항 및 책임을 명시해야 하며 계약자의 제안서는 여기에 포함 된 모든 것을 보내야 한다. 권장하는 대안이나 예외사항은 입찰 제안서에 부록으로 첨부해야 한다. 본 문서에 명시된 사항을 준수하지 않거나 규정된 형식을 준수하지 않을 경우, R/SM & C 보안책임자의 재량에 따라, 귀사가 입찰에 참가했어도 부적합으로 간주되어 추가 고려사항에서 실격될 수 있다.

여기에서 요구하는 서비스는 ○○에 위치한 "A"급 오피스 빌딩의 최고 기준에 따라 최상의 방식으로 제공되어야 한다. 당사의 부동산(건물)은 "A"급 오피스 빌딩보다 훨씬 더 독특하며, 당사 고객에 대한 고객만족도를 더욱 향상시키는데 집중하는 서비스 제공업체를 요구한다. 모든 보안 관계자들은 R/SM & C가 클라이언트 신뢰도에 매우 강한 중점을 두고 있으며, 그것이 성공에 핵심요인임을 반드시 이해해야 하고 항상 우호적이고 친밀감이 있어야 한다!

개요 및 제안 설명

개요

111 Anywhere St., Atlanta, GA 30303(이하 "부동산(건물)")에 있는 R/SM & C 기업의 보안책임자는 이 건물에 대하여 귀사에게 보안서비스를 제공하기 위한 제안서 제출을 요청한다.

다음 페이지는 실제 보안서비스 계약에 포함될 수 있는 몇 가지 약정을 보여준다. 입찰 패키지를 신중하게 검토하고 여기에 포함된 각 요청항목에 대해 회신

바란다.

보안서비스의 실제 계약기간은 2년이며, 계약 당사자 상호간 서면을 통해 30일 이내에 취소할 수 있는 계약해지 조항이 포함되어 있어야 한다. 또한 계약서에는 만약 다른 서비스 제공업체와 계약을 체결하더라도 귀사가 반드시 허용해야 한다고 규정하고 있다.

제출문서

완료된 제안서는 아래 담당자에게 발송되어야 한다.

R/SM & C의 보안책임자 : Timothy D. Giles, CPP, PSP, PSP : 주, 지역, 도시, 도로명, 우편번호, 휴대폰 번호, 이메일

제안서는 ○요일 오후(오전) ○○시까지 접수해야 한다. 이 날짜와 시간 이후에 수신 된 입찰은 참여하지 않는 것으로 간주한다.

계약자 선정

계약은 당일 또는 며칠 이내로 결정된다. 계약자에게는 우편으로 통보된다.

계약 개시

서비스는 당일 또는 며칠 이내로 시작된다. 이 일정은 변경될 수 있다.

현장 방문

현장 방문은 이 제안 참여를 위해 보안서비스 제안서 제출하기 전에 수행되어야 한다. 현장방문은 Timothy D. Giles, CPP, PSP에 연락하여 예약할 수 있다.

입찰 기간 중 RFIs(Requests for information)

자료요청서(RFI)는 위의 제출처로 직접 서면 제출해야 한다. 모든 질의응답은 모든 입찰 참여자 전원에게 공개된다.

입찰 기간 중 변경

입찰 계약자는 입찰진행 과정에서 이 문서에 기입된 어떤 사양이 변경되면 변

경사항에 대한 정보를 제공받을 것이다.

최저가 입찰

R/SM & C의 보안책임자는 이 제안요청서에 따라 제출된 제안서 또는 최저가 금액으로 낙찰된 제안서를 꼭 수용할 필요는 없다.

제안 항목

제안서에는 다음의 각 항목이 포함되어야 한다.

1. 계약자 연락처 정보 기재

2. 계약자 기업 연혁

3. 보험 증명서

4. 이름, 직위 및 이력 정보가 있는 수행인력 조직도

5. 교육 및 평가 절차 방안(RFP 섹션 VI 및 VII 참조)

6. 사후 관리 방안(RFP 섹션 XV 참조)

7. 약물, 술 및 밀수품 관리 방안(RFP 섹션 V 및 첨부 C 참조)

8. 완료된 입찰 평가표(RFP 섹션 XI, XIII 및 첨부 C 참조)

9. 세부 전환 계획(RFP 섹션 XVII 참조)

10. 참고 자료(RFP 섹션 XVI 참조)

11. 최근 2 년간의 재무제표(계약자의 안정성을 확보하기 위한 충분한 재무정보 제공)

12. RFP 사양에 대한 모든 의견 및 예외사항

13. 계약자는 본 문서에 명시된 요건을 준수하고 수행 능력을 보유하고 있음을 서면으로 나타내야 한다.

일반적인 요구사항

독립 계약자

본 계약자는 계약업체, 대리인 또는 리스크/보안관리 및 컨설팅 협력업체가 아닌 독립적인 계약자로 계약서에 명시된 계약이행에 동의해야 한다.

R/SM & C는 계약자가 고용한 보안담당 직원을 채용하는 것에 동의해야 하고, 계약자는 현장에서 R/SM & C가 요구하는 보안 담당자의 근무자 수 만큼 제공하는 것에 동의해야 한다. 그러나 R/SM & C는 자사와 제휴된 보안 담당자를 활용할 수 있으며, R/SM & C가 선임한 담당자는 현장의 임대부지, 또는 현장의 공용구역에 대한 독립적인 보안서비스에 활용할 수 있다.

양도 및 하도

본 계약은 계약자가 전체 또는 일부에 대해 하도급 계약을 하거나 양도해서는 안 된다.

독점적 데이터 및 정보의 기밀 유지

계약자는 R/SM & C 또는 R/SM & C의 보안책임자로부터 받은 양식에 관계없는 모든 정보와 데이터가 기밀로 표시되지 않더라도 기밀로 취급하며, 계약자는 R/SM & C 보안책임자의 서면승인에 의해 공개된 정보를 제외하고는 이러한 정보(구두 또는 서면으로 작성된)가 공개되는 것에 대해 필요한 모든 예방조치를 취해야 한다. 이러한 정보와 데이터를 제공 받을 권한이 있는 제3자 계약자는 R/SM & C 보안책임자에게 적합한 기밀서약서를 제출해야 한다. 계약자는 R/SM & C 보안책임자의 사전 서면승인 없이 R/SM & C 보안책임자로부터 받은 정보, 설계, 도면, 사양 및 문서를 계약에 의해 계획된 업무 수행 이외의 어떠한 용도로도 사용해서는 안 된다. 요청이 있을 경우, 계약자는 해당 정보, 설계, 도면, 사양 및 문서의 모든 사본을 R/SM & C 보안책임자에게 반환하고 계약에 명시된 업무수행 완료 후 7년 동안 기밀정보가 포함된 계약자 소유의 모든 문서를 타인에게 공개해서는 안 된다.

본 계약 변경

R/SM & C 또는 R/SM & C의 보안책임자는 계약에 명시된 사항을 변경하거나 항목을 삭제할 수 있는 권한이 있으며, 계약자에게 추가 업무 수행을 지시할 수 있고, 계약자는 변경 및 추가 요청사항에 대해 시행해야 한다. 변경이 계약에 요구되는 업무특성이나 계약총액을 증가 또는 감소시키는 등의 영향을 준다면 그에 따라 계약금액을 적절하게 조정해야 한다. 만약 가격적인 부분에서 계약금액이 증가 또는 감소하면 계약자와 R/SM & C 상호 합의하에 결정해야 한다. 그러나 R/SM & C 요청에 의한 업무개시는 이 변경에 대한 합의와는 무관하다.

이러한 변경 또는 수정으로 인해 수행되는 업무가 승인 없이 감소하게 되는 경우 계약자가 이러한 변경 의사를 R/SM & C로부터 통지 받기 전에는 예상되는 이익손실을 보상할 수는 없다. 하지만 계약자는 이러한 변경 또는 수정 및 승인으로 불필요한 경비 비용 지출 손해가 발생하면, R/SM & C 또는 R/SM & C 보안책임자가 정한대로 공정하고 합리적인 비용을 제출해야 한다.

회계 감사

계약자는 R/SM & C의 회계거래와 관련된 모든 계약금액에 대해 완벽히 유지하고 정확하게 기록해야 한다. 이러한 기록은 계약자에 의해 유지 및 관리되어야 하며, 최소한 다음내용을 포함해야 하나 이에 국한되지는 않는다.

1. 급여기록을 포함한 회계기록, 계약자의 전체 근무시간에 대한 총 시간 배분을 포함한 회계장부 기록(급여 관련 세금 신고 및 노동조합 수당의 추적을 허용하는 경우)
2. 급여지불에 대한 급여수표 및 현금영수증
3. 구매제품, 계약자 재고 제품 또는 자본항목에 대한 청구서
4. 구매 또는 수리된 자재에 대한 청구서 및 취소된 전표
5. 서면 정책 및 절차
6. 견적 및 견적 평가표
7. 서신
8. 변경(change order) 파일(협상 합의 문서 포함)

9. R/SM & C에서 근무 중이거나 근무한 계약직 직원의 신상조사, 약물검사, 지문검사 등과 관련된 모든 기록

이러한 "기록"은 정상 근무기간 동안 R/SM & C의 보안책임자 또는 위임된 대표자에 의해 모든 송장, 지불액 또는 계약이행에 따른 계약자나 수취인이 제출한 클레임을 평가하고 검증을 적절히 수행하는 데까지의 공개 및 검사 또는 복제가 가능하다.

검사 대상이 되는 이런 기록에는 본 계약과 관련된 비용에 적용할 수 있는 간접비용(간접 배분 포함)을 평가하고 검증에 필요한 내용도 포함되어 있으나 국한되지는 않는다.

이러한 감사, 검사, 시험 및 평가의 목적을 위해 R/SM & C 보안책임자 또는 위임대표자는 계약기간 동안 앞서 말한 접근기록을 가지고 있어야 하며, R/SM & C와 계약자간의 계약에 따라 계약 발효일로부터 최소 2년간 기록을 보관해야 한다.

R/SM & C 보안책임자 또는 위임대표자는 본 문서에 따라 감사를 실시할 수 있는 적절한 업무 공간을 제공해야 한다. 특별한 경우를 제외하고는 R/SM & C 보안책임자 또는 위임대표자는 예정된 감사 실시 이전에 계약자에게 사전에 통보해야 한다.

계약자 자격

계약자는 입찰 제안서를 제출하기 전에 보안산업을 관할하는 모든 법에 의거해서 적절한 절차에 따라 반드시 면허를 취득해야 한다.

계약자는 클라이언트에 대한 행정적, 운영적, 물류적 지원을 제공하고 유지할 수 있는 능력을 보여 주어야 한다.

직무권한범위

직무수행

계약자는 무장하지 않고 근무복을 입은 상태로 보안 근무하며, 표준 근무 스케줄에 따라 보안서비스를 제공해야 한다(첨부 B).

직무책임

계약자는 다음과 같은 책임이 있지만, R/SM & C 직원을 보안담당자로 선임할 경우 다음에 국한되지 않는다.

1. 계약직 직원들의 의무에 대한 규율, 단정한 외모, 전문적인 태도, 성실성, 주의 유지

2. 서면으로 작성된 각 담당별 특정 시설별 직책 요구사항에 대한 유지 및 업데이트

3. 계약자들에게 R/SM & C의 보안정책, 절차 및 명령을 시행하도록 요구

4. 고객 신뢰도 또는 고객 만족 프로그램 및 서비스에 관련된 R/SM & C 요구사항을 계약자가 이행하도록 요구

5. CCTV시스템, 화재경보시스템, 긴급경보시스템, 무선통신시스템 등 24시간 운영제공 하는 출입통제시스템, 기타 출입문 및 제어시스템을 포함하는 관리/모니터링 전자시스템은 R/SM&C 보안책임자에게 감시범위 및 통제에 대한 개선을 위해 추천

6. R/SM & C 보안관리자의 요구사항에 대응하기 위해 언제든지 연락할 수 있는 계약자의 이름과 전화번호를 R/SM & C 보안책임자에게 제공

7. R/SM & C의 요청에 따라 교육 및 자격요건을 갖춘 보안요원이 서비스를 제공하고 날씨, 재난, 파업 또는 위협에 상관없이 서비스를 제공하지만 다음에 국한되지는 않는다.

   ① R/SM & C 현장 보안 및 안전 절차 관리

   ② 인사 및 방문객, 계약자, 직원에게 항상 전문적인 매너 지원

   ③ 개인, 차량 및 기타 자산의 출입 통제

   ④ 현장 보안감시 수행

   ⑤ 보안 및 안전 위반사항 파악 및 보고

   ⑥ 변경된 안전자산 발견

   ⑦ 보안 관련 문서의 파일 유지 관리

   ⑧ 긴급 상황 시 R/SM & C 인력 보조

   ⑨ 손실, 사고, 화재, 재산 손상, 안전상 위험(safety hazard) 및 보안 사고를 예방하거나 최소화하기 위한 즉각적인 행동 조치

⑩ 지시 사항에 따라 R/SM & C 의 보안 장치(카메라, 도어 잠금장치, 조명, 경보 등)를 검사하고 오작동, 작동 불능 또는 수리가 필요한 장비에 대해 서면 보고서 제출

⑪ 모든 안전 장비(비상구, 방화문 등)의 관리 및 정상동작 여부를 점검하고, 오작동, 작동 불능 또는 수리가 필요한 장비에 대해 서면 보고서 제출

계약자는 실질적으로 시행할 근무일정을 작성하고 최소 근무일 5일 전에 R/SM & C 보안책임자에게 제출해야 한다. 근무 교대 일정에 대한 변경 또는 대체는 R/SM & C 보안책임자에게 사전 통보 없이 이루어질 수 없다. 단, 비상상황은 제외한다.

계약자는 정해진 업무를 수행하기 위한 직무에 대해 완벽히 숙지하여 업무를 수행해야 한다.

계약자 직원은 다양한 기상조건, 건설 재해 및 보안 업무에 내재된 리스크에 노출될 수 있으며, 해당 직원이 그러한 조건에 대비하여 준비되어 있는지 확인해야 한다.

또한 R/SM & C 현장에 어떤 유형의 무기, 특히 총을 가져 오는 것이 엄격히 금지되어야 한다. 계약자는 R/SM & C 부지에서는 무장한 보안관리자를 고용하지 않아야 한다.

계약자의 인사

계약자는 R/SM & C 보안책임자가 무능력, 무질서, 만족스럽지 못하거나 바람직하지 못한 어떤 이유가 있다고 판단한 보안근무자에 대해서는 즉시 해고하고 R/SM & C 또는 R/SM & C 보안책임자의 사전 서면 동의 없이는 R/SM & C 부지에 다시 고용하지 말아야 한다.

직무 기준

일반적 기준

모든 서비스는 그 해당 지역의 최고 수준의 사무실 건물에 대한 관례적인 규정과 모든 주 및 지방 법률에 의거하여 최고 수준의 보안 계약으로 수행되어야 한다. 계약자는 그들의 인력이 해당 자산에 명시된 직무체계 대로 기능과 직무를 숙지하여 이행할 수 있도록 하며, R/SM & C 보안책임자가 기대하는 모든 행동을 한결같은 태도로 이행할 책임이 있다.

계약자조건에 대한 통보

계약자는 업무와 관련된 모든 문제를 명령에 따라 수행하고 업무 현장에 존재하는 모든 물리적 및 기타 환경을 잘 알아야 한다. 이것은 계약자의 업무 시간 대부분이 외부에서 이루어진다는 사실을 포함한다.

장비 및 소모품에 대한 보관 및 보안

계약자는 작업과 관련하여 사용하는 장비와 소모품을 보관하는데 전적으로 책임을 가진다. 저장 공간은 R/SM & C에 의해 작업현장 내 이용가능한 곳에 제공되어야 한다.

검사

R/SM & C가 고려하고 계약자가 여기에 동의하면, 공급된 모든 작업과 장비를 R/SM & C 대표 또는 R/SM & C의 다른 대리인이 철저한 조사를 진행한다.

폐기물 처리

계약자는 현장부지 내 모든 구역에 작업으로 인해 발생된 모든 쓰레기를 완벽히 청소하고, 깨끗하게 유지해야 한다.

건강과 안전

계약자는 보건과 안전에 관련된 모든 연방, 주 및 지방법규를 준수해야 한다. 계약자는 그들의 직원이 수행하는 모든 작업 안전을 책임지고, 필요한 모든 예방조치를 취해야 한다. 계약자는 노동부 장관에 의해 공표된 안전보건 기준에 따라 계약자를 비위생적이고 위험하며, 건강과 안전에 유해한 조건의 상태에서 일하도록 요구해서는 안 된다.

모든 노동자의 안전은 보장되어야 하고 사고예방은 계약자 활동에 필수적인 부분이다. 계약자는 산업안전보건법(연방직업안전보건법)에 의해 작업에 적용되는 안전보건 기준에 부합하고 안전하며 실용적인 방법으로 작업을 수행한다.

관리 지원

계약자는 여기에 설명된 부동산(건물) 단지(property complex)에 대한 책임과 의무를 다하는 직원에게는 경영진 수준의 급여를 제공해야 하고, 이 현장 보안 관리자는 현장의 R/SM & C 보안책임자에게 직접적인 업무지원 의사소통을 해야 한다. 이 보안 관리자의 추가적인 책임에는 전반적인 고용 및 해고, 교육, 보안, 화재·생명 안전, 문서화된 모든 절차, 예산, 품질관리 및 비상대응 서비스를 연중무휴로 유지하는 것에 중점을 둔 개발을 포함한다. 이 직책은 근무 시간에 상관없이 40시간의 급여로 R/SM & C에 청구된다.

또한, 현장 보안 관리자는 일반적으로 R/SM & C 보안책임자의 요청 없이 주당 40시간 이상의 근무를 하지 말아야 한다. 현장 보안 관리자는 예고되지 않은 상황에서도 3교대 근무를 보장할 수 있도록 개인 스케줄을 변경해야 한다. R/SM & C 보안책임자가 현장 보안 관리자에게 한 주에 40시간을 초과하는 근무를 요청하면, 빈번하게 일어나지 않는 한 받아들여야 한다.

또한, 계약자는 회계거래에 대한 의무와 책임을 가지고 계약 사항을 준수할 수 있도록 현장 R/SM & C 보안책임자와 정기적으로 지원하고 의사소통하는 정규직을 제공할 것이다. 이 직책의 급여는 R/SM & C에 청구하지 않는다.

신규 채용 및 고용 절차

인사 기준

각 R/SM & C 현장에 임무를 부여 받은 보안담당자는 적어도 다음과 같은 의무가 요구된다.

1. 필요한 경우, 비무장 보안요원의 주, 지역, 도시에 대한 등록
2. 유효한 운전면허증 또는 신분증
3. 직장 출·퇴근이 용이한 교통수단 확보
4. 항상 전문적인 이미지와 우호적인 태도를 보여 주는 능력
5. 비상상황 시 연락할 수 있는 거주지 연락처
6. 정신결함 또는 질병이 없고 법원판결에 결격사유가 없는 자
7. 미국 시민권이나 법적 거주자
8. 서면변경 및 구두지시를 제공하고 읽고, 쓰고, 말하고를 이해할 수 있으며, 정확한 정보를 전달하는 보고서 작성 능력
9. 보안 업무의 적절한 수행을 방해하는 부상 또는 신체적인 장애이력이 없는 자
10. 긴급 상황에서 타인에게 부상을 입히지 않고 도와줄 수 있거나, 장시간 근무지에서 오래 서 있을 수 있는 신체적 능력
11. 형사판결이나 현재 소송 중인 절차에 해당사항이 없는 자
12. 유죄판결 또는 절도, 구타, 명예 회손, 공공 위법행위, 폭행으로 인한 소송 또는 그와 유사한 소송절차에 해당사항이 없는 자

개인 신상 조회 요건

신원조사는 R/SM & C 현장에 배치되기 전에 계약자에 의해 각 경비원의 신원을 확인하기 위해 실시하고 문서화해야 하며, 계약된 직원의 채용 신청서를 정확하고 완벽하게 작성하여 위에 명시된 자격 요건을 충족하는지 확인한다. 채용 신청서는 계약자가 실시한 신원조사에 의해 검증되어야 하며, 적어도 다음과 같은 정보가 작성되어야 한다.

1. 성명, 별명(별칭) 및 서명

2. 주민등록번호

3. 현재 주소 및 과거 주소(이전 7년)

4. 시민권

5. 전과 기록

6. 운전 기록

7. 병역 이행 기록

8. 지난 7년간의 고용 이력과 이직 사유

9. 교육 이력 또는 전문교육 이수 여부

10. 기록이 없는 기간에 대한 확인서

11. 증빙서류

12. 신용 기록

13. 사진

14. 주 및 연방당국에 등록된 모든 지문정보

15. 약물 검사 결과

사전 인/적성 검사는 심사과정의 일환으로 모든 경비원 후보자들에게 실시해야 한다.

경력 증명에는 최소한 입사 신청서, 근태기록, 교육기록, 사전조사 및 약물검사결과 기록, 사전 인/적성 검사서, 분별 가능한 지문정보, 최근 사진 및 업무와 관련된 상해 기록이 포함되어야 한다. 모든 경력증명은 회계감사를 위해 R/SM & C 부서 또는 R/SM & C 보안책임자의 요청 시 제공되어야 한다.

모든 지원자가 선입견이나 편견을 가지고 있는지의 여부를 확인하는 것도 중요하다.

R/SM & C 보안책임자는 배치 이전에 지원자 면담을 하거나 검토한 뒤 계약자에게 업무현장 내 보안 경비원 또는 관리자를 해임하거나 추가하도록 요청하는 권한을 가진다.

R/SM & C 또는 R/SM & C 보안책임자는 계약자의 어떤 직원이라도 이유를 불문하고 언제든지 해고할 권한을 가진다.

보안 계약자는 신규채용과 고용관행을 규정하고, 최고의 자격을 갖춘 지원자를 선별하여 고용해야 한다. 심사 및 인터뷰 과정은 계약의 관리 능력과 개별 인터뷰, 약물검사, 범죄기록 검토, 주, 지역, 도시에 해당하는 개별 인터뷰를 포함한다.

R/SM & C 보안책임자는 R/SM & C에서 근무하는 경비원을 승인할 권한을 가진다.

약물, 주류 및 기타 금지 정책

계약자는 배치 이전에 종합적인 약물 및 알코올 검사 프로그램을 가지고 있어야 한다. 관련정책을 포함한 이 프로그램의 대한 증빙은 입찰 제안의 일부로 제공되어야 한다. 시험은 독립적인 시험기관에 의한 시료 시험이어야 한다.

R/SM & C 또는 R/SM & C의 보안책임자는 언제든지 회사 현장 내에서 개인 소유 차량을 포함하여 계약직 직원에 대하여 합당하게 검색할 권리를 갖는다.

계약자는 단지 R/SM & C 현장에 배정된 직원에게 이 방침을 알리고 이해하도록 해야 할 책임이 있다. 입찰 제안서에는 계약자가 모든 직원에게 정당한 통보를 받을 수 있도록 그 수단 및 방법에 관한 정보가 포함되어야 한다.

정당한 경우 R/SM & C 또는 R/SM & C의 보안책임자는 다음 조건 중 하나 이상에 해당할 때, 계약 직원에게 소변 분석 검사 시행을 요청할 수 있다(계약자는 그러한 요구를 따르기 위해 합당한 노력을 할 것이다).

1. 정책 위반 사항이 R/SM & C 또는 R/SM & C 보안책임자에 의해 목격된 경우
2. 동료가 금지된 의약품의 영향을 받았거나, 믿을만한 정당한 사유가 있는 경우, 또는 동료, 대중 혹은 재산의 안전을 보장하기 위한 긴급한 상황이 발생한 경우
3. 테스트 지연으로 인한 증거능력 상실이 일어날 경우
4. 신체 상해 또는 재산상의 손해가 발생한 사고의 경우

정책 위반에 대한 처벌

이 정책을 위반한 계약자의 직원은 계약자에 의해 즉각적으로 해임될 수 있다. 계약자는 직원이 R/SM & C 시설에서 해임되었고, R/SM & C 보안책임자의 사전 승인 없이 시설로 복귀할 수 없음을 통보 받을 수 있다.

R/SM & C 보안책임자의 재량에 따라 불법 물질 또는 품목을 소지한 계약자의 직원은 법 집행 기관에 회부하여 조치를 취할 수 있다. 소변 검사나 수색을 거부하는 계약자의 직원은 R/SM & C의 현장에 영구적으로 출입을 제지당할 수 있다.

계약 관계에 의해 이 정책의 위반은 R/SM & C와 계약자 사이의 계약 해지를 초래할 수 있다.

교육

보안 계약자는 직원들이 해당 시설에 대한 직책 요구사항에 명시된 직무 수행 능력을 갖추고 있음을 보증하는 것에 대한 전적인 책임을 진다. 필수 교육은 최소한 다음 네 가지의 특정영역으로 분류된다.

오리엔테이션 및 초기 교육

오리엔테이션 및 초기 교육은 계약자의 사무실에서 먼저 수행되어야 하며 전형적으로 관리되는 초급 경비 입문 과정을 포함한다. 오리엔테이션에서 배운 주제는 적어도 민간경비의 법적의무와 권리, 체포의 권한, 클라이언트 관리·만족, 민간경비와 관련된 지역 및 주 법률, 보안정책/절차의 학습, 비상절차의 학습, 재난대응방안, 사고보고서 작성에 영향을 미친다.

보수 교육

또한, 경비인력당 배정된 24시간의 연간보수교육을 월 단위로 실시해야 하며, 클라이언트에게 비용을 청구하지 않는다.

향후 테스트는 모든 교육과 함께 개발되고 관리되어야 한다. 모든 계약자의 직원은 6개월마다 직책 요구사항을 검토하고 이해했음을 확인하고 서명해야 한다. 서면 교육 자료는 필수이며 현장에서 유지 관리해야 한다.

응급 의료 대응 훈련

최소한의 교육 요구사항은 교대 근무 감독자와 현장 보안 관리자가 계약자의 비용으로 심폐소생술, AED 및 응급처치 교육을 받아야 하는 것이다. 이 교육은 직책 배정 후 3개월 이내에 이루어져야 하며, 수령한 인증서에 기재된 대로 갱신되어야 한다. 의료응급상황에 대응하기 위해 교육을 받은 공인된 관계자가 항상 현장에서 근무해야 한다.

전문 교육

전문 교육에는 고객관리 및 서비스, 위협 완화(de-escalation) 교육, 주차/순찰 차량 사용(해당되는 경우) 및 기타 특수장비 또는 시스템의 사용이 포함되며 이에 국한되지는 않는다. 이 교육은 계약자가 확인하고 평가한대로 수행된다.

다음의 업무들을 다루어야 한다.

- 방문객, 손님, 계약자 및 직원을 따뜻하게 환영한다.
- 전문적인 방식으로 의사소통하는 능력을 가진다.
- 의사결정에 훌륭한 판단력을 행사하고 필요할 때 주도권을 행사한다.
- R/SM & C의 보안 및 안전 절차를 포함하여 운영 지침을 시연, 이행, 이해하고 적용할 수 있어야 한다.
- 대인관계와 관련된 위의 모든 임무를 수행함에 있어 고객서비스 지향적 접근을 위해 효과적인 의사소통에 중점을 둔다.
- 현장 또는 현장에 있는 개인이 감시 중이라면 대감시(countersurveillance) 교육으로 확인할 수 있어야 한다.

제안서에 교육정책 및 절차에 대한 자세한 설명을 포함한다.

평가절차

모든 보안 관계자는 감독자 또는 관리인원과 함께 공식·비공식 검증를 받아야한다. 비공식 검증은 분기별로 이루어져야 하며, 각 직원은 매년 공식적인 서면 재검토를 받아야 한다. 해당 검증은 R/SM & C의 보안책임자와 공유할 수 있다.

직원복지

해당시설에 배정된 보안요원은 업계에서 경쟁력 있는 직원복리후생이 제공될 것으로 예상된다. 직원복지패키지는 건강보험, 퇴직, 상해보험, 생명보험, 병가 및 휴가 등의 항목이 있으며, 직원복리후생 프로그램의 비용은 시급에 포함된다.

인센티브와 시상 프로그램

부동산(건물)에 배정된 모든 보안요원은 계약자의 프로그램 외에도 R/SM & C 또는 R/SM & C 보안책임자의 재량으로 인센티브 및 시상 프로그램에 참여할 수 있다.

주요 직책 및 직책 요구사항

첨부 문서 "A"는 해당 부동산(건물)에 의해 발생한 주요 직책 요구사항(의무 및 책임)이다. 규정된 직책은 주기적으로 계약자에 의해 평가되어야 하며, R/SM & C의 보안책임자에게 적절한 권고사항을 제시해야 한다.

각 직책에 대한 직무설명서를 작성하고 유지하는 것은 계약자의 책임이다. 최소한의 자격요건과 이수시간을 포함한 필수교육은 직책 요구사항 내에서 상세하게 문서화되어야 한다. 이러한 요구사항은 최소 6개월마다 업데이트되며 R/SM & C 또는 R/SM & C 보안책임자에게 매년 공식적으로 제출되어야 한다. 직책 요구사항에 대한 모든 이벤트 기반 업데이트는 실행이전에 R/SM & C 보안책임자에 의해 승인되어야 한다. 계약자는 계약이 체결된 후부터 30일 동안 R/SM & C의 검토를 위한 직책 요구사항을 준비해야 한다.

표준 근무 시간과 특근 적용 시간

표준 근무 예상시간은 해당시설에 대한 첨부 문서 "B"에 나와 있다. 이 시간은 사실상 개념적이며 입찰을 목적으로 제공된다. 실제 시간은 계약체결 시 다를 수 있다. 그러나 모든 제안 값의 추청치는 해당 시설에 대한 특정 첨부 문서 "B"에 기재된 총 주간 시간을 기준으로 한다.

계약자는 계약 후 30일 이내에 클라이언트에게 직원배치 및 검토를 준비하고 발표해야 한다.

계약자는 R/SM & C의 환경이 이벤트를 고려한 추가인력 배치에 대해 주기적인 필요성이 있음을 이해해야 한다. R/SM & C 또는 R/SM & C의 보안책임자는 그들이 상황을 인지하자마자 이 요구사항을 제공할 것이고 계약자가 최소 48시간 전에 통보한다면 추가적용 범위에 대해 추가금액 없이 표준요금으로 청구될 것이다.

입찰평가서

임금 및 청구요율

첨부 문서 "C"는 입찰평가 양식이다. 입찰 평가서에는 해당시설에 대한 예상 근무위치, 근무시간과 임금지급률이 있으며, 여기에 청구요율을 기입해야 한다.

계약자는 계약에 따라 청구서를 격월로 발송한다. 각 청구서 및 첨부 문서는 다음 조건을 충족해야 한다.

1. 계약자의 직원이 근무한 시간 및 위치에 대한 세부사항

2. 특정 건물/장소에 대해 별도 청구서의 여부

3. 특별 이벤트와 같은 추가 작업을 위해 별도의 추가 근무시간 설정

4. R/SM & C 또는 R/SM & C 보안책임자가 요구하는 기타 정보의 포함

상기 청구서에 대한 지불은 청구서 발행일로부터 30일 이내에 R/SM & C가 해야 한다. R/SM & C 또는 R/SM & C 보안책임자가 계약자의 청구서 일부에 대해 이의를 제기할 경우, R/SM & C는 청구서 중 이의가 없는 부분에 대해서는 지불하고 계약자에게 이의제기 부분을 서면으로 통보해야 한다.

휴일 및 초과 수당

휴일수당은 시간별 청구요금으로 계산해서는 안 된다. 이 수당은 휴일마다 별도로 청구되어야 한다. 계약자는 제안서에 모든 공휴일과 각 공휴일의 청구수당/시간을 포함시켜야 한다.

(1) R/SM & C 보안책임자가 사전 승인
(2) R/SM & C가 보안요원의 초과 근무를 연기하거나 조정을 요청했을 경우
(3) 추가 보안요원이 48시간 전 통보 없이 초과 근무할 경우

상기의 내용에 해당하는 경우에는 R/SM & C에게 청구할 수 없다.

특별 적용범위 및 임시 근무

이벤트 발생 및 예상하지 못한 상황에서는 추가 보안 적용범위가 필요할 수 있다. 만약 48시간 전에 통보가 이루어진 경우, 적용범위의 결과로 발생한 모든 초과근무는 R/SM & C에게 청구 불가하다. 추가적인 적용범위가 필요할 때 R/SM & C가 책임져야 할 최대 "적용 시간(show time)"은 두 시간이다. 모든 순찰자 및 시설 보안요원과 교대 직원은 그 장소에서 근무하기 전에 현장에서 교육을 받아야 한다.

짧은 시일 내에 현장에 대해 잘 알고 있는 추가 보안요원을 어떻게 배치할 계획인지 설명해주어야 한다. 대부분의 경우 3~8명의 추가 보안요원이 필요하지만 간혹 더 필요한 경우도 생길 수 있기 때문이다.

시간 외 감독

현장에는 현장검사 및 후속보고가 필요하며 24시간 연결 가능한 전화번호가

있어야 전화통화로 신속히 처리할 수 있고 해당시설에 대한 분쟁에 대비할 수 있다. 또한 계약자는 비상시에 근무시간 외에도 대응할 수 있도록 최소한 한 명의 (현장 보안 관리자 외에) 다른 보안 인력을 배치해야 하며, 그의 관리자 개인 호출기, 집 전화 및 휴대전화번호가 필요하다.

근무 시간 외 근무 감독에 대한 설명을 해주어야 한다.

근무복

R/SM & C의 건물에 배정된 모든 직원은 적절한 지정복장으로 구성된 근무복을 착용해야 한다. 90일 수습기간을 수료한 직원을 위해 근무복 패키지를 구입해야 한다. 모든 색상, 패치, 디자인, 스타일 등은 R/SM & C 보안책임자의 승인을 받아야 하며 모든 주 또는 현지 법률을 준수해야 한다.

계약자는 이 90일간 수습기간 전에 R/SM & C 현장에 배치된 각 경비요원에게 R/SM & C의 리스트에 있는 모든 항목을 포함한 근무복 패키지를 무료로 제공해야 한다. 예를 들면 다음과 같다.

1. 자켓 2벌
2. 바지 3벌
3. 셔츠 3개
4. 넥타이 2개
5. 검은색 드레스 벨트 1 개
6. 고무 밑창이 달린 검은색 가죽 신발
7. 겨울 자켓 1벌
8. 겨울 모자 1개와 여름 모자 1개
9. 계약자는 다양한 사이즈의 우비를 제공해야 하며 보안요원이 사용하기 때문에 현장에서 관리해야 한다.

사용자 맞춤 재봉 또는 여벌의 근무복은 계약자가 무료로 제공한다. 드라이클리닝 및 개조를 포함한 근무복의 모든 비용은 시급에 포함되어야 한다.

R/SM & C 또는 R/SM & C 보안책임자는 근무복을 최종 선정할 권리가 있다. 제안된 근무복 사진을 제공하고, 우리 환경의 특성상 보안요원은 항상 전문적으로 보여져야하기 때문에 필요에 따라 교대 중에 근무복을 바꿀 수 있다.

장비

R/SM & C가 제공한 장비, 자재 및 소모품은 R/SM & C의 자산으로 남으며 R/SM & C의 보안업무 이외의 다른 용도로는 사용되지 않는다. 계약자는 현 상태에 맞게 기록을 유지해야 하며 계약자의 사용을 위해 R/SM & C에 의해 비치되어 공급된 모든 장비, 자재 및 소모품의 회계내역을 제공해야 한다.

R/SM & C는 각 보관초소에 하나의 무전기(배터리 포함)를 제공해야 한다. 계약자는 그러한 모든 무선장치를 양호한 상태로 유지하고 그렇게 유지될 수 없는 장치의 경우나 교체 또는 수리가 필요한 경우 R/SM & C에 즉시 통보해야 한다.

계약자가 공급하고 현장에 배치된 모든 장비 및 공급품은 계약자의 자산으로 하며 구매자는 계약기간 중이나 후에도 언제든지 해당 장비의 설치, 유지보수, 교체 및 철거에 대한 권한을 보유한다(별도 계약에 의거하여 계약자로부터 R/SM & C가 구매 한 장비 및 소모품 제외).

계약자는 계약자가 공급한 모든 장비를 리스트화해야 한다.

착수 계획

각 예비 계약자는 필요한 운용단계를 개략적으로 설명하는 30일간의 착수계획을 제출해야 한다. 이 계획은 클라이언트의 승인날짜와 착수금 명세서(있을 경우)를 기입해야 한다.

R/SM & C는 신규 계약업자에게 현재 회사에 서비스를 제공하는 기존 계약자의 인력 일부 또는 전부를 고용하도록 요구할 수 있는 권리가 있다. 예비(신규) 계약자는 R/SM & C에서 근무하는 직원과 "비경쟁 합의서"를 체결하지 않아도 되므로 필요에 따라 기존 계약자의 직원들을 승계할 수 있다.

실적 자료

각 제안서는 여기에 설명된 대로 R/SM & C의 시설 규모, 프로필 및 보안 서비스 시간과 비교할 수 있는 시설에 대한 최소한 3건의 지역 고객 실적자료를 제공해야 한다. 각 참조에 포함될 정보는 현장 설명 및 주소, 해당 위치에서의 계약 서비스 기간, 한주에 제공된 근무시간 수, 직책, 연락처가 포함된 담당자 이름이다. 또한 이전 거래 2건도 참조로 포함해야 한다.

상세 전환 계획

각 제안서에는 현재 계약자와의 인수인계방법을 설명하는 세부계획을 제공해야 하며, 여기에는 최소한 현장 보안요원을 평가하고 감독하는 계획이 포함되어야 한다.

첨부

다음 첨부 파일을 참조한다.

첨부 A : 주요 직책 요구사항

첨부 B : 표준 근무 시간

첨부 C : 입찰 평가 양식 및 가격 책정

첨부 D : 직무체계에 대한 요구사항

첨부 E : 보안 장비

첨부 A

주요 직책 요구사항

계약자는 건물, 경계 및 모든 외부영역을 포함한 모든 공통영역에 대한 보안을 담당한다. 계약자는 해당 지역이 안전하지 않은 경우를 제외하고는 보안 관리자나 R/SM & C 관리자 또는 기술직원이 동반하는 경우에도 세입자 및 보안구역에 진입할 수 없다. 그러나 보안 담당자는 비상사태 시 세입자, 보안구역 및 기계실에 입장하거나 보안이 필요한 상황을 지원할 수 있다. 주차 공간은 허가된 직원과 방문객이 사용하며 이 지역은 계약자에 의해서 감시된다. 모든 보안 관계자는 R/SM & C가 고객의 신뢰도에 매우 집중하고 있으며 성공의 핵심 요인이라 여김을 이해해야 한다. 또한 보안관리자는 모두 항상 친절하고 외향적이어야 한다.

현장 보안 관리자

현장 보안 관리자는 매 근무 시마다 모든 임원을 감독하고 R/SM & C 보안책임자에게 직접 보고한다. 현장 보안 관리자는 배포, 교육, 급여 지불 및 고객과의 대화를 포함한 보안 프로그램의 일일 리더십과 운영을 담당하지만 이에 국한되지는 않는다. 현장 보안 관리자는 R/SM & C의 일반정책 및 절차뿐만 아니라 지침 및 기타 의무를 게시하여 신입사원을 교육하고 오리엔테이션 하여 월별 직원 근무일정을 작성하고 유지·관리 한다. 현장 보안관리자는 관리, 회계 또는 인사관련 업무수행에 대해서는 책임을 지지 않으며, R/SM & C 자산의 보안운영과 직접적으로 관련이 없는 한 급여인력, 송장생성, 채용 또는 배경 및 잠재적인 직원 조사와 기타 업무에 국한하지는 않는다. 현장 보안 관리자는 정규직이다.

교대 근무 감독자

교대 감독자는 교대근무 중인 모든 직원들을 감독하고 현장 보안 관리자에게 직접보고 한다. 교대근무 감독자는 현장 보안 관리자가 지시한대로 R/SM & C 직무체계에 따라 해당 교대 시 직원들의 지도와 운영을 담당한다. 교대근무 감독자는 현장 보안 관리자가 요구하는 지침 및 기타 의무를 게시하고 신입 직원을 교육하며, 모든 적절한 보고서 및 로그를 작성하고 유지·관리한다.

보안관제센터(SCC) 담당자

보안관제센터(SCC) 담당자는 보안관제센터에서 건물 내 모든 활동을 감시한다. 이 직책의 책임은 전화에 응답하고 24시간 단위로 부동산(건물)의 출입통제, 무선통신, 화재경보기 및 CCTV 시스템을 모니터링하는 것뿐만 아니라 보안 및 비상통신을 통제하는 것이다. 보안관제센터(SCC) 담당자는 R/SM & C 및 R/SM & C 보안책임자, 방문 계약자, 계약자, 특사 및 공급업체에 다양한 계약자의 서명을 포함한 열쇠 반/입출 관리를 시행할 책임이 있다. 또한 보안관제센터(SCC) 담당자는 R/SM & C 보안책임자가 결정한대로 하역장의 사용을 관리하고 서비스 엘리베이터를 통해 건물로 인도할 책임이 있다.

관리 데스크 직원 및 안내원

안내원은 근무시간 동안 건물로비 출입구에 배치된다. 주요 책임은 엘리베이터에 접근하는 방문객의 방문카드관리, 입주자, 직원 및 방문객과의 상호작용, 복잡할 때 단지에 들어오거나 나가는 세입자나 직원을 보조, 화재 발생 시 대피로 유지, 보안 문제 및 비상사태 대응, 그리고 교대근무 감독자나 현장 보안 관리자가 지정 또는 위임한 기타 임무를 수행해야 한다.

순찰 근무자 및 경비 근무자

순찰 및 경비 근무자는 일반 공간 및 바닥, 안뜰 뿐만 아니라 모든 외부 공간 및 주차장 지역의 지속적인 순찰을 포함하여 다양한 임무를 수행한다. 또한 가끔 특정 출입구와 같은 곳에 보초를 서기도 한다. 이 직원은 문과 접근지점에 대한 사전 점검을 하고, 교대근무 감독자에게 전달할 교대근무 보고서를 준비한다. 순찰 담당자는 교대 근무 감독자의 요청에 따라 근무시간 외 호송서비스를 지원하고 비상시 또는 기타 문제에 대응하며, 필요에 따라 보안관제센터(SCC) 담당자를 지원한다.

첨부 B

표준 근무 시간

보안 계약자는 다음과 같이 위험/보안관리 및 컨설팅 회사에 대해 주당 838시간 또는 연간 대략 5주 반에 상응하는 보상과 함께 유급의 현장 보안관리자를 제공해야 한다.

현장 보안관리자 : 정규직(40 시간)

교대근무 자
  연간(168 시간)
  제안된 교대 : 오전 7시~오후 3시, 오후 3시~오후 11시, 오후 11시~오전 7시

보안관제센터(SCC) 책임자
  연간(168 시간)
  제안된 교대 : 오전 7시~오후 3시, 오후 3시~오후 11시, 오후 11시~오전 7시

관리 데스크 직원/ 안내원
  적용 범위 : 16시간/일, 6일/주 (96 시간)
  제안된 교대 : 오전 7시~오후 3시, 오후 3시~오후 11시

순찰 근무자 : "A" 입구
  연간(168 시간)
  제안된 교대 : 오전 7시~오후 3시, 오후 3시~오후 11시, 오후 11시~오전 7시

순찰 근무자 : 주차 차고
  연간(168 시간)
  제안된 교대 : 오전 7시~오후 3시, 오후 3시~오후 11시, 오후 11시~오전 7시

> **참 고**
> 현장 보안관리자는 24시간 상황대응 및 보안운영을 감독할 책임이 있다.
> 이 시간은 예상치이며 필요에 따라 증가 또는 감소할 수 있다.

첨부 C

입찰 평가 양식/가격

부동산(건물) :   R/S M&C회사

계약자 명 : _____

제출 일자 : _____

주당 급여(Weekly Costs)

직책	임금률	계산비율 (A)	×	예상시간/주 (B)	=	주당급여(A) × (B)
관리 데스크	13.06		×	96	=	$
순찰 근무자	12.68		×	168	=	$
순찰 근무자	12.39		×	198	=	$
보안관제센터 (SCC) (IV)	9.53		×	56	=	$
보안관제센터 (SCC) (V)	13.06		×	56	=	$
보안관제센터 (SCC) (VI)	13.35		×	56	=	$
교대 감독자	10.76		×	128	=	$
보안 관리자 보조	11.28		×	40	=	$
소계			×	798	=	$
현장 보안관리자	14.00		×	40	=	$
총/주			×	838	=	$
추가 수당						
근무 시간 후	9.25~ 9.68		×	N/A		N/A

첨부 D

직무체계(Post order) 요구사항

요구사항 : R/SM & C 보안요원은 R/SM & C 정책에서 요구하는 다음 보안 직무체계(Post order)를 준수해야 한다.

1. 보안 관리는 행동규칙 및 표준 운영절차의 종합적인 리스트를 개발한다.

2. 직무체계 및 행동규칙은 정기적으로 업데이트 되고 유지되어야 하며, 그 빈도는 일지에 기록된다. 이것은 1년 이내여야 한다.

3. 직무체계 섹션은 번호가 매겨지고 읽기 쉽도록 "글머리" 형식으로 작성된다. 각 페이지에는 날짜가 적혀있어야 하고, 문서에서 주제를 쉽게 찾을 수 있도록 문서의 목차가 있어야 한다. 직무체계에는 최소한 다음사항을 포함하며, 국한되지는 않는다.

   - 근무복 요구사항
   - 사건 보고서 작성 절차 및 해당 보고서가 필요한 경우, 허위보고 등을 포함한 보고 및 통신 프로토콜
   - 정상, 비상 운영 모드 및 책임(예 : 교대 기록 절차)
   - 경보 및 비상전화 시스템 검사를 포함한 건물 순찰, 검사 및 감사 수행을 위한 빈도, 초점, 방법론 및 임의성
   - 보안 요원을 위한 교육 요구사항
   - 건물 대피 계획, 행동강령 및 절차
   - 재난 복구, 위기관리 계획 및 행동강령
   - 모든 대상자를 위한 비상 대응 행동강령 및 연락처 정보
   - 친교를 포함한 홍보, 분쟁 해결의 일반 지침 및 행동강령
   - 기록 및 보고서 유지 관리 방법, 기술, 행동강령 및 보고 요구사항

- 기록 보관 절차 및 요구사항

- 건물 보안 시스템 모니터링 및 관리 지침

- 건물 비상상황, 기계적 시스템 모니터링 및 관리 지침

- 하역장(Loading dock) 및 배송 절차

- 방문객 관리 및 식별 절차

- 계약자 및 공사 협약

- 근무 중 수면

- 기밀, 민감한 정보 또는 분류된 정보 취급

- 출근 후 직무 수행을 위한 요구조건

- 늦게 전화하거나 취소하는 절차

- 알코올이나 약물 영향 하의 업무 보고

- 관련된 출입문 리스트와 출입문 잠금 및 해제

- 순찰 지역

- 최소 인력 요구사항

- 폭탄 위협 처리

- 의심스러운 물품 처리

- 배송 처리

- 엘리베이터 문제, 특히 갇힌 승객에 대한 조치

- 화재경보 조치

- 절차 및 정책은 "무력 사용"과 관련된다. 담당자는 단계적 축소(deescalation)를 위해 극단적인 자기 방어를 제외하고는 무력 사용을 피하는 것이 바람직하다고 교육한다. 무력이 필요할 것으로 예상 될 때는, 문제처리를 위해 지역경찰을 현장에 불러야 한다.

- 절차 및 정책은 실제 범죄 행위와 의심되는 범죄 행위의 처리 및 보고와 관련된다.

- 시설의 출입증이나 ID 카드와 같은 고유 프로그램에는 담당자 자신의 역할

을 완벽히 이해할 수 있도록 해당 프로그램을 다루기 위해 작성된 적절한 직무 체계가 있어야 한다.

- 유지 보수 문제(정전, 누수 등)를 신고하기 위한 절차 : 누구에게 연락해야 하며 어떤 양식을 사용해야 하며, 문제가 보고된 기록이 있어야 한다.

4. 보안 담당자가 관리하는 두 가지 유형의 보고서－관리자 및 계정 운영자 :

- 일일 작업 기록 : 각 교대 시간에 대한 모든 활동을 기록한다.
- 사건 보고서 : 일일 작업 기록에 내용을 간략하게 나타내고, 사건 보고서 내 충분히 설명되어야 한다.

5. 최근 연구에 따르면 보고서 작성은 보안 담당자가 수행하기 꺼려하는 업무 중 하나지만, 고용주에게는 매우 중요하다. 보고서 작성을 위한 일반 지침은 다음과 같다.

- 모든 보고서는 보고서 작성자와 보고서 검토 책임자가 서명한다.
- 보고서 검토 책임자는 사건 발생 시 교대가 끝날 때까지 보고서를 검토해야 한다.
- 양식의 공백/영역에 해당하는 경우 "N/A"라고 기입한다.
- 보고서의 내용은 추측이나 의견이 아닌 실제 관찰 및 행동으로 제한한다.
- 텍스트는 정확, 간결, 축약되며 전문적으로 표현한다.
- 텍스트는 "누가? 무엇을? 언제? 어디서? 어떻게?"라는 구조를 따른다.
- 통지는 적합한 사람에 맞추어 사전에 결정되고 시행한다.
- 활동 패턴을 결정하기 위해 사건 보고서를 주기적으로 추적한다.

6. 교대 기록 및 사건 보고서의 사본을 받을 사람과, 이 사본을 제출해야 하는 경우를 나열한다.

7. 또한 직무 체계는 보안요원 순찰 시스템(guard watch system) 사용 지침도 포함한다.

8. 직무 체계를 기반으로 위에서 설명한 보안요원의 의무와 관련된 역할에 대해 시청각 교육 프로그램 개발을 권장한다. 교육 프로그램에는 담당자가 그들의

직무를 이해하고 있음을 확인하는 필기시험을 포함해야 한다. 이 교육 및 테스트는 담당자가 필요한 업무 범위를 잊지 않았는지 확인하기 위해 6개월마다 실시 되어야 한다. 완료된 테스트는 담당자가 그들의 책임에 대해 이해했음을 보여주기 위해 관리자에 의해 파일로 보관한다.

첨부 E

보안장비

R/SM & C가 제공하는 보안 장비

- 전산화 된 출입 통제, 경보 및 CCTV 시스템/카메라

- 건물 출입구 및 승객용 엘리베이터 제어를 위한 액세스 카드

- 일부 출입구와 주차장 비상 스테이션이 있는 양방향 인터컴 시스템

- 주차장의 비상 전화 스테이션

- 중계국(relay station)이 있는 양방향 무선통신 시스템

- 보안 관제 센터로부터 프로그래밍 및 모니터링 되는 모든 장비

부록 E

기본 물리보안 표준

아래 항목은 리스크가 낮은 미국의 평균적 시설 보호에 대한 기본 표준이라고 생각되는 것을 나열한 것이다.

외부 보안

시설의 인력 배치

기업이 전적으로 소유하고 있는 모든 시설물은 시설의 경계와 관계자 외 출입 금지 지역에 대한 인력배치를 표시해야 한다. 경비 인력배치는 반드시 불법침입 과 관련된 현지 법률을 준수해야 한다.

다중 임대시설, 도심 지역 시설, 임차 부동산 등 임대 계약에 위반되는 이러한 장소는 이 요건에서 제외한다.

외곽 조명

조명은 반드시 직원의 안전과 보안 강화를 위해 제공되어야 한다. 건물 외부, 주차장 및 차량 주차 시스템, 그리고 트럭 하역장(truck dock)에는 범죄 활동을 저지하기 위한 적절한 수준의 조명이 갖춰져야 한다.

주차 차고지 또는 주차장

건물 지하에 주차가 가능한 장소일 경우, 기업 대표는 건물 소유주와 협의하여 주차 시설 관리에 대한 출입통제를 계획해야 한다. 위에서 언급한 바와 같이, 조명을 잘 갖추는 것 외에도 CCTV 감시 기능을 갖추어야 한다. 폭탄 테러 위협이 예상되는 지역은 보안요원이 주차장과 건물 주변을 무작위로 모니터링해야 한다.

건물 사각지대

폭탄 테러 위협이 예상되는 시설에서는 건물 소유주와 협의하여 사람이나 물건의 은폐를 방지하기 위해 건물 경계에서 2피트(0.61미터) 이내에 조경식물이 위치하지 않도록 해야 한다. 또한 건물 주변을 따라 명확한 시야 확보가 유지되어야 한다.

경보

가능한 경우 모든 경계－건물 입구는 정상 운영시간 이후 경보가 작동해야 한다.

건물 외곽과 내부 보안

외부 출입문

출입구 또는 비상구로 설계된 모든 외부 출입문은 반드시 잠금 장치를 갖춘 견고한 재료로 시공되어야 한다. 문 이음새, 경첩 및 잠금 장치는 강제 침입에 견

딜 수 있도록 설계되어야 한다(예: 도어 프레임의 벌어짐, 비상 장치의(panic hardware) 접근, 이음 볼트와 걸쇠, 경첩이 문 바깥쪽에 있을 때 고정된 경첩 핀). 잠금 실린더(lock cylinder)의 최소 요구사항은 6개 핀, 텀블러 타입(tumbler type) 또는 그와 동등한 수준의 복잡한 잠금 장치이다. 일반적인 출입을 위한 문의 수는 최소한으로 유지해야 한다. 모든 경계의 출입문은 경보장치가 달려있어야 한다. "비상 대피용" 출입문은 항상 경보 신호가 작동되고 있어야 하고, 다른 출입문은 근무 시간 후에 작동해야 한다. 이런 경보들은 24시간 관제실에 보고되어야 한다.

창문과 외관 유리 벽

1층(ground floor)에 있는 개폐 가능한 창문은 관제실에서 경보가 작동되도록 해야 한다. 폭탄 테러 위협이 예상되는 시설의 경우 건물 하부 층에 있는 외관 창문은 접합 유리나 와이어 유리 또는 폴리 카보네이트(polycarbonate)를 처리한 유리를 사용해야 한다.

외곽경계 벽

공공장소 또는 다른 거주자의 공간과 기업의 공간을 구분하는 외곽경계 벽은 슬라브(slab) 구조로 되어야 한다.

로비 시설

모든 로비는 통제되어야 한다. 일반적으로 로비의 외부 출입문은 대중에게 공개된다. 엘리베이터를 포함하여 로비를 통과하는 모든 실내 공간은 카드리더기를 사용해 전산화된 출입 통제 시스템으로 제어되어야 한다. 로비는 인가되지 않은 사람 또는 물건의 은폐를 방지하도록 설계되어야 한다.

로비 및 데스크 위치는 로비의 안내원이 착석 위치에서 로비와 모든 출입 포인트를 통제하고 최대한 관찰할 수 있도록 설계되어야 한다.

눈에 잘 띄지 않는 곳이나, 24시간 모니터링 하는 보안상황실 또는 지속적으로 근무하는 구역에는 비상 장치(panic device)나 경보 장치가 있어야 한다. 대응 담당자를 위한 서면 대응 절차 지침서가 있어야 하고, 이 절차는 12개월 또는 이 활동과 관련된 인사의 변경이 있을 때마다 테스트해야 한다.

로비의 천장, 화장실 및 이와 유사한 공공장소는 침입을 탐지할 수 있어야 한다. 설비(service equipment)가 필요한 경우 안전하게 잠그거나 고정된 출입 패널이 설치되어야 한다. 공용 공간에 위치한 화장실과 건물 안에 있는 공용 엘리베이터 로비는 잠겨 있어야 한다.

안내원을 위한 비상 버튼(panic button)은 비상경보 활성화 시 로비에서 내부로 진입하는 모든 문이 자동으로 잠길 수 있도록 설계되어야 한다.

로비는 CCTV 카메라를 통해 모니터링 되고 기록되어야 한다. 이를 통해 비상경보 상황을 원격으로 확인할 수 있다. 이는 발생한 일에 대한 기록뿐 아니라 범죄 의도가 있는 사람들을 저지할 수 있다.

다른 출입 지점

만약 통제된 로비를 통하지 않고 회사에 들어 갈 수 있는 다른 출입문이 있다면, 이러한 출입문은 반드시 직원 출입만 가능하도록 지정해야 한다. 그 출입문은 컴퓨터로 출입 제어가 가능해야 하며, 카메라를 문 안 쪽에 설치하여 문을 통한 모든 활동을 기록해야 한다.

제한 공간

내부 보안 공간에는 추가 보안이 필요한 영역이 있을 수 있다. 이러한 영역에는 네트워크 서버, 보안 CCTV 저장장치, 특히 민감한 정보, 우편실 운영 등이 포함될 수 있다. 제한된 공간은 슬라브 구조로 실내 공간으로부터 격리되어야 한다. 이 공간이 공공 공간 옆에 있지 않는 한 철망(wire screening)과 천장 타일 클립(ceiling tile clips) 또는 전자 경보가 슬라브 구조에 대한 대안이 될 수 있다. 외부 창문은 제한 공간에서는 피하는 것이 좋다.

통신 보안

보안 공간 외부로 확장되는 경보, CCTV, 출입통제와 같은 보안시스템을 전송하는 케이블은 용접 이음부가 있는 금속 도관에 설치되어야 한다. 컴퓨터나 전화

케이블에도 동일하게 요구된다.

잠금장치 및 열쇠 제어

외곽 출입문 잠금 장치는 엄격한 제어 장치가 있어야 한다. 전산화된 출입 통제 시스템을 사용하는 경우, 정전이나 다른 이유로 컴퓨터 시스템이 다운되었을 때 비상 출입을 허용하는 열쇠 잠금 장치가 있는 경우가 종종 있다. 또한 건물 관리는 긴급 상황에 대응하여 근무시간 후 회사 내 비상 출입을 요구할 수 있다. 이러한 열쇠 잠금 장치가 존재할 때 이를 최소로 유지해야 하고, 그에 대한 접근이 통제되어야 한다. 건물 관리는 필요 시 비상 출입을 위해 사용할 출입증도 제공해야 한다. 근무시간 외 출입 접근을 위한 열쇠 사용 시 원격으로 모니터링 되는 외곽 경보 시스템을 작동시켜야 한다. 이 경우 관제실에서는 기업의 사무실 관리자뿐만 아니라 현장에 대응하기 위한 지역 경찰에도 연락을 취해야 한다.

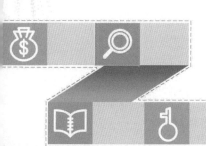

샘플 준공 체크리스트

○○○ 회사 현장 감독자 준공 체크리스트			감독자 사인 또는 해당없음 (N/A)
1. 장비, 소프트웨어 및 비소모품 항목	업무 목적으로 구입한 모든 항목	모든 장비, 소프트웨어, 이전에 업무 목적으로 구매했던 비소모품이 퇴근 전에 반납되었는지 확인하는 것은 일선관리자의 책임이다.	
	잠금 장치와 번호자물쇠 비밀번호	개인이 접근할 수 있는 모든 잠금 장치에 대한 비밀번호 변경	
2. 열쇠	건물과 게이트열쇠	관리자는 모든 열쇠가 "회사"로 반납되었는지 확인해야 한다. 보안장소 : ＿＿＿＿＿＿＿ 문의사항 : 보안 콜센터＿＿＿＿	
3. 보호 의류 장비		관리자는 반납을 위해 현지방식을 따라야 한다.	
4. 회사 로고, 의류 등		관리자는 반납을 위해 현지방식을 따라야 한다.	

5. 재무	선지급	관리자는 환불 등의 업무처리를 위해 현지방식을 따라야 한다.	
	법인카드	퇴사 한 직원에게서 법인카드를 회수하고, 반을 잘라 다음 주소로 보낸다 : _____	
6. 통신수단	차량 전화 (Car phones), 휴대전화, 호출기, 팩스 등	관리자는 반납을 위한 현지방식을 따라야 한다. 그러나 "회사"는 복구된 이중화 장비를 폐기하는 정책을 가지고 있다. 복구할 장비의 상세내역을 순서대로 입력해야 한다. 개인 용도로 "회사"장비를 제거 또는 무단 사용하는 것은 허용되지 않으며, 징계대상이 된다.	
	개인용 컴퓨터 : 단말기 및 모뎀, 소프트웨어 및 프린터 포함	컴퓨터 자산은 개인별로 태그가 지정된다. 퇴사할 때 개인은 e-조직(e-Organization)을 통해 자산을 재 할당해야 한다. 현장 감독자는 이러한 자산에 대해 적절한 조치가 취해 졌는지 확인해야 한다. 참고 : 민감한 정보가 접근 권한이 없는 개인에게 전송됐을 경우 모든 기밀 데이터가 PC에서 삭제되었는지 확인하는 것은 현장 감독자의 책임이다.	
	보안 암호, 시스템 및 내부전산망 접속	"회사" 프로세스는 다음을 통해 통제된다_____. 이 채널을 통한 현장 감독자 통지는 등록된 모든 시스템 권한을 자동으로 삭제한다. 주의 : 삭제를 요청할 경우 시스템과 건물에 대한 모든 권한을 잃게 된다. 현장 감독자의 책임에 대한 개략적 정보는 다음을 참조한다_____.	
	시스템, 네트워크, 응용 프로그램, 웹 사이트의 소유권	현장 감독자는 새 소유자에게 이전이 완료되었는지, 적합한 시스템 관리자가 다음을 통해 접근 권한을 제거했는지 확인해야 한다_____. 시스템에 대한 모든 접근은 퇴사자의 마지막 근무일 전에 처리해야 한다.	

| 7. 출입 카드 | "회사" 건물의
ID 카드 | 관리자는 ID 카드뿐만 아니라 출입 카드가 "회사"로 반납되었는지 확인해야 한다.
보안장소 : _____,
문의사항 : 보안 콜센터_____ | |

서명 : _____

현장 감독자 성명 :

작성이 완료 되면, 이 양식은 현장 감독자가 보관해야 한다.

문제가 발생한 경우 이메일을 통해 알려야 한다. _____

위기관리 비상계획 체크리스트

비상계획	네	아니오	기타
위치 별 보안 비상 계획을 유지하고 있는가?	_____	_____	_____
다음을 포함하여 장소를 위협 할 수 있는 모든 비상 상황에 대비한 직원 및 기업의 재산을 보호하기 위한 절차가 존재하는가?	_____	_____	_____
자연 재해와 인위적 재해	_____	_____	_____
사람과 재산에 대한 위협이나 폭력 행위	_____	_____	_____
정치적 또는 시민적 소동(disturbance)	_____	_____	_____
비상 정지 또는 대피 유도	_____	_____	_____
주요 및 대체 위기관리 센터의 위치 선정 및 인력 배치	_____	_____	_____
대응에 대한 전반적인 책임을 가진 담당자(coordinator) 지정	_____	_____	_____

비상계획(계속)	네	아니오	기타
위기관리 팀 및 대체 구성원의 지정	_____	_____	_____
위기관리 팀은 다음 사항을 포함하고 있는가?	_____	_____	_____
인적자원(Human resources)	_____	_____	_____
시설 엔지니어링(Facilities engineering)	_____	_____	_____
법률(Legal)	_____	_____	_____
자금(Finance)	_____	_____	_____
보안(Security)	_____	_____	_____
통신(Communications)	_____	_____	_____
경영진(Executive management)	_____	_____	_____
계획에 서술된 아래의 그룹이나 개인들과 협조 절차가 있는가?	_____	_____	_____
건강, 안전 및 환경 보호를 담당하는 현장 또는 구역 담당자	_____	_____	_____
인근 또는 인접 기업 시설	_____	_____	_____
임대 시설의 임대주 또는 다른 입주자	_____	_____	_____
지역사회 비상사태 및 법 집행 서비스	_____	_____	_____
가정이나 직장에서 직원의 위치, 회계, 커뮤니케이션을 지원하는 인적자원	_____	_____	_____
필요에 따라 또는 최소 6개월마다 보안 검토 및 비상 계획이 업데이트 여부를 확인하는가?	_____	_____	_____
그 계획은 다음과 같은 내용이 제공된다는 것이 설명되어 있는가?	_____	_____	_____
무장 해제된 법 집행관(경찰관, 보안관 등)	_____	_____	_____
시설 보호	_____	_____	_____
시설 대피 (장애인을 위한 계획 포함)	_____	_____	_____

비상계획(계속)	네	아니오	기타
화재 예방 및 소방서	_____	_____	_____
위험 물질 및 비상대응 팀	_____	_____	_____
필수 서비스 및 공급	_____	_____	_____
비상 경보 시스템	_____	_____	_____
구조대	_____	_____	_____
응급처치 팀	_____	_____	_____
응급 장비	_____	_____	_____
긴급 수송	_____	_____	_____
통신 기능	_____	_____	_____
경찰, 소방서, 병원, 구급차, 공익 기업, 군대 또는 경찰 폭발물 처리팀의 연락처	_____	_____	_____
의료 종사자 및 보급품	_____	_____	_____
주요 및 대체지점의 근무하는 대응 팀이 사용하는 각 시설의 사무실 전화번호가 기재된 평면도 또는 건축 도면	_____	_____	_____
관리자가 휴가 중인 직원에게 연락할 수 있도록 집주소, 전화번호가 포함된 현재 직원 명단 (ZIP/우편/지역 코드별 알파벳 순으로 정렬된 목록)	_____	_____	_____
보안은 비상전원이 공급되는 위기관리실을 유지하는가?	_____	_____	_____
위기관리실에 적절한 장비가 포함되어 있는가?	_____	_____	_____
위기관리 센터로 사용할 수 있는 대체 부지가 확인되었는가?	_____	_____	_____
대체 부지에서 적절한 수준의 통신을 유지할 수 있는가?	_____	_____	_____
주요 장소에 접근하기 어려운 조건의 영향을 받지 않도록 대체 부지가 충분히 분리되어 있는가?	_____	_____	_____
대체 부지에 대한 장비와 문서가 유지되고 있는가?	_____	_____	_____

비상계획(계속)	네	아니오	기타
최종 점검 날짜	____	____	____
비상대응 팀의 신원을 확인했는가?	____	____	____
모든 비상대응 팀원들은 12개월마다 재교육 훈련을 받는가?	____	____	____
비상대응 팀 훈련에는 다음 사항이 포함되어있는가?	____	____	____
대피	____	____	____
총격 사고	____	____	____
폭탄 탐색(현지 법이 허용하는 경우)	____	____	____
응급 처치	____	____	____
위기관리 팀은 최소 12개월에 한 번씩 절차를 검토하는가?	____	____	____
계획에 대한 테스트는 2개월마다 진행되는가? (법으로 요구되는 경우 더 자주)	____	____	____
위기관리 팀의 활성화가 필요한 모든 비상상황을 보안 검토하고 평가하는가?	____	____	____
이 비평은 경영진에게 전달되고 필요한 교정을 위해 시행되는 실행 계획인가?	____	____	____

• 역자 소개

2017년 1월, 에스원 SP사업부 SI컨설팅 그룹원 모두가 컨설팅 역량 및 회사 이미지 제고를 목적으로 보안 관련 전문서적 번역소모임 운영을 시작했고 1주년을 맞이하여, 에스원 경영·보안시리즈 02 '시큐리티 마스터 플랜'을 출간했습니다.

그룹 소모임에서 시작하여 도서로 출간되기까지, 에스원 보안·경영 시리즈를 지지해주고 비전을 제시해주신 육현표 대표이사님, SP사업부의 역량강화를 위해 앞에서 이끌어주신 김종국 SP사업부장님, 도서를 출간할 수 있도록 지원해주신 김경한 지원팀장님, 전문가의 관점에서 안전한 환경조성을 위한 보안계획의 중요성을 되짚어주신 고려대학교 건축학과 이경훈교수님, 도시공학 박사 여욱현이사님 그리고 마지막으로 후배들에게 정보공유의 장을 만들어주신, 나석종 그룹장님을 포함하여 바쁜 업무 중 틈틈이 번역 작업에 참여한, 강봉구, 강원중, 김철현, 김회진, 노재문, 박민수, 신용달, 양해광, 윤종수, 이승용, 박병배, 손진만, 양재성, 이창현, 진세원, 류정아, 박계운, 박상권, 박재현, 성하얀, 윤기훈, 윤보라, 정다혜, 최선희 이하 24명 SI컨설팅 그룹원들의 자발적 참여와 많은 분들의 도움이 없었더라면 출간하기 어려웠을 것입니다.

다시 한번 모든 분들께 감사 인사를 드립니다.

보안에 대한 원칙과 방법론을 담고 있는 본 도서가 보안 분야에 종사하거나 관심을 가지는 모든 이들에게 조금이나마 도움이 되기를 바랍니다.

시큐리티 마스터 플랜 : 보안마스터플랜을 개발하고 구현하는 방법
HOW TO DEVELOP AND IMPLEMENT A SECURITY MASTER PLAN

지 은 이	Timothy D. Giles
옮 긴 이	에스원
펴 낸 이	한헌주
펴 낸 곳	도서출판 **K-books**
등 록	1995년 11월 9일 제300-1995-138호
주 소	서울특별시 서대문구 독립문로 21-9
전 화	738-7035(代)
F A X	722-4678
e-mail	kmsp@korea.com
홈 페 이 지	http://www.kmsp.co.kr
초판 인쇄	2018년 1월 19일
초판 발행	2018년 1월 24일

값 **30,000**원

ISBN 978-89-420-0880-3   03320